Michael Moore
**VOLLE DECKUNG
MR. BUSH**

Michael Moore

# VOLLE DECKUNG MR. BUSH

## »Dude, Where's My Country?«

Mit einem Vorwort zur deutschen Ausgabe

Aus dem Amerikanischen von Michael Bayer,
Helmut Dierlamm, Thomas Pfeiffer und
Heike Schlatterer

Piper
München Zürich

Die amerikanische Originalausgabe erschien 2003 unter dem Titel
»Dude, Where's My Country?« bei Warner Books, New York.


Von Michael Moore liegen auf deutsch außerdem vor:
»Stupid White Men«
»Querschüsse. Downsize this!«

ISBN 3-492-04614-2
7. Auflage 2004
© Michael Moore, 2003
Deutsche Ausgabe:
© Piper Verlag GmbH, München 2003
Satz: seitenweise, Tübingen
Druck und Bindung: Clausen & Bosse, Leck
Printed in Germany


www.piper.de

*Für Rachel Corrie*

Werde ich je ihren Mut haben
Werde ich zulassen, daß sie umsonst gestorben ist

*Für Ardeth Platte und Carol Gilbert*

Werde ich in ihrer Zelle sitzen
Sie würden in meine kommen

*Für Ann Sparanese*

Eine einfache Tat, und eine Stimme war gerettet
Gibt es eine Million von ihrer Sorte,
werden wir alle gerettet werden

*Rachel Corrie* war eine amerikanische Friedens-
aktivistin, die in Gaza von einem israelischen
Bulldozer überrollt wurde.

*Ardeth Platte* und *Carol Gilbert* sind Mitglieder
der Grand Rapids Dominican Sisters, einer
Gruppe von religiösen Friedensaktivistinnen.

*Ann Sparanese* ist Bibliothekarin in den USA und
hat maßgeblich dazu beigetragen, daß »Stupid
White Men« erschienen ist.

(A. d. Ü.)

# Inhalt

# Vorwort zur deutschen Ausgabe

**Seid gegrüßt,** meine deutschen Freunde, stolze Überreste des alten Europa und Anführer der Koalition der Unwilligen!

Was zum Teufel ist los mit euch? Habt ihr nicht mehr gewußt, daß ihr gehorchen müßt, wenn die einzige Supermacht der Welt einen Befehl bellt? Wir bellen, ihr springt – das ist die Regel. Hat Mr. Bush euch nicht hoch genug bestochen, damit ihr mitmacht und die Bevölkerung des Irak bombardiert? Habt ihr nicht gewußt, daß Saddam der Übeltäter Massenvernichtungswaffen besaß? GROSSE Waffen! OH JA! Grausige Waffen! Er… er… er konnte sich *unsichtbar* machen, und er besaß geheime magische Kräfte, wie daß er, äh, daß er sich in eine Motte verwandeln konnte! Und, und… fliegen konnte er auch! Ich habe gesehen, wie er auf dem Empire State Building landete, und er sah so grimmig drein, als wollte er uns alle töten! Echt!

Millionen von uns versuchen hier in den USA mit aller Macht zu verhindern, daß das Bush-Regime rund um den Erdball noch mehr Unheil anrichtet. Für uns ist es dringend notwendig, daß ihr Deutschen Bush Widerstand leistet, und ihr sollt wissen, daß wir diesen Widerstand geradezu verzweifelt begrüßen. Es schadet uns sehr, daß Leute wie Tony Blair unsere Anstrengungen sabotieren. Aber zum Glück haben in Frankreich und Deutschland und zahlreichen anderen Ländern einige der größten Antikriegsdemonstrationen aller Zeiten stattgefunden. Ich kann dazu nur sagen: Danke, danke und nochmals danke.

Als ich kürzlich nach Übersee reiste, kamen viele Leute auf mich zu und dankten mir, weil ich »der einzige vernünftige Amerikaner« sei. Dieses Kompliment entspricht schlichtweg nicht der Realität. Ich kann euch versichern, daß nicht das ganze Amerika verrückt geworden ist. Bitte vergeßt niemals die folgende Wahrheit: **Die Mehrheit der Amerikaner stimmte NICHT für George W. Bush.** Es ist nicht der Wille des amerikanischen Volkes, daß er im Weißen Haus sein Amt ausübt. Im Gegensatz zu einem weitverbreiteten Irrglauben ist eine Mehrheit der Amerikaner ziemlich fortschrittlich – ihr würdet es »linksliberal« nennen –, aber sie hat keine engagierten liberalen Führer. Wenn sich das (hoffentlich bald) ändert, bessert sich die Lage.

Ich schreibe euch, damit ihr wißt, daß ich keineswegs allein bin, sondern mitten in einer neuen amerikanischen Mehrheit stehe. Viele Millionen amerikanischer Bürger denken wie ich, oder ich denke wie sie. Ihr erfahrt bloß nichts von ihnen, jedenfalls bestimmt nicht aus der Presse. Aber sie sind da draußen – und ihre Wut brodelt dicht unter der Oberfläche. Deshalb mache ich weiter meinen Job und versuche, das eine oder andere Loch zu bohren, damit die Wut sich in einem Geysir demokratischen Handelns entladen kann.

Ich kann gut verstehen, daß Deutschland und der Rest der Welt über das Verhalten der Vereinigten Staaten von Amerika ausgeflippt sind. Recht hatten sie! Der Haufen, der bei uns regiert, fühlt sich an kein Gesetz gebunden. Ihr braucht euch nur zu fragen, wozu diese Gauner noch fähig sind, wenn sie schon die Wahl gefälscht haben. So viel kann ich euch sagen: Sie haben keine Hemmungen, alles zu zerstören, was sich ihnen in den Weg stellt, besonders wenn sie unterwegs sind, um noch mehr Geld zu machen. Und sie bestrafen euch, auch als alte Verbündete, wenn ihr nicht mit gebeugtem Knie und gesenktem Kopf am Wegrand steht und ruhig zuseht, wie sie zum nächsten Regimewechsel marschieren (vorzugsweise in einem Land, das ein paar profitversprechende Ölfelder hat).

All dies wird natürlich zu ihrem – und unserem – Untergang führen. Ich glaube, eine knappe Mehrheit der Amerikaner spürt das tief unten in ihren Bäuchen. Sie sind nur völlig verwirrt, und zwar nicht zuletzt, weil sie unter einer aufgezwungenen Unwissenheit leiden. Die Grundlage für diese Unwissenheit wird schon in der Schule gelegt, denn in unseren Schulen lernen sie fast nichts über den Rest der Welt. Und sie werden auch ihr ganzes Erwachsenenleben lang unwissend gehalten, weil die Medien kaum noch über das Ausland berichten, es sei denn die Nachrichten haben etwas mit den USA zu tun. Daß wir nichts über euch wissen, solltet ihr an uns am meisten fürchten. Die meisten von uns finden euch nicht einmal auf der Landkarte. Laut einer kürzlich erschienenen Studie finden 85 Prozent der Amerikaner zwischen 18 und 25 den Irak nicht auf der Weltkarte. Ich meine, die erste Vorschrift des Völkerrechts sollte lauten: Ein Volk, das seinen Feind nicht einmal auf dem Globus findet, darf ihn auch nicht bombardieren.

Sollte ein derart unwissendes Volk die Welt führen? Wie ist es überhaupt dazu gekommen? 82 Prozent von uns haben nicht einmal einen Paß! Nur eine Handvoll kann eine andere Sprache als Englisch (und auch das sprechen wir nicht besonders gut). George W. sieht den Rest der Welt jetzt zum ersten Mal – weil er *muß,* weil das Reisen bei einem Präsidenten verdammt nochmal zum Job gehört.

Vermutlich bekamen wir die Verantwortung für die Welt, weil wir die größten Kanonen haben. Komisch, das funktioniert anscheinend immer. Wir haben den Kalten Krieg gewonnen, weil unser Gegner die Flagge gestrichen hat. Die Sowjetunion beschloß dank Mr. Gorbatschow, den Kampf aufzugeben, weil sie sich mit einem System stranguliert hatte, das einfach nicht funktionierte. Das Regime in Ostdeutschland ging zu Ende, weil die Leute auf die Straße gingen und gegen eine Mauer hämmerten. Wow, das muß man sich mal vorstellen, ein Regimewechsel, ohne daß ein einziger Schuß abgefeuert wird!

Dasselbe passierte in Südafrika – niemand mußte das Land

bombardieren, um es zu befreien. Tatsächlich gibt es etwa zwei Dutzend Länder, die – grob gerechnet – im letzten Jahrzehnt befreit wurden, einerseits durch den Druck der Weltöffentlichkeit, vor allem jedoch, weil ihre Bevölkerung durch einen gewaltlosen Aufstand die Macht ergriffen hat.

Aber wir Amerikaner kriegen ja keine Nachrichten aus Gebieten, die jenseits von Brooklyn oder Malibu liegen. Vermutlich haben wir gar nicht erfahren, wie ein *richtiger* Regimewechsel vor sich geht. Deshalb war es vor dem Irakkrieg auch so einfach, uns schaufelweise Sand in die Augen zu streuen (meine Lieblingsschaufel war, daß der 11. September mit Saddam Hussein in Verbindung gebracht wurde), und die meisten von uns ließen sich blenden.

Okay, das ist verständlich. Wir wußten es nicht besser, und ich bin sicher, den meisten von euch ist klar, daß wir ein wirklich leichtgläubiger Haufen sind. Wir gehen das Leben ziemlich offen und großzügig und unkompliziert an. Wenn ihr uns um Hilfe bittet, kommen wir euch zu Hilfe. Und wenn ihr uns sagt, daß Esel fliegen können, glauben wir es (wenn ihr es im Fernsehen sagt). So sind wir nun mal, und ihr habt bestimmt schon festgestellt, daß das eine bezaubernde Eigenschaft von uns ist. Na los, gebt's schon zu, das ist doch der Grund, warum ihr uns so gern habt. Und unseren Unternehmungsgeist nicht zu vergessen! Wir haben die nächste große Erfindung schon gemacht, bevor es 12.00 Uhr mittags schlägt. Wir haben Drive! Und Ehrgeiz! Und Selbstvertrauen! Klar, wir haben seit sechs Jahren keinen Tag mehr frei gehabt, aber was soll's! Wer braucht schon Schlaf! Wir müssen eine Welt regieren!

Das erklärt vermutlich, warum wir uns so verhalten haben, wie wir uns verhalten haben. Aber jetzt kommt meine Frage an euch: Welche Entschuldigung habt *ihr?* Warum habt ihr euren Regierungen im Lauf der Jahre gestattet, immer mehr von dem sozialen Netz wegzuschnippeln, das ihr uns vorausgehabt habt? Ihr Deutschen habt doch immer gesagt: »Wir sind füreinander verantwortlich.«

Deshalb gab es bei euch die Krankenversorgung, die Ausbildung und überhaupt alles, was ALLE brauchen, umsonst. Aber jetzt wird das alles immer weniger. Es ist, als ob ihr euch in uns verwandelt, in ein Volk, das glaubt, daß die Reichen immer reicher werden müßten und alle anderen ihnen den Arsch küssen sollten. Ach kommt schon, ihr Deutschen, *ihr* wißt es doch besser! Ihr seid belesen. Eure Medien berichten auch, was südlich der Alpen geschieht. Ihr macht Reisen. Ihr wißt Bildung zu schätzen. Und ihr habt im vergangenen Jahr die moralische Führung in der Frage Krieg oder Frieden übernommen. Ich bitte euch inständig, zeigt dieselbe moralische Urteilsfähigkeit, wenn es darum geht, das soziale Netz für jene Deutschen zu erhalten, die in eurem Land die schwächsten sind. Beschreitet nicht den amerikanischen Weg, wenn es um die Wirtschaft, um Arbeitsplätze und um Dienstleistungen für Arme und Einwanderer geht. Es ist der falsche Weg.

Okay, jetzt kommt eine gute Nachricht: Während ich dies schreibe, wird über eine neue Meinungsumfrage in den USA berichtet. Ihr zufolge sind die Amerikaner zum ersten Mal mehrheitlich der Ansicht, daß Bush keine zweite Amtszeit mehr regieren sollte. Das ist eine großartige Nachricht, wenn man bedenkt, wieviel Unterstützung er zunächst für seinen kleinen Krieg bekam, der inzwischen zu einem endlosen Krieg geworden ist. Es hat also auch etwas Positives, daß wir Amerikaner uns nicht lange auf eine Sache konzentrieren mögen und immer nach sofortiger Befriedigung streben! Der Irak war kein Grenada, und jetzt ist uns die Sache langweilig geworden! Wir wollen Fernseh-Shows mit Happy-End! Hey, warum schießen die immer noch auf uns! Ich will nach Hause! Hilfäääääääääää!

Noch eine letzte Bemerkung: Ich bin ganz überwältigt, wie die Menschen auf der ganzen Welt in dem Jahr, seit *Stupid White Men* und *Bowling for Columbine* erschienen sind, auf meine Arbeit reagiert haben. Besonders aber bin ich von der Reaktion der Deutschen überwältigt. Die deutschsprachige Ausgabe von

*Stupid White Men* wurde über eine Million mal verkauft, und das Buch stand über sechs Monate auf Platz eins der Bestsellerliste. Zu einem bestimmten Zeitpunkt war es gleichzeitig Nummer eins UND sechs – in der deutschen und in der englischen Version! Während ich dies schreibe, stehen Bücher von mir in Deutschland auf Platz eins und zwei (mein erstes Buch, *Querschüsse* von 1997, belegt den zweiten Platz). Über vier Millionen Exemplare von *Stupid White Men* sind inzwischen weltweit gedruckt (anscheinend hat sich nur *Harry Potter* besser verkauft), und *Bowling for Columbine* war für einen Dokumentarfilm der größte Kassenschlager aller Zeiten. Ich bin dafür sehr dankbar, weil es bedeutet, daß ich ohne Einmischung anderer die Bücher und Filme machen und veröffentlichen kann, die ich will. Dies ist ein Geschenk, das ich keineswegs als selbstverständlich betrachte. Ich nehme es als Zeichen, daß sich die Öffentlichkeit von der Rechten abgewandt hat und daß die Zeit reif ist für eine Bewegung, die sich für ein paar von den guten Dingen einsetzt, die endlich realisiert werden sollten. Ich hoffe, es ist euch ein Trost, daß die Amerikaner letztes Jahr, als Bush (wie die Medien fälschlich berichteten) so populär war, kein Buch öfter kauften und lasen als *Stupid White Men,* in dem George W. Bush die Hauptrolle spielt. Wie ihr seht, ist nicht alles verloren! Habt Vertrauen! Habt Hoffnung! Und schickt uns eine Zeitung mit interessanten Artikeln!

*Michael Moore*

September 2003

# APPROVED

Dieses Buch wurde vom Ministerium für Heimatschutz freigegeben. Es enthält keine aufrührerischen oder verräterischen Reden oder Handlungen. Jedes Wort wurde von einem Team von Terrorexperten untersucht und analysiert, um sicherzustellen, daß es *Dem Feind* weder hilft noch ihn ermuntert. Dieses Buch enthüllt keine Staatsgeheimnisse, auch werden in ihm keine der Geheimhaltung unterliegenden Dokumente öffentlich zugänglich gemacht, die den Vereinigten Staaten von Amerika oder ihrem Oberkommandierenden peinlich werden könnten. Dieses Buch enthält keine geheimen Botschaften an Terroristen. Dies ist ein gutes christliches Buch, geschrieben von einem patriotischen Amerikaner, der weiß, daß wir ihn vernichten werden, sollte er jemals aus der Reihe tanzen. Wenn Sie, teuerer Leser, dieses Buch gekauft haben, sind wir laut Abschnitt 29A des USA Patriot Act verpflichtet, Sie auf folgendes hinzuweisen: Für den Fall, daß sich jemals die Notwendigkeit ergeben sollte, das Kriegsrecht zu verhängen, was, wie wir sicher sind, niemals passieren wird, wird Ihr Name hiermit in eine Datenbank potentieller Verdächtiger aufgenommen. Ihre Eintragung in diese Liste qualifiziert Sie zugleich zur Teilnahme an der großen Preisverlosung, bei der zehn glückliche Gewinner eine brandneue Resopal-Arbeitsplatte von Kitchen Magic erhalten werden. Sollten Sie tatsächlich ein wahrhaftiger Terrorist sein und dieses Buch in einer Buchhandlung erworben oder in einer Bibliothek in der Hoffnung ausgeliehen haben, die darin enthaltenen Informationen zu nutzen, seien Sie versichert, daß wir bereits wissen, wer Sie sind. Die Seite, die Sie in Händen halten, besteht aus einem neu entwickelten Leinenpapier, das automatisch Ihre Fingerabdrücke nimmt und an unser Zentralkommando in Kissimmee, Florida, übermittelt. Versuchen Sie nicht, diese Seite aus dem Buch herauszureißen – **Es ist zu spät.** Versuchen Sie nicht, wegzurennen, Sie sind uns in die Falle gegangen, Sie elender, nichtsnutziger Schurke… **Halt! Lassen Sie das Buch fallen! Hände hoch! Sie haben das Recht… vergessen Sie's! Sie haben gar keine Rechte!! Sie existieren nicht einmal mehr! Und daran zu denken, daß Sie, hätten Sie nur unsere Art zu leben geschätzt, Ihre eigene, fleckenresistente Resopal-Arbeitsplatte hätten gewinnen können!**

Tom Ridge,
Minister für Heimatschutz

George W. Bush,
Oberkommandierender des Vaterlandes

# Einleitung

**Ich höre gern** die Geschichten, wo die Leute am Morgen des 11. September waren oder was sie taten, vor allem die Geschichten derjenigen, die überlebt haben, weil das Schicksal es so wollte oder weil sie einfach Glück hatten.

Da gibt es zum Beispiel diesen Typen, der am Tag davor aus den Flitterwochen zurückkehrte. Am Abend des 10. September kam seine Braut auf die Idee, ihm ihren Spezialburrito zuzubereiten. Der Burrito (eine gefüllte Tortilla) schmeckte furchtbar, es war, als müßte man Teer essen, der von der Mittellinie des Major Deegan Expressway abgekratzt wurde. Aber wenn man verliebt ist, sieht man über derlei Kleinigkeiten hinweg, was zählt, ist die Geste, nicht die Verdauung. Er sagte seiner Frau, er sei ihr überaus dankbar und liebe sie sehr. Dann bat er um Nachschlag.

Am nächsten Morgen, am 11. September 2001, fuhr er mit der U-Bahn von Brooklyn zu seinem Job in einer der oberen Etagen des World Trade Centers. Die U-Bahn war vielleicht Richtung Manhattan unterwegs, aber der Burrito wählte eine ganz andere Richtung, und damit meine ich nicht das Jersey-Ufer. Dem Jungvermählten wurde übel, speiübel, und deshalb stieg er eine Haltestelle vor dem World Trade Center aus. Er rannte die Treppen vom U-Bahnschacht hinauf und suchte verzweifelt nach einer Toilette. Machen Sie das mal in New York ... An der Ecke Park Row und Broadway war das Malheur dann passiert. Der Junge hätte für Plastikwindeln Reklame laufen können.

Das war ihm natürlich furchtbar peinlich, aber immerhin fühlte er sich jetzt viel besser! Er winkte einem Taxi und bot dem Fahrer 100 Dollar, wenn er ihn nach Hause fahren würde (9 Dollar für die Fahrt und 91 Dollar als Anzahlung für ein neues Auto).

Dort angekommen, rannte er schnell ins Haus. Er wollte duschen, sich umziehen und so schnell wie möglich wieder nach Manhattan zur Arbeit eilen. Nach dem Duschen schaltete er den Fernseher ein und sah, wie ein Flugzeug direkt in die Etage einschlug, auf der er arbeitete und eigentlich auch *gerade hätte sein sollen,* wenn seine liebende Gattin ihm nicht diesen wundervollen Burrito gemacht hätte, diesen vollkommenen, unglaublichen, erstaunlichen ... Der Mann schlug die Hände vors Gesicht und brach in Tränen aus.

Meine eigene Geschichte zum 11. September ist weniger spektakulär. Ich lag schlafend im Bett in Santa Monica. Um etwa halb sieben morgens klingelte das Telefon. Es war meine Schwiegermutter. »In New York ist der Teufel los!«, brüllte sie mir ins halbwache Ohr. Ich wollte sagen: »Ja und, das ist doch nichts Neues. Außerdem ist es halb sieben morgens!«

»In New York ist Krieg«, redete sie weiter. Auch das ergab keinen Sinn, schließlich hat man in New York immer das Gefühl, man sei im Krieg. »Schalt den Fernseher ein«, sagte sie. Das machte ich. Ich weckte meine Frau, und das erste, was wir auf dem Bildschirm sahen, waren die zwei brennenden Türme des World Trade Centers. Wir versuchten, unsere Tochter in New York anzurufen, kamen aber nicht durch, dann versuchten wir es bei unserer Freundin Joanne (die in der Nähe des World Trade Centers arbeitet), aber auch das klappte nicht, und dann saßen wir fassungslos im Bett. Wir blieben bis um 17.00 Uhr nachmittags im Bett und vor dem Fernseher, erst dann erfuhren wir, daß unserer Tochter und Joanne nichts passiert war.

Aber Bill Weems, einem Aufnahmeleiter, mit dem wir vor kurzem noch zusammengearbeitet hatten, war etwas passiert. Als die Sender am Bildschirmrand ein Band mit den Namen der

Flugzeugpassagiere laufen ließen, sahen wir Bills Namen. Meine letzte Erinnerung an ihn ist, wie wir beide in einer Leichenhalle herumalberten, als wir eine Satire auf die Tabakindustrie drehten. Bring zwei Typen mit schwarzem Humor mit ein paar Bestattungsunternehmern zusammen, und du bist praktisch im siebten Himmel. Drei Monate später war er tot und – wie sagt man so schön – »das Leben, wie wir es kannten, hat sich für immer verändert«.

Tatsächlich? Hat es das? Inwiefern hat es sich verändert? Haben wir schon genug Abstand zu diesem tragischen Tag, daß wir diese Frage stellen und eine intelligente Antwort geben können? Für Bills Frau und seine siebenjährige Tochter hat sich das Leben mit Sicherheit verändert. Das ist das Furchtbare daran, daß dem Kind so früh der Vater genommen wurde. Und auch für die anderen Angehörigen der 3000 Opfer hat sich das Leben verändert. Sie werden diesen Kummer ein Leben lang mit sich herumtragen. Man sagt ihnen, das Leben müsse weitergehen. Wohin weiter? Wer jemanden verloren hat (und ich schätze, irgendwann geht das so ziemlich jedem so), weiß, daß freilich das Leben weitergeht, aber das Ziehen im Bauch und der Kummer im Herzen werden nie vergehen. Genau deshalb muß man einen Weg finden, den Schmerz anzunehmen und ihn für sich selbst und die anderen Lebenden zu nützen.

Irgendwie wursteln wir uns alle durch unsere persönlichen Verluste durch, stehen am nächsten und am übernächsten Morgen auf und machen Frühstück für die Kinder, stopfen die Wäsche in die Waschmaschine, bezahlen die Rechnungen und...

Auch im weitentfernten Washington hat sich das Leben verändert. Ein selbsternannter Präsident nutzt unseren Kummer und unsere Angst, daß »es« noch einmal passieren könnte. Er benutzt die Toten des 11. September als willkommene Rechtfertigung, um das Leben in Amerika für immer zu verändern. Sind die Opfer dafür gestorben, daß George W. Bush das ganze Land in Texas verwandeln darf? Seit dem 11. September haben wir bereits zwei Kriege geführt und ein dritter oder vierter Krieg sind durchaus wahrscheinlich. Wenn wir zulassen, daß das so weitergeht, bringen wir alle Schande über die 3 000 Toten. Ich weiß, daß Bill Weems nicht gestorben ist, um als Vorwand für die Bombardierung Unschuldiger herzuhalten. Wenn sein Tod und sein Leben eine Bedeutung haben sollen, müssen wir dafür sorgen, daß niemand mehr sein Leben in dieser wahnsinnigen und gewalttätigen Welt opfern muß, in einer Welt, in der wir am liebsten auf der Stelle abhauen möchten, irgendwohin, wo es uns gefällt.

Vermutlich sollte ich mich glücklich schätzen, daß ich dieses Vorwort überhaupt schreiben darf. Nicht nur, weil ich im *wunderbarsten Land der ganzen Welt!* lebe, sondern auch, weil mein Verlag Regan Books (der zum Verlag HarperCollins gehört, der wiederum zur News Corp gehört, der auch die Fox News gehören und alles zusammen gehört Rupert Murdoch) nach dem 11. September alles daran setzte, meine Karriere als Autor frühzeitig zu beenden.

Die ersten 50 000 Exemplare von *Stupid White Men* kamen am 10. September aus der Druckerei, doch als die Katastrophe am nächsten Morgen losbrach, fuhren die Lastwagen, die die Bücher an die Buchhandlungen des Landes ausliefern sollten, gar nicht erst los. Der Verlag hielt die Bücher dann fünf lange Monate in Geiselhaft – aber nicht aus Respekt vor den Opfern oder aus Anstand (was ich vielleicht noch verstanden hätte), sondern weil er mich und meine Aussagen zensieren wollte. Die Leute vom Verlag bestanden darauf, daß ich bis zu 50 Prozent des Buchs umschreiben und Passagen streichen sollte, die sie als Beleidigung des Präsidenten George W. Bush betrachteten.

Ich weigerte mich, auch nur ein Wort zu ändern. Jeder beharrte auf seinem Standpunkt, bis eine Bibliothekarin in New Jersey mitbekam, wie ich von einem Telefongespräch erzählte. In diesem Gespräch hatte mir ein Verleger des Murdoch-Konzerns gesagt, sie hätten wegen meiner Sturheit wohl keine andere Wahl, als alle 50 000 Exemplare des Buchs einzustampfen und zu recyceln. Die Bücher verstaubten damals in einem Lagerhaus in Scranton, Pennsylvania. Andere sagten mir, ich könnte meine Hoffnungen auf eine Karriere als Autor begraben, wenn erst einmal bekannt sei, was für ein »schwieriger« Typ ich sei, eine wahre Nervensäge und nicht willens zu kooperieren.

Besagte Bibliothekarin, eine gewisse Ann Sparanese, die ich nicht persönlich kenne, schickte eine E-Mail an verschiedene andere Bibliothekare, in der sie berichtete, daß mein Buch zensiert werden sollte. Ihre Mail verbreitete sich schnell im Internet, und schon nach wenigen Tagen brach eine Flut von Beschwerden wütender Bibliothekare über Regan Books herein. Ich erhielt einen Anruf von der Murdoch-Polizei.

»Was haben Sie den Bibliothekaren erzählt?«

»Hä? Ich kenne keine Bibliothekare.«

»Oh doch! Sie erzählten ihnen, was wir mit Ihrem Buch vorhaben, und jetzt ... *bekommen wir Drohbriefe von Bibliothekaren!*«

»Hmm«, antwortete ich. »Das ist bestimmt eine Terroristengruppe, mit der Sie sich lieber nicht anlegen sollten.«

Aus Furcht, daß schon bald ein wütender Mob von Bibliothekaren die Fifth Avenue entlangstürmen und das Gebäude von HarperCollins belagern und erst wieder abziehen würde, wenn entweder mein Buch aus dem Lagerhaus in Scranton befreit oder Murdoch persönlich aufgestöbert und geviertelt sein würde (obwohl ich mehr für die Variante gewesen wäre, daß Bill O'Reilly (konservativer Nachrichtenmoderator, A. d. Ü.) eine Woche lang seine Unterhose auf dem Kopf tragen muß), gab News Corp nach. Sie lieferten mein Buch an ein paar Buchhandlungen aus, ohne Werbung, ohne Rezensionen, und boten mir eine Lesereise durch drei Städte an: Arlington! Denver! Irgendeine Stadt in New Jersey! Anders ausgedrückt, für mein Buch war ein schneller, schmerzloser Tod vorgesehen. Zu schade, daß Sie nicht auf uns hören wollten, erklärte mir ein Mitarbeiter von Murdoch, wir wollten Ihnen doch nur helfen. Das Land steht hinter George W. Bush, es ist intellektuell unehrlich von Ihnen, Ihr Buch nicht umzuschreiben und zuzugeben, daß er seit dem 11. September gute Arbeit macht. Sie haben den Bezug zum amerikanischen Volk verloren, und jetzt muß Ihr Buch darunter leiden.

Ich hatte so sehr den Bezug zu meinen amerikanischen Mitbürgern verloren, daß mein Buch nur wenige Stunden nach der Veröffentlichung Nummer eins bei Amazon wurde – und nach fünf Tagen war die neunte Auflage fällig. Während ich dies schreibe, sind wir in den USA bei der 52. Auflage angelangt.

Das Empörendste, was man den freien Menschen in einem immer noch weitgehend freien Land sagen kann, ist, daß sie etwas nicht lesen dürfen. Daß ich mir Gehör verschaffen konnte – und daß mein Buch die Nummer eins auf der Bestsellerliste wurde –, sagt alles über dieses wunderbare Land. Die Leute lassen sich von den Regierenden nicht einschüchtern oder gängeln. Die Amerikaner machen vielleicht den Eindruck, als ob sie die Hälfte der Zeit nicht mitkriegten, was vor sich geht, und als ob ihre wichtigste Beschäftigung sei, bunte Koppeltaschen für ihre Handys auszusuchen, aber wenn es hart auf hart kommt, zeigen sie sich der Situation gewachsen und stehen für die richtige Sache ein.

Da bin ich also mit meinem neuen Buch, das in den USA bei niemand anderem als AOLTIMEWARNER und Warner Books erscheint. Ich weiß, ich weiß, wann werde ich es endlich kapieren? Aber es ist gar nicht so schlimm. Während ich an diesem Buch arbeitete, versuchte AOL die ganze Zeit, *Warner Books loszuwerden*. Warum will ein Medienunternehmen seinen Buchverlag loswerden? Was hat Warner Books angestellt, daß die Götter von AOL verärgert sind? Ich schätze, wenn AOL die Typen loswerden will, müssen sie eigentlich ganz o. k. sein. Außerdem sind die anderen Leute bei Warner in diesem Geflecht (die Filmfirma Warner Bros. Pictures) diejenigen, die meinen ersten Film *Roger & Me* im Verleih hatten. Sie waren nett und anständig und drohten nie damit, den Film »einzustampfen«.

Gut, gut, betrachten wir die Sache vernünftig. Sechs Medienkonzernen gehört alles. Man muß diese Monopole zum Wohl des Landes brechen! Der freie Fluß von Nachrichten und Informationen in einer Demokratie darf nicht in den Händen von ein paar reichen Männern liegen.

Dennoch muß ich sagen, daß die Leute von Warner Books hundertprozentig hinter mir stehen. Tausendprozentig!! Sie haben kein einziges Mal gesagt, ich sei »schwierig«.

Andererseits sollte ihre wichtigste Sorge nicht mir gelten.

Sondern den Bibliothekaren.

Und vor allem euch.

*Michael Moore*

Irgendwo über Grönland
15. August 2003

# ONE

# Sieben Fragen an George von Arabien

**Anfangs dachte man,** es sei nur ein kleines Flugzeug gewesen, das irrtümlich in den Nordturm des World Trade Centers geflogen war. Es war 8.46 Uhr Ortszeit am 11. September 2001. Als sich die Nachricht in Nordamerika verbreitete, ließ nicht jeder sofort alles stehen und liegen. Klar, es war ein irrer Vorfall, aber die meisten im Land gingen wie gewohnt zur Arbeit oder zur Schule oder schliefen einfach weiter.[1]

Siebzehn Minuten später kam die Meldung, daß ein zweites Flugzeug in das World Trade Center geflogen war. Schlagartig veränderte sich die Stimmung im Land, und es gab nur noch einen Gedanken: *»Das war kein Unfall!«*

Überall wurden die Fernseher eingeschaltet. So etwas hatte man noch nie gesehen. Jedes Gehirn, das jetzt mit diesem beispiellosen Ereignis konfrontiert wurde, versuchte herauszufinden, was das alles bedeutete und insbesondere, was das für das eigene Überleben bedeutete, ganz egal, ob man nun von einem Dach in Tribeca auf das World Trade Center blickte oder in Topeka vor dem Fernseher hockte.

---

[1] Eine Bemerkung zu den Fußnoten in diesem Buch: Zu allen anderen Kapiteln gibt es Anmerkungen am Ende des Buchs, damit der Lesefluß nicht unterbrochen wird. Aber dieses Kapitel enthält so viele wichtige Fragen, Fakten und Vorwürfe, daß ich dachte, es sei besser, die Quellenangaben direkt auf der Seite zu plazieren. Viele angegebene Artikel finden sich auf meiner Website, www.michaelmoore.com, wo man den kompletten Text lesen kann.

Man war benommen, saß wie gelähmt vor dem Fernseher oder Radio und dann rief man alle an, die man kannte, 290 Millionen Amerikaner stellten einander die gleiche Frage: *Was zum Teufel geht da vor???*

Das war die erste von vielen Fragen, die man sich angesichts der Tragödie am 11. September stellte. Ich bin kein Anhänger von Verschwörungstheorien, abgesehen natürlich von den Theorien, die stimmen, oder Theorien, an denen Zahnärzte beteiligt sind. Meiner Ansicht nach haben sich alle Zahnärzte verschworen und machen nun mit Wurzelfüllungen und Röntgenaufnahmen bei jedem Zahnarztbesuch viel Geld. Kein anderes Säugetier im ganzen Tierreich muß so viel leiden wie wir.

Meine Fragen zum 11. September beziehen sich nicht darauf, wie die Terroristen an unserem Verteidigungssystem vorbeikamen oder wie sie in diesem Land leben konnten, ohne enttarnt zu werden, oder warum alle Bulgaren, die im World Trade Center arbeiteten, den Hinweis erhielten, an jenem Tag nicht zur Arbeit zu kommen, oder warum die Türme so leicht einstürzten, obwohl sie angeblich Erdbeben, Flutwellen und Autobomben in der Tiefgarage standhalten konnten.

All diese Fragen sollte ein Sonderausschuß zum 11. September beantworten. Doch schon die Bildung dieses Ausschusses wurde von der Regierung Bush und den Republikanern im Kongreß blockiert.[2] Zögernd willigten sie schließlich ein, versuchten aber dann, die Arbeit des Ausschusses zu behindern, und mauerten, wenn der Ausschuß wichtige Dokumente einsehen wollte.[3]

Warum wollten die Bush-Leute die Wahrheit nicht herausfinden? Wovor hatten sie Angst? Daß die Amerikaner erfahren könnten, welchen Mist sie gebaut hatten? Daß sie am Steuer eingeschlafen waren, als es um die terroristische Bedrohung ging?

---

[2] Ken Guggenheim, »Advocates for 9/11 commission blame White House after deal collapses«, in: The Associated Press, 11. Oktober 2001.

[3] Joe Conason, »Can Bush Handle Panel's Questions?«, in: *The New York Observer,* 7. April 2003.

Daß sie die Warnungen der scheidenden Clinton-Beamten vor Osama bin Laden[4] aus dem einfachen Grund ignorierten, weil sie Clinton haßten (SEX! BÖSE!)?

Amerikaner sind nicht nachtragend. Sie nahmen es Franklin Roosevelt nicht übel, daß Pearl Harbour angegriffen wurde. Sie verurteilten John F. Kennedy nicht wegen des Fiaskos in der Schweinebucht. Und es stört sie immer noch nicht besonders, daß Bill Clinton 47 Menschen auf mysteriöse Weise beseitigen ließ. Warum also macht George W. Bush nach dem Zusammenbruch der nationalen Sicherheit nicht reinen Tisch oder verhindert zumindest nicht mehr, daß die Wahrheit ans Licht kommt?

Vielleicht, weil George & Co. noch viel mehr zu verbergen haben als die Antwort darauf, warum sie am Morgen des 11. September nicht schnell genug Kampfflugzeuge losschickten. Und vielleicht fürchten wir Amerikaner uns vor der ganzen Wahrheit, weil sie uns einen Weg zeigt, den wir nicht beschreiten wollen und an dessen Ende wir zuviel über die Leute wissen könnten, die unser Land regieren.

Obwohl ich selbst über die gesunde Skepsis verfüge, die ein Bürger einer Demokratie haben sollte, war ich im Grunde der gleichen Meinung wie die meisten anderen Amerikaner im Herbst 2001: Osama war's, und wer ihm dabei geholfen hat, muß aufgespürt und vor Gericht gestellt werden. Ich hoffte, daß Bush das auch machen würde.

Doch eines Abends im November 2001 machte ich eine Entdeckung. Ich lag im Bett und las schon im Halbschlaf den *New Yorker*, als ich in einem Artikel der Journalistin Jane Mayer über einen Absatz stolperte. Ich setzte mich auf und las ihn noch einmal, weil ich nicht glauben konnte, was da stand:

Etwa zwei Dutzend weitere Familienmitglieder von bin Laden, die in Amerika ansässig waren und meist am College studierten oder Vorbereitungskurse für die Hochschule

---

[4] Michael Elliot u. a., »They had a plan«, in: *Time,* 12. August 2002.

besuchten, hielten sich zur Zeit des Anschlags in den USA auf. Die *New York Times* meldete, daß sie von den Mitarbeitern der saudischen Botschaft alarmiert wurden, weil diese fürchteten, sie könnten Opfer von amerikanischen Vergeltungsschlägen werden. Mit Genehmigung des FBI wurden die Angehörigen von bin Laden laut Angaben eines saudischen Botschaftsangestellten mit einem Privatflugzeug von Los Angeles nach Orlando geflogen, dann weiter nach Washington und schließlich nach Boston. Sobald wieder Überseeflüge erlaubt waren, starteten die Jets nach Europa. Die amerikanische Regierung mußte vom saudischen Botschafter in Washington, Prinz Bandar bin Sultan, keineswegs davon überzeugt werden, daß die Mitglieder der weitläufigen Familie bin Ladens keine wichtigen Zeugen sein könnten.[5]

Was? Wie hatte ich diese Story in den Nachrichten verpassen können? Ich stand auf, holte mir die *New York Times* und fand tatsächlich die Schlagzeile: »Verwandte bin Ladens flohen aus Angst vor Vergeltung aus den USA«. In dem Artikel hieß es:

In den ersten Tagen nach den Terroranschlägen in New York und Washington beobachtete Saudi-Arabien die rasche Evakuierung von 24 Mitgliedern von bin Ladens weitläufiger Familie aus den Vereinigten Staaten ...[6]

So so, mit Genehmigung des FBI und mit Hilfe der saudischen Regierung durften die Verwandten der Hauptverdächtigen der Terroranschläge einfach so das Land verlassen, schlimmer noch, *unsere eigenen Behörden halfen ihnen dabei,* obwohl 15 der 19

---

[5] Jane Mayer, »The House of bin Laden: A family's, and a nation's, divided loyalties«, in: *The New Yorker,* 12. November 2001.

[6] Patrick E. Tyler, »Fearing harm, bin Laden kin fled from US«, in: *The New York Times,* 30. September 2001.

Flugzeugentführer Bürger Saudi-Arabiens waren! Laut der *London Times* »beunruhigte die Abreise so vieler Saudis die amerikanischen Ermittler, denn sie fürchteten, daß einige Informationen über die Flugzeugentführungen haben könnten. FBI-Agenten bestanden deshalb darauf, die Pässe der Ausreisenden zu überprüfen, auch die von Angehörigen der königlichen Familie.«

Das war alles, was das FBI tun konnte? Die Pässe überprüfen und ein paar Fragen stellen, etwa »Haben Sie Ihren Koffer selbst gepackt?« und »Sind Ihre Taschen in Ihrem Besitz geblieben, seit Sie sie gepackt haben?« Dann verabschiedete man die potentiell wichtigen Zeugen mit Küßchen, wünschte ihnen eine gute Reise und ließ sie ziehen. Jane Mayer schrieb im *New Yorker:*

Ich fragte ein ranghohes Mitglied des amerikanischen Nachrichtendienstes, ob man daran gedacht habe, die Verwandten bin Ladens festzuhalten. Er antwortete: »Das nennt man Geiselnahme. So etwas machen wir nicht.«

Meinte er das im Ernst? Mir hatte es die Sprache verschlagen. Hatte ich das richtig gelesen? Warum wurde nicht ausführlicher darüber berichtet? Was war noch passiert? Was ging da noch vor, von dem wir nichts erfuhren oder das wir nicht weiter beachteten, wenn wir es erfuhren? Wollte das restliche Amerika – und die restliche Welt – etwa nicht die ganze Wahrheit wissen?

Ich holte mir meinen supertollen Schreibblock und machte eine Liste mit all den Fragen, auf die ich keine einleuchtende Antwort fand. Natürlich war ich nie besonders gut in Mathe. Um zu kapieren und zu analysieren, was das alles bedeutet, brauche ich die Hilfe eines diplomierten Absolventen der Harvard Business School.[7]

Also, George W., wie wär's, wenn du mir ein bißchen helfen würdest? Wenn man bedenkt, daß es bei den meisten Fragen um

---

[7] Laut seiner offiziellen Biographie erhielt George 1975 den Abschluß »master of business administration« von der Harvard Business School.

dich persönlich geht, könntest du mir – und unserem Land – vermutlich am schnellsten auseinanderklamüsern und erklären, was mir so sauer aufstößt.

Ich habe sieben Fragen an dich, Mr. Bush. Wärest du bitte so freundlich, sie mir zu beantworten? Ich frage im Namen der 3 000 Opfer, die an jenem Tag im September gestorben sind, und ich frage im Namen des amerikanischen Volkes. Ich weiß, dich bedrücken die gleichen Sorgen wie uns alle, und ich wünschte mir, daß du (oder die Leute, die du kennst und die versehentlich diese Tragödie mitverschuldet haben) mit der Wahrheit nicht so hinter dem Berg halten würden. Wir wollen keine Rache an diesen Leuten nehmen. Wir wollen nur wissen, was passiert ist und was unternommen werden kann, um die Mörder zu bestrafen, damit wir in Zukunft solche Angriffe auf unsere Bürger verhindern können. Ich weiß, daß du das auch willst, also hilf mir bitte und beantworte diese sieben Fragen…

## Frage 1
## Stimmt es, daß die bin Ladens in den letzten 25 Jahren immer wieder geschäftliche Beziehungen zu dir und deiner Familie unterhielten?

Mr. Bush, als dein Vater dir 1977 sagte, es sei an der Zeit, daß du dir einen richtigen Job suchst, hat er dir gleich zu deiner ersten eigenen Ölgesellschaft verholfen, die du »Arbusto« nanntest (Spanisch für »Busch«).[8] Ein Jahr später erhieltest du finanzielle Hilfe von einem Mann namens James A. Bath.[9] Er war ein alter

---

[8] Mike Allen, »For Bush, a slippery situation«, in: *The Washington Post,* 23. Juni 2000.

[9] Thomas Petzinger jr. u. a., »Family Ties: How oil firm linked to a son of Bush won Bahrain Drilling Pact – Harken Energy had a web of Mideast connections; in the background: BCCI – entrée at the White House«, in: *The Wall Street Journal,* 6. Dezember 1991.

Kumpel von dir aus deiner Zeit bei der Texas Air National Guard[10] (wenn du dich gerade mal nicht unerlaubt von der Truppe entfernt hattest).[11] Er war von Osamas Bruder Salem bin Laden angeheuert worden, um das Geld der Familie in verschiedene texanische Unternehmen zu investieren. Ungefähr 50 000 Dollar (oder 5 Prozent der Kontrolle über Arbusto) legte Mr. Bath in den Topf.[12]

Handelte er im Auftrag der bin Ladens?

Die meisten Amerikaner sind sicher überrascht zu hören, daß du und dein Vater die bin Ladens schon so lange kennen. Wie würdest du diese Beziehung definieren, Mr. Bush? Seid ihr Bushs mit der Familie eng befreundet, oder sind sie nur gelegentlich Geschäftspartner? Salem bin Laden kam erstmals 1973 nach Texas, später kaufte er dort Land, baute ein Haus und gründete die Fluggesellschaft Bin Laden Aviation auf dem Flugplatz von San Antonio.[13]

Die bin Ladens sind eine der reichsten Familien in Saudi-Arabien. Mit ihrem riesigen Unternehmen bauten sie praktisch das Land auf, von den Straßen über Kraftwerke bis zu Wolkenkratzern und Regierungsgebäuden. Sie bauten auch einige Start- und Landebahnen, die die Amerikaner im Golfkrieg deines Vaters benutzten, Mr. Bush, und sie renovierten die heiligen Stätten in Mekka

---

[10] Walter V. Robinson, »Military Record: Questions Remain on Bush's Service as Guard Pilot«, in: *The Boston Globe,* 31. Oktober 2000; Ellen Gamerman, »Bush's past catching up on road to White House«, in: *The Baltimore Sun,* 4. November 2000.

[11] Jonathan Beaty, »A Mysterious Mover of Money and Planes«, in: *Time,* 28. Oktober 1991.

[12] Jerry Urban, »Feds investigate entrepreneur allegedly tied to Saudis«, in: *Houston Chronicle,* 4. Juni 1992; Mike Ward, »Bin Laden relatives have ties to Texas«, in: *Austin American-Statesman,* 9. November 2001.

[13] Mike Ward, »Bin Laden relatives have ties to Texas«, in: *Austin American-Statesman,* 9. November 2001; Suzanne Hoholik und Travis E. Poling, »Bin Laden brother ran business, was well-liked in Central Texas«, in: *San Antonio Express-News,* 22. August 1998.

und Medina.[14] Sie sind mehrfache Milliardäre und haben ihr Geld in zahlreichen Unternehmen auf der ganzen Welt angelegt, auch in den USA. Sie unterhalten weitreichende Geschäftsbeziehungen mit Citigroup, General Electric, Merrill Lynch, Goldman Sachs und der Fremont Group (einer Tochtergesellschaft des Energieriesen Bechtel). Laut dem *New Yorker* besitzt die Familie bin Laden außerdem Anteile von Microsoft und vom Flugzeugbauer und Rüstungsgiganten Boeing.[15] Die Familie spendete 2 Millionen Dollar an deine Alma Mater, die Harvard University, weitere 300 000 Dollar an die Tufts University und Zehntausende Dollar an den Middle East Policy Council, eine Denkfabrik unter Leitung von Charles Freeman, dem ehemaligen amerikanischen Botschafter in Saudi-Arabien.[16] Neben Grundstücken in Texas besitzen die bin Ladens auch noch Immobilien in Florida und Massachusetts.[17] Kurz gesagt, sie haben überall die Finger drin.

Unglücklicherweise starb Salem bin Laden, was du sicher weißt, Mr. Bush, 1988 bei einem Flugzeugabsturz in Texas (auch sein Vater Mohammad kam 1967 bei einem Flugzeugabsturz ums Leben).[18] Salems Brüder – außer Osama gibt es noch

---

[14] Susan Sevareid, »Attacks hurt bin Laden conglomerate«, in: The Associated Press, 7. Oktober 2001; Richard Beeston, »Outcast who brought shame on family«, in: *The London Times,* 15. September 2001.

[15] Jane Mayer, »The House of bin Laden: A family's, and a nation's, divided loyalties«, in: *The New Yorker,* 12. November 2001; Michael Moss u. a., »Bin Laden family, with deep western ties, strives to re-establish a name«, in: *The New York Times,* 28. Oktober 2001.

[16] »The bin Laden business empire«, in: *St. Petersburg Times,* 23. September 2001; Anne E. Kornblut und Aaron Zitner, »Terror figure's family has benign ties in US«, in: *The Boston Globe,* 26. August 1998; Marcella Bombardieri, »In Cambridge, a bin Laden breaks family silence«, in: *The Boston Globe,* 7. Oktober 2001.

[17] Michael Dobbs und John Ward Anderson, »A Fugitive's Splintered Family Tree«, in: *The Washington Post,* 30. September 2001.

[18] Mitch Frank, »A Wealthy Clan and Its Renegade«, in: *Time,* 8. Oktober 2001; »18 die in holiday weekend plane crashes«, in: United Press International, 31. Mai 1988.

etwa 50 Brüder – führten die Familienunternehmen weiter und kümmerten sich um die getätigten Investitionen.

Nach seiner Präsidentschaft wurde dein Vater hochdotierter Berater für ein Unternehmen, das als Carlyle Group bekannt ist. Zu den Investoren der Carlyle Group zählt ebenfalls die Familie bin Laden. Die bin Ladens steckten mindestens zwei Millionen Dollar in die Carlyle Group.[19]

Bis 1994 leitetest du ein Unternehmen namens CaterAir, das ebenfalls zur Carlyle Group gehörte. In dem Jahr, in dem du die später insolvente Firma verlassen hast, wurdest du Gouverneur und sorgtest schon bald dafür, daß die University of Texas – eine bundesstaatliche Einrichtung – zehn Millionen Dollar in die Carlyle Group investierte.[20] Bekam die Familie bin Ladens 1994 ebenfalls ein Stück vom Carlyle-Kuchen ab?[21]

Die Carlyle Group ist unter anderem eine der größten Rüstungsfirmen der Vereinigten Staaten. Das Unternehmen stellt allerdings nicht selbst Waffen her, sondern kauft notleidende Rüstungsfirmen auf, saniert sie und verkauft sie dann wieder für horrende Summen.

Die Belegschaft der Führungsetage der Carlyle Group liest sich wie ein Who's Who früherer Macher und Politpensionäre, die Liste reicht von Reagans früherem Verteidigungsminister Frank Carlucci über den einstigen Außenminister deines Vaters (James Baker) bis zum ehemaligen britischen Premierminister John Major.[22] Carlucci, der Boss von Carlyle, sitzt zufällig auch zusammen mit einem Vertreter des bin Ladenschen Familienimperiums im Vorstand des Middle East Policy Council.[23]

---

[19] Kurt Eichenwald, »Bin Laden Family Liquidates Holdings with Carlyle Group«, in: *The New York Times,* 26. Oktober 2001.

[20] Joe Conason, »Notes on a native son«, in: *Harper's Magazine,* 1. Februar 2000.

[21] Kurt Eichenwald, »Bin Laden Family Liquidates Holdings with Carlyle Group«, in: *The New York Times,* 26. Oktober 2001.

[22] www.carlylegroup.com.

[23] http://www.mepc.org/public%5Fasp/about/board.asp.

Nach dem 11. September brachten die *Washington Post* und das *Wall Street Journal* Berichte, in denen auf diesen seltsamen Zufall hingewiesen wurde. Deine erste Reaktion, Mr. Bush, war, die Artikel zu ignorieren, vermutlich in der Hoffnung, daß die Meldungen schon bald in Vergessenheit geraten würden. Dein Vater und seine Kumpels bei Carlyle konnten die Investitionen der bin Ladens nicht leugnen, aber ihre Kolonne von Helfershelfern machte sich sofort an die Schadensbegrenzung. Sie verkündeten, man könne nicht alle bin Ladens mit Osama in einen Topf werfen. Sie hätten Osama enterbt! Sie hätten nichts mit ihm zu tun! Sie würden seine Taten mißbilligen und verurteilen! Und überhaupt, sie seien die *guten* bin Ladens.

Aber es gab auch Videos. Sie zeigten zahlreiche »gute« bin Ladens (darunter Osamas Mutter, eine Schwester und zwei Brüder) zusammen mit Osama bei der Hochzeit seines Sohnes nur sechseinhalb Monate vor dem 11. September.[24] Der *New Yorker* berichtete, die Familie habe die Verbindung zu Osama *nicht* gekappt, sie finanziere ihn sogar weiterhin wie schon seit vielen Jahren. Es war für die CIA nicht neu, daß Osama bin Laden Zugriff auf das Vermögen seiner Familie hatte (sein Anteil wird auf mindestens 30 Millionen Dollar geschätzt[25]). Wie viele andere Saudis unterstützten die bin Ladens Osama und Al Kaida mit großzügigen Spenden.[26]

Mr. Bush, nach den Anschlägen auf das World Trade Center und das Pentagon vergingen Wochen, bis dein Vater und seine Freunde bei der Carlyle Group ihre Unterstützung für das bin Laden-Imperium einstellten.

Erst zwei Monate nach den Anschlägen, nachdem immer mehr

---

[24] Al Dschasira; Pressekonferenz für ausländische Presse mit Richard Boucher, Staatssekretär für Öffentlichkeitsarbeit, 28. Februar 2001; »Bin Laden full of praise for attack on USS Cole at son's wedding«, *Agence France Presse,* 1. März 2001.

[25] Borzou Daraghi, »Financing Terror«, in: *Money,* November 2001.

[26] Jane Mayer, »The House of bin Laden«, in: *The New Yorker,* 12. November 2001.

Menschen nach den Verbindungen der Familie Bush zu den bin Ladens fragten, gaben dein Vater und die Carlyle Group dem Druck nach, zahlten den bin Ladens ihre Millionen zurück und baten sie, sich als Investoren aus den USA zurückzuziehen.[27]

Warum hat das so lange gedauert?

Aber es kam noch schlimmer, denn es stellte sich heraus, daß ein Bruder bin Ladens, Shafiq, am Morgen des 11. September an einer geschäftlichen Konferenz der Carlyle Group in Washington teilgenommen hatte. Am Vortag hatten dein Vater und Shafiq bei derselben Konferenz fröhlich mit den anderen abgehalfterten Politikern geplaudert, die heute hohe Tiere bei Carlyle sind.[28]

Sag mal, Mr. Bush, was geht hier vor?

Die Medien lassen dich in Ruhe, obwohl bekannt ist, daß alles, was ich hier schreibe, die reine Wahrheit ist (ich habe die Fakten aus denselben Nachrichtenquellen wie die Medien). Die Medien sind offenbar nicht bereit oder haben Angst, dir folgende simple Frage zu stellen: WAS GEHT HIER VOR?

Falls du nicht verstehst, wie bizarr das Schweigen der Medien hinsichtlich der Verbindung zwischen Bush und bin Laden ist, möchte ich dir erklären, wie die Presse oder der Kongreß die Sache gehandhabt hätten, wenn Clinton an der Reihe gewesen wäre. Wenn nach dem Anschlag auf das Regierungsgebäude in Oklahoma City herausgekommen wäre, daß unser Präsident Bill Clinton und seine Familie geschäftliche Verbindungen zu Timothy McVeighs Familie gehabt hätten, was glaubst du, hätten die Republikaner und die Medien daraus gemacht? Meinst du nicht,

---

[27] Daniel Golden u.a., »Bin Laden family is tied to US group«, in: *The Wall Street Journal,* 27. September 2001; Michael Dobbs & John Ward Anderson, »A Fugitive's Splintered Family Tree«, in: *The Washington Post,* 30. September 2001; Kurt Eichenwald, »Bin Laden family liquidates holdings with Carlyle Group«, in: *The New York Times,* 26. Oktober 2001.

[28] Dan Briody, *The Iron Triangle: Inside the Secret World of The Carlyle Group;* Greg Schneider, »Connections and then some«, in: *The Washington Post,* 16. März 2003.

daß zumindest ein paar Fragen gestellt worden wären, etwa: »Was steckt da dahinter?« Sei ehrlich, du kennst die Antwort. Man hätte mehr als nur ein paar Fragen gestellt. Man hätte Clinton bei lebendigem Leib das Fell über die Ohren gezogen und seine gehäutete sterbliche Hülle in eine Zelle auf dem Stützpunkt Guantanamo geworfen.

Also, was geht hier hinter den Kulissen vor, Mr. Bush? Wir haben ein Recht, das zu erfahren.

## Frage 2
## Was ist das für eine »besondere Beziehung« zwischen den Bushs und der saudischen Königsfamilie?

Mr. Bush, die bin Ladens sind nicht die einzigen Saudis, zu denen du und deine Familie eine enge Beziehung haben. Die ganze königliche Familie scheint in eurer Schuld zu stehen – oder ist es etwa umgekehrt?

Saudi-Arabien ist der wichtigste Öllieferant der USA und verfügt über die größten bekannten Ölvorkommen der Welt. Als Saddam Hussein 1990 in Kuwait einfiel, fühlten sich die benachbarten Saudis bedroht, und dein Vater, George Bush I., eilte ihnen zu Hilfe. Die Saudis haben euch das nie vergessen, laut einem Artikel im *New Yorker* vom März 2003 betrachten sogar einige Mitglieder der königlichen Familie die Bushs als Teil der *eigenen* ausgedehnten Familie. Haifa, die Frau von Prinz Bandar, dem saudischen Botschafter in den USA, sagte, deine Mutter und dein Vater »sind wie Mutter und Vater für mich. Ich weiß, wenn ich in Not wäre, könnte ich mich an sie wenden.«[29] Und Robert Baer (der von 1967 bis 1997 Operationsleiter der CIA war) enthüllte in seinem Buch *Sleeping with the Devil,* daß dein Vater

---

[29] Elsa Walsh, »The Prince: How the Saudi Ambassador became Washington's indispensable operator«, in: *The New Yorker,* 24. März 2003.

sogar einen Kosenamen für den saudischen Prinzen hat: Er nennt ihn »Bandar Bush«.[30]

Diese enge Bindung entwickelte sich, wie du weißt (aber den Amerikanern nie sagtest), über viele Jahre hinweg. Durch seine Arbeit bei der CIA, als Vizepräsident und als Präsident lernte dein Vater, daß sich die USA getrost an Saudi-Arabien wenden konnten, wenn sie jemanden für die Drecksarbeit brauchten. Als Oliver North bei der Iran-Contra-Affäre Geld brauchte, um Waffen für den Iran zu kaufen, stifteten die Saudis für diesen guten Zweck 30 Millionen Dollar Schwarzgeld.[31] Als die CIA Mittel brauchte, um 1985 die Kommunistische Partei Italiens zu ruinieren und ihre Gegner bei den Wahlen zu finanzieren, sprangen wieder deine guten Freunde ein. Die Saudis überwiesen freudig 10 Millionen Dollar an eine italienische Bank.[32] Das alles geschah während der Vizepräsidentschaft deines Vaters. Damals lud er immer wieder den saudischen Botschafter zum Essen ein.[33]

Daher überrascht es nicht, daß der saudische Botschafter der einzige Diplomat in Washington ist, dem das Außenministerium eigene Sicherheitsleute zur Verfügung stellt, natürlich finanziert von den amerikanischen Steuerzahlern. Robert Baer berichtete, daß Prinz Bandar eine Million Dollar für die George Bush Presidential Library und das dazugehörige Museum in Texas stiftete und eine weitere Million Dollar für die Barbara-Bush-Stiftung zur Leseförderung bei Kindern.[34]

Obwohl dein Daddy bei den Wahlen 1992 gegen Clinton unterlag, blieb das Verhältnis zu den Saudis eng. Die Carlyle Group deines Vaters machte bei Waffenlieferungen oft Geschäfte

---

[30] Robert Baer, *Sleeping with the Devil,* Crown, 2003.

[31] James Rupert, »US-Saudi relations were built on oil, security – and secrecy«, in: *The Washington Post,* 9. August 1990.

[32] Robert G. Kaiser und David Ottaway, »Oil for security fueled close ties«, in: *The Washington Post,* 11. Februar 2002.

[33] Elsa Walsh, »The Prince: How the Saudi Ambassador became Washington's indispensable operator«, in: *The New Yorker,* 24. März 2003.

[34] Robert Baer, *Sleeping with the Devil,* Crown, 2003.

mit den Saudis. Die Saudis gaben in den neunziger Jahren über 170 Milliarden Dollar für Waffen aus, und ein dicker Batzen davon ging an die Carlyle Group.[35] Dein Vater hat sich mit der saudischen Königsfamilie oft getroffen. Nach seiner Präsidentschaft reiste er für die Carlyle Group mindestens zweimal auf die arabische Halbinsel und wohnte im Königspalast des Hauses Saud.[36] Prinz Bandar ist auch ein Investor der Carlyle Group[37] und besuchte die Feier zum 75. Geburtstag deiner Mutter in Kennebunkport.[38] Eine lukrative Beziehung für alle Beteiligten.

Als es im Spätherbst 2000 Ärger wegen der Wahl in Florida gab, war Prinz Bandar als enger Freund der Familie für euch da und bot seine Hilfe an. Er nahm deinen Daddy mit zur Fasanenjagd nach England, damit er sich ein bißchen zerstreuen konnte, während der Rechtsanwalt der saudischen Königsfamilie – *euer* Rechtsanwalt James Baker – nach Florida reiste und dort den Kampf um die Wahlzettel führte. (Bakers Kanzlei vertrat die saudischen Scheichs später vor Gericht gegen die Familien der Opfer vom 11. September.[39])

Aber wir wollen fair sein, Mr. Bush, denn nicht nur deine Familie kommt in den Genuß saudischer Großzügigkeit. Ein wichtiger Teil der amerikanischen Wirtschaft stützt sich auf saudisches Geld. Die Saudis haben eine Billion Dollar an der ameri-

---

[35] Tim Shorrock, »Crony capitalism goes global«, in: *The Nation,* 1. April 2002; Warren Richey, »New snags in US-Saudi ties play to bin Laden«, in: *Christian Science Monitor,* 29. Oktober 2001.

[36] Oliver Burkeman, »The winners: The Ex-President's Club«, in: *The Guardian,* 31. Oktober 2001; Leslie Wayne, »Elder Bush in big GOP cast toiling for top equity firm«, in: *The New York Times,* 5. März 2001.

[37] Robert Kaiser, »Enormous wealth spilled into American coffers«, in: *The Washington Post,* 11. Februar 2002.

[38] David Sharp, »Former President pulls off secret birthday bash«, The Associated Press, 11. Juni 2000.

[39] Elsa Walsh, »The Prince: How the Saudi Ambassador became Washington's indispensable operator«, in: *The New Yorker,* 24. März 2003; Michael Isikoff und Mark Hosenball, »A legal counterattack«, in: *Newsweek,* 16. April 2003.

kanischen Börse investiert und eine weitere Billion Dollar bei unseren Banken angelegt.[40] Wenn sie eines Tages plötzlich beschließen würden, ihr Geld abzuziehen, würden unsere Unternehmen und Banken ins Trudeln geraten, möglicherweise käme es zu einer Wirtschaftskrise, wie wir sie noch nie erlebt haben. Diese Bedrohung ist allgegenwärtig, aber niemand will darüber sprechen. Wenn man das mit der Tatsache kombiniert, daß auch die eineinhalb Millionen Barrel Öl,[41] die wir *täglich* von den Saudis beziehen, aus einer bloßen Laune der Scheichs heraus mal nicht ins Land strömen könnten, dann dämmert es uns wohl allmählich, daß nicht nur die Bushs, sondern wir alle abhängig sind vom Hause Saud. George, ist das gut für unsere nationale Sicherheit, für die Sicherheit des Landes? Für wen ist das gut? Für dich? Für deinen Daddy?

Auf jeden Fall nicht für uns.

Eins verstehe ich nicht: Warum haben sich dein Vater und du mit den Herrschern eines Staates angefreundet, der von fast allen Menschenrechtsorganisationen als eine der schlimmsten und brutalsten Diktaturen der Welt eingestuft wird?

Im Jahresbericht 2003 über Saudi-Arabien schrieb Amnesty International:

Die Situation in Saudi-Arabien war nach wie vor von schweren Menschenrechtsverletzungen geprägt und erfuhr durch die von der Regierung nach den Anschlägen vom 11. September 2001 in den USA zur Bekämpfung des »Terrorismus« ergriffenen Maßnahmen noch eine weitere Verschlechterung. Auch das von der Öffentlichkeit strikt abgeschirmte Strafrechtssystem und das Verbot von politischen Parteien, Gewerkschaften und unabhängigen Menschenrechtsorganisationen trug zu einer Verfestigung der Menschenrechtsverletzungen bei. Die Behörden nahmen im Be-

---

[40] Robert Baer, *Sleeping with the Devil,* Crown, 2003.
[41] Energieministerium, Presseinformationsstelle, »Table 4.10: United States – Oil Imports, 1991–2002 (Million Barrels per Day)«.

richtszeitraum Hunderte religiöse Aktivisten und Kritiker
der Regierung fest und machten über den rechtlichen Status
von Personen, die in den Vorjahren verhaftet worden waren,
so gut wie keine Angaben. Frauen sahen sich nach wie vor
weithin diskriminierenden Praktiken ausgesetzt. Folterun-
gen und Misshandlungen fanden ebenfalls verbreitet Anwendung.[42]

Im Jahr 2000 wurden 125 Personen öffentlich enthauptet, viele
davon in der Stadt Riad auf einem Platz, der von den Leuten als
»Chop-Chop Square«, als »Hackplatz« bezeichnet wird.[43]

Nach einem Treffen mit dem saudischen Kronprinzen im
April 2002 erzähltest du uns glücklich, ihr beide hättet »ein starkes persönliches Band« geknüpft und »viel Zeit allein« verbracht.[44] Wolltest du uns damit beruhigen? Oder nur mit deiner
Freundschaft zu einer Gruppe von Herrschern protzen, die mit
den Taliban um Menschenrechtsverletzungen wetteifert? Warum
mißt du mit zweierlei Maß?

## Frage 3
## Wer griff die USA am 11. September an –
## ein Typ auf Dialyse in einer Höhle in Afghanistan
## oder deine Freunde aus Saudi-Arabien?

Tut mir leid, Mr. Bush, aber ich werde nicht schlau aus der Sache.

Du hast uns eingetrichtert, Osama bin Laden sei für die Anschläge auf die USA am 11. September verantwortlich. Wir ha-

[42] Jahresbericht 2003 von Amnesty International, »Saudi-Arabien«,
www.amnesty.de.

[43] »Saudi beheaded for shooting compatriot to death«, The Associated
Press, 13. November 2001; Robert Baer, *Sleeping with the Devil,* Crown,
2003.

[44] Elisabeth Bumiller, »Saudi tells Bush US must temper backing of Israel«,
in: *The New York Times,* 26. April 2002.

ben das alle brav nachgeplappert, sogar ich. Aber dann hörte ich komische Geschichten über Osamas Nieren.

Anscheinend kursieren seit Jahren Meldungen über Osamas angeschlagene Gesundheit. Zum Beispiel wurde 2000 von Associated Press berichtet: »... ein Mitarbeiter eines westlichen Geheimdienstes sagte, [Osama] habe ein Nieren- und Leberleiden. Bin Ladens Nieren würden versagen und ›seine Leber funktioniert auch nicht richtig‹, erklärte er. Er berichtete weiter, bin Ladens Gefolgsleute würden nach einem Dialysegerät für ihren kranken Anführer suchen.«[45]

Nach dem 11. September stieg die Zahl solcher Berichte sprunghaft an. Eines Abends sah ich mir *Hardball with Chris Matthews* auf MSNBC an, und einer der Gäste, ein Talibanexperte, meinte: »Osama bin Laden braucht offenbar eine regelmäßige Dialyse wegen seines Nierenleidens; deshalb muß er in der Nähe eines Dialysegeräts bleiben. Er kann wirklich nicht weit reisen.«[46]

Sagte er »Dialyse«? Der schlimmste Verbrecher der Welt, der gemeinste Bösewicht auf Erden kann ohne medizinische Hilfe nicht einmal pissen? Ich weiß nicht, wie es euch geht, liebe Mitbürger, aber wenn man mir erzählt, daß ich vor einem Fiesling eine Mordsangst haben soll, vor allem vor diesem Oberfiesling, dann erwarte ich, daß bei ihm sämtliche Körperfunktionen hundertzehnprozentig funktionieren! Ich will, daß er stark, furchterregend und allgegenwärtig ist – und zwei funktionierende Nieren hat. Wie soll ich diese ganzen verschärften Sicherheitsvorschriften akzeptieren, wenn der Hauptbösewicht irgendwo flachliegt und an ein Dialysegerät angeschlossen ist?

[45] Kathy Gannon, »Bin Laden reportedly ailing«, The Associated Press, 25. März 2000.

[46] *Hardball with Chris Matthews,* MSNBC, 19. November 2001; Interview mit Michael Griffin, Autor von *Reaping the Whirlwind: The Taliban Movement in Afghanistan,* Pluto, Mai 2001. Mehr zu Osama bin Ladens Krankheit bei John F. Burns, »Pakistanis say bin Laden may be dead of disease«, in: *The New York Times,* 19. Januar 2002.

Plötzlich wußte ich nicht mehr, wem ich trauen oder was ich glauben soll. Ich stellte weitere Fragen. Wie kann ein Typ in einer Höhle in Afghanistan, noch dazu auf eine regelmäßige Dialyse angewiesen, zwei Jahre lang die Aktionen von 19 Terroristen in den USA leiten und überwachen und die Entführung von vier Flugzeugen perfekt planen und obendrein noch dafür sorgen, daß drei Flugzeuge ihr Ziel präzise treffen? Wie hat Osama das gemacht? Ich meine, ich kann nicht einmal verhindern, daß mein Computer abstürzt, sobald ich das Wort »Gingivitis« tippe. Ich kann mit dem Handy nicht von hier nach Queens telefonieren! Und er soll die Anschläge am 11. September von seiner kleinen Höhle aus organisiert haben – aus 16 000 Kilometern Entfernung? Was hat er dann gemacht, als wir Afghanistan bombardierten? Rannte er von Höhle zu Höhle und zog das Dialysegerät an den Schläuchen hinter sich her? Oder, hm, vielleicht war ja auch in jeder dritten Höhle in Afghanistan ein Dialysegerät. Ja, genau, so war's! Wirklich ein sehr modernes Land, dieses Afghanistan! Dort gibt es etwa 25 Kilometer Eisenbahnschienen. Also gibt es bestimmt jede Menge Dialysegeräte.

Das soll nicht heißen, daß Osama kein böser Bube ist oder mit den Anschlägen nichts zu tun hatte. Aber vielleicht sollten ein paar Journalisten ein paar vernünftige Fragen stellen, zum Beispiel, wie er das alles angestellt hat, während sich seine Haut langsam grünlich verfärbte und er in einem Land lebte, in dem es keine Copyshops, kein FedEx und keine Bankautomaten gibt. Wie hat er diesen ausgeklügelten Angriff organisiert, wie hat er dabei kommuniziert, wie hat er alles kontrolliert und beaufsichtigt? Mit zwei Blechdosen und einer Schnur?

Dennoch sagst du uns, Mr. Bush, das sollen wir glauben. Die Schlagzeilen verkündeten es reißerisch am ersten Tag nach dem Anschlag und behaupten es auch noch zwei Jahre später: »Terroristen greifen USA an.« *Terroristen.* Ich grüble schon einige Zeit über dieses Wort nach, George, deswegen möchte ich dich etwas fragen: Wenn 15 der 19 Flugzeugentführer Nordkoreaner gewesen wären und 3 000 Menschen getötet hätten, glaubst du, daß die

Schlagzeilen dann am nächsten Tag verkündet hätten: »NORD-KOREA GREIFT USA AN«?

Ganz bestimmt. Oder wenn es 15 Iraner oder 15 Libyer oder 15 Kubaner gewesen wären, jedes Mal hätte man unisono gebrüllt: »IRAN (oder LIBYEN oder KUBA) GREIFT USA AN!«

Aber hast du im Zusammenhang mit dem 11. September je die Schlagzeile gesehen, je einen Nachrichtensprecher sagen hören oder hat je einer deiner Sprecher gemurmelt: »Saudi-Arabien hat die USA angegriffen«?

Natürlich nicht. Und deswegen muß – muß! – man die Frage stellen: WARUM NICHT? Warum hast du, Mr. Bush, 28 Seiten im Untersuchungsbericht des Kongresses zum 11. September zensiert, auf denen es um die Rolle der Saudis bei den Anschlägen geht? Warum weigerst du dich ganz offensichtlich, das Land in Betracht zu ziehen, das allem Anschein nach das Mutterland jener »Terroristen« ist, die unsere Mitbürger umgebracht haben?

Ich möchte hier eine Möglichkeit erörtern: Was wäre, wenn am 11. September kein »terroristischer« Anschlag erfolgt wäre, sondern vielmehr ein *militärischer Angriff* auf die USA? Was wäre, wenn die 19 Attentäter gut ausgebildete Soldaten gewesen wären, Elitesoldaten, die ohne zu zögern ihre Pflicht erfüllen und bedingungslos die Befehle ihres Vorgesetzten ausführen? Daß die Attentäter fast zwei Jahre im Land lebten und unentdeckt blieben, erfordert eine gewisse Disziplin, soldatische Disziplin, und entspricht nicht dem unberechenbaren Verhalten eines grimmig dreinblickenden Terroristen.

George, du warst doch einmal Pilot. Wie schwierig ist es, mit einer Geschwindigkeit von über 600 Stundenkilometern ein fünfstöckiges Gebäude zu treffen? Das Pentagon ist nur fünf Stockwerke hoch. Wenn die Piloten bei 600 Stundenkilometern nur um eine Haaresbreite danebengelegen hätten, wären sie im Fluß gelandet. Das Wissen, wie man einen Jumbo Jet richtig fliegt, erwirbt man nicht am Videoflugsimulator einer schäbigen Flugschule in Arizona. Sowas lernt man bei der Luftwaffe. Nur Staaten haben Luftwaffen, George.

*Bei der saudischen Luftwaffe?*

Was, wenn das gar keine irren Terroristen waren, sondern Kampfpiloten eines Selbstmordkommandos? Was, wenn sie im Auftrag der saudischen Regierung oder gewisser verärgerter Mitglieder des saudischen Königshauses handelten? Im Hause Saud wimmelt es laut Robert Baer von solchen Typen, und die königliche Familie (und das ganze Land) ist in permanentem Aufruhr. Es gibt Meinungsverschiedenheiten über die weitere Entwicklung des Landes, der König ist durch einen Schlaganfall seit 1995 handlungsunfähig und seine Brüder und zahlreichen Söhne rivalisieren um die Macht. Einige sind dafür, alle Verbindungen zum Westen zu kappen. Manche wollen das Land auf einen fundamentalistischeren Weg bringen.[47] Und das war schließlich auch Osamas ursprüngliches Ziel. Zuerst meckerte er nämlich nicht an Amerika herum, sondern daran, wie Saudi-Arabien regiert wurde – von Muslimen, die keine *wahren* Muslime waren. Heute gibt es zahlreiche unzufriedene Prinzen in der königlichen Familie, und viele politische Beobachter sind der Ansicht, das Land stehe kurz vor einem Bürgerkrieg oder einer Revolution. Man kann nicht beliebig viele Bürger hinrichten, irgendwann drehen sonst die Bürger durch und stürzen das Regime. Das steht heute bei vielen Saudis ganz oben auf der Prioritätenliste, und die Scheichs verschanzen sich bereits in ihren Palästen.

In einem 1999 erschienenen Artikel in der politischen Zeitschrift *Foreign Affairs* werden die Gründe ziemlich gut erklärt: »Wie Pakistan wäre es auch Saudi-Arabien lieber, wenn bin Laden in Afghanistan bliebe. Seine Verhaftung und ein Prozeß gegen ihn in den USA könnten sehr peinlich werden, weil dabei seine immer noch bestehenden Verbindungen zu mit ihm sympathisierenden Mitgliedern der herrschenden Eliten und Nachrichtendienste beider Länder aufgedeckt werden würden.«[48]

[47] Robert Baer, »The fall of the House of Saud«, in: *The Atlantic Monthly,* Mai 2003.
[48] Ahmed Rashid, »The Taliban: Exporting Extremism«, in: *Foreign Affairs,* November 1999.

Stecken also bestimmte Fraktionen im saudischen Königshaus hinter dem Anschlag am 11. September? Wurden die Piloten von den Saudis ausgebildet? Eines wissen wir auf jeden Fall: Fast alle Entführer waren Saudis und konnten ganz legal in die USA einreisen, unter anderem auch dank dem Sonderabkommen zwischen dem amerikanischen Außenministerium und der saudischen Regierung, nach dem saudische Staatsbürger Expreßvisa ohne die üblichen Prüfverfahren bekommen.[49]

Mr. Bush, warum werden die Saudis so bevorzugt behandelt, warum wird quasi der rote Teppich für sie ausgerollt? Klar, wir brauchen ihr Öl. Und klar doch, alle Präsidenten vor dir haben die Saudis immer mit vorzüglichster Hochachtung begrüßt.

Aber warum hast du alle Versuche blockiert, zu deinen Verbindungen zu den Saudis gründliche Nachforschungen anzustellen? Warum weigerst du dich zu sagen: »Saudi-Arabien griff die USA an!«

Mr. Bush, hat das vielleicht irgend etwas mit dem engen persönlichen Verhältnis deiner Familie zur saudischen Herrscherfamilie zu tun? Ich würde gern sagen, das sei unmöglich. Aber hast du eine andere Erklärung? Daß es irgendein Verrückter in einer Höhle war (der zufällig auf Dialyse angewiesen ist)? Und nachdem du diesen Verrückten nicht aufspüren konntest, warum versuchtest du dann uns davon zu überzeugen, daß *Saddam Hussein* etwas mit dem 11. September und Al Kaida zu tun haben könnte, obwohl dein Geheimdienst dir ausdrücklich sagte, es gebe **keine** Verbindung?

Warum beschützt du so eifrig die Saudis, obwohl du doch eigentlich uns beschützen solltest?

---

[49] Susan Schmidt und Bill Miller, »Homeland Security Department to oversee visa program«, in: *The Washington Post,* 6. August 2002.

## Frage 4
## Warum hast du erlaubt, daß ein Privatjet der Saudis nach dem 11. September die Verwandten von bin Laden einsammelte und sie dann außer Landes flog, bevor das FBI sie verhören konnte?

Mr. Bush, das ist jetzt nicht persönlich gemeint, aber ich saß am Morgen des 11. September in Los Angeles fest. Ich balgte mich mit anderen um einen Mietwagen und fuhr dann 4 800 Kilometer nach Hause – nur weil nach dem Anschlag alle Flüge gestrichen waren.

Aber die Verwandten von bin Laden durften im Privatjet kreuz und quer über Amerika herumdüsen und dann das Land verlassen. – Kannst du mir das erklären?

Privatflugzeuge durften (unter Aufsicht der saudischen Regierung und mit deiner Genehmigung) durch den amerikanischen Luftraum fliegen und 24 Mitglieder der Familie bin Laden einsammeln und sie zu einem »geheimen Sammelpunkt in Texas« bringen. Von dort flogen sie nach Washington D.C. und dann weiter nach Boston. Am 18. September wurden sie schließlich nach Paris geflogen, außer Reichweite aller US-Behörden. Sie wurden nie verhört, nur das FBI stellte ihnen ein paar Fragen und kontrollierte vor der Abreise ihre Pässe.[50] Ich sprach mit einem FBI-Beamten, und der erzählte mir, beim FBI habe man »getobt«, weil man die bin Ladens nicht im Land festhalten und richtig ermitteln durfte – wie die Polizei eben ermittelt, wenn sie versucht, einen Mörder aufzuspüren. Normalerweise will die Polizei mit den Familienangehörigen des Verdächtigen reden,

---

[50] Jane Mayer, »The House of bin Laden«, in: *The New Yorker,* 12. November 2001; Patrick E. Tyler, »Fearing harm, bin Laden kin fled from US«, in: *The New York Times,* 30. September 2001; Kevin Cullen, »Bin Laden kin flown back to Saudi Arabia«, in: *The Boston Globe,* 20. September 2001; Katty Kay, »How FBI helped bin Laden family flee US«, in: *The London Times,* 1. Oktober 2001.

um herauszufinden, was diese wissen, wen sie kennen und wie sie bei der Fahndung nach dem Flüchtigen helfen könnten.

Nichts davon wurde getan.

Das ist verrückt. Da haben wir zwei Dutzend bin Ladens auf amerikanischem Boden, Mr. Bush, und du kommst mit der fadenscheinigen Ausrede daher, du würdest dich um die »Sicherheit« dieser Leute sorgen. Wäre es nicht möglich, daß mindestens einer der 24 bin Ladens *etwas* gewußt hätte? Oder daß man zumindest einen von ihnen hätte »überreden« können, bei der Fahndung nach Osama zu helfen?

Nö, nichts davon. Tausende saßen fest und durften nicht fliegen, aber wenn man nachweisen konnte, daß man mit dem größten Massenmörder in der amerikanischen Geschichte verwandt war, dann bekam man einen Gratisflug ins schöne Paris!

Klar, die bin Ladens waren Geschäftspartner von dir. Warum solltest du alten Freunden der Familie nicht einen Gefallen tun? Aber um noch einmal auf den Vergleich mit Clinton zurückzukommen, stelle dir mal vor, daß Bill Clinton kurz nach dem Bombenanschlag in Oklahoma sich auf einmal Sorgen um die »Sicherheit« der Familie McVeigh in Buffalo gemacht und sie kostenlos außer Landes gebracht hätte. Was hättest du, was hätten die Republikaner dazu gesagt? Da wäre doch ein gewisser Fleck auf einem dunkelblauen Anzug plötzlich gar nicht mehr so wichtig für die Hexenjagd gewesen, stimmt's?

Wie hast du in dem Chaos nach dem 11. September nur die Zeit gefunden, auch noch an den Schutz der bin Ladens zu *denken?* Deine Fähigkeiten zum Multi-Tasking erstaunen mich.

Doch als ob die bin Ladens über Amerika (»Air Laden«?) noch nicht genügten, die *Tampa Tribune* berichtete, die Behörden hätten auch noch Zeit gefunden, weitere Saudis zu helfen. Offenbar durfte ein zweiter Jet der Saudis, dieses Mal ein privater Learjet (von einem privaten Flugplatz aus, der dem Rüstungsunternehmen Raytheon gehört, das ganz zufällig eifrig für die Republikaner spendet), am 13. September (als der gesamte Flugverkehr noch eingestellt war) von Tampa nach Lexington in Kentucky fliegen. Dort wurden ein paar Mitglieder der saudischen Herrscherfamilie abgesetzt, um anderen saudischen Scheichs Gesellschaft zu leisten, die sich in Kentucky Pferde angesehen hatten. Zwei Leibwächter der Footballmannschaft Tampa Bay Buccaneers wurden als Begleitung für den Flug angeheuert und erzählten dann der *Tribune* ihre Geschichte. Auf dem Rückflug nach Tampa teilte ihnen der Pilot mit, er müsse noch ein paar Leute in Louisiana abholen...[51]

Warum, Mr. Bush, wurde das erlaubt?

Die verängstigte amerikanische Bevölkerung müht sich, die Tage nach dem 11. September zu überstehen. Und am Himmel über uns jetten die bin Ladens und die saudischen Royals nach Hause.

Ich denke, wir haben ein Recht auf eine Erklärung.

## Frage 5
## Warum schützt du die »im zweiten Verfassungszusatz garantierten Grundrechte« potentieller Terroristen?

Mr. Bush, nach dem 11. September prüfte das FBI, ob die 186 »Verdächtigen«, die in den ersten fünf Tagen nach dem Anschlag verhaftet worden waren, in den Monaten vor dem 11. September Waffen gekauft hatten. Unter Verwendung der Unterlagen über Waffenkäufer, die nach der Brady Bill erstellt werden mußten, fand das FBI sofort heraus, daß zwei der Verdächtigen tatsächlich Waffen gekauft hatten.[52] (Brady Bill: Gesetz zur schärferen Waffenkontrolle, benannt nach Reagans Pressesprecher, der bei einem Attentat schwer verwundet wurde. Die wichtigste Regelung des Gesetzes, die Überprüfung der Kunden auf Vorstrafen oder andere

[51] Kathy Steele, »Phantom flight from Florida«, in: *The Tampa Tribune,* 5. Oktober 2001.
[52] Fox Butterfield, »Justice Dept. bars use of gun checks in terror inquiry«, in: *The New York Times,* 6. Dezember 2001.

Gründe, die gegen Waffenerwerb sprechen, wurde nur auf begrenzte Zeit festgelegt und lief im November 1998 aus. A. d. Ü.)

Als dein Justizminister John Ashcroft davon erfuhr, beendete er sofort die Suche. Er sagte dem FBI, die Unterlagen könnten nicht verwendet werden, sondern dürften nur direkt beim Kauf einer Waffe benutzt werden, aber nicht, um Informationen über gesetzestreue Waffenbesitzer einzuholen.[53]

Dem FBI wurden also von Ashcroft weitere Ermittlungen zu der Frage verboten, ob sich die festgehaltenen Verdächtigen (die mit den Flugzeugentführern möglicherweise in Verbindung standen) in den 90 Tagen vor dem Anschlag Waffen besorgt hatten. Warum? All die anderen Rechte der Verdächtigen wurden über Bord geworfen, doch ein Ministerium deiner Regierung *bestand* darauf, daß sie noch ein von der Verfassung garantiertes Recht hatten, das es unbedingt zu schützen galt: das nach dem zweiten Verfassungszusatz heilige Recht, Waffen zu tragen, ohne daß die Regierung die Besitzer der Waffen registrieren dürfte.

Das kann doch nicht dein Ernst sein, Mr. Bush! Sitzen in deinem Kabinett so viele Waffennarren oder hat die National Rifle Association dich so an der Kandare, daß du zwar nicht für den Bruchteil einer Sekunde daran dachtest, die Rechte der arabischstämmigen Amerikaner zu schützen, die in den letzten beiden Jahren verhaftet, festgehalten und schikaniert wurden, du jedoch plötzlich die von der Verfassung garantierten Grundrechte ausgerechnet dieser Amerikaner erbittert verteidigst, wenn es um das Recht geht, Waffen zu besitzen?

Wenn die Amerikaner kapiert haben, daß du potentielle Terroristen geschützt hast, weil du ganz normale polizeiliche Ermittlungen verhindert hast, werden sie dich, Dick Cheney und Reverend John Ashcroft mit rauchenden Colts und Wahlurnen bewaffnet aus Dodge City jagen! Ist dir das eigentlich klar?

Das alles kommt vielleicht gar nicht so überraschend, wenn man bedenkt, was Mr. Ashcroft im Sommer 2001 im Schilde

[53] Ebenda.

führte. Anstatt das Land vor Anschlägen wie dem vom 11. September zu schützen, war der Justizminister damit beschäftigt, das System zur Überprüfung von Waffenkäufern zu demontieren. Er verkündete, die Regierung solle keine Kartei über Waffenbesitzer führen, und er wollte das Gesetz dahingehend ändern, daß die Daten nur 24 Stunden gespeichert werden dürfen![54]

Der Senat (und die amerikanische Öffentlichkeit) erfuhren erst im Dezember 2001 von Ashcrofts Anweisung, die Suche nach Angaben über den Waffenbesitz der Terroristen einzustellen. Damals bekannte sich Ashcroft vor dem Rechtsausschuß des Senats stolz zu seinen Anweisungen und griff sogar jeden an, der sein Vorgehen zum Schutz des Grundrechts auf Waffenbesitz bei Terroristen kritisierte. Er sagte dem Ausschuß, die Kritiker seiner Antiterrormaßnahmen würden »den Feinden Amerikas Munition liefern… Wer friedliebenden Bürgern mit Schreckgespenstern wie ›der verlorenen Freiheit‹ Angst macht, dem sage ich: Eure Taktik hilft nur den Terroristen.«

Aber wer hat eigentlich den Terroristen geholfen, Mr. Bush? Ein Justizminister, der das FBI bei seiner Arbeit behinderte? Ein Justizminister, der die Polizei nicht gründlich ermitteln ließ, was die Terroristen vorhatten, vor allem, was den Besitz von Schußwaffen betrifft?

Bei dieser Anhörung des Senats hielt Mr. Ashcroft etwas hoch, was seiner Aussage nach ein Trainingshandbuch von Al Kaida war.

»In diesem Handbuch«, warnte er, »wird Al Kaida-Terroristen erläutert, wie man die Freiheit in Amerika als Waffe gegen uns einsetzt.«

In diesem Punkt hatte er ausnahmsweise recht. Ein Grundrecht der Bürger der USA, von dem die Anhänger der Al Kaida ganz bestimmt begeistert sind, ist der zweite Verfassungszusatz.

Ein weiteres Pamphlet, das in einem Unterschlupf der Terrori-

[54] Cheryl W. Thompson, »Senators challenge Ashcroft on Gun Issue«, in: *The Washington Post,* 27. Juli 2001.

sten in Afghanistan gefunden wurde, lobt ebenfalls die USA.
Offensichtlich ist Ashcroft diese feine Ironie entgangen.

In diesem Handbuch der Al Kaida steht:

- In einigen Ländern der Welt, vor allem in den USA, ist das
  Training mit Schußwaffen allgemein erlaubt. Man sollte
  sich möglichst einem Schützenklub anschließen und regelmäßig auf dem Schießstand trainieren. Es gibt zahlreiche
  frei zugängliche Schießlehrgänge in den USA, deren Dauer
  von einem Tag bis zu zwei Wochen oder mehr reicht.
- Nützlich sind Kurse für Scharfschützen, über den allgemeinen Schußwaffengebrauch und den Umgang mit Langwaffen
  (Gewehren). Kurse für Faustfeuerwaffen sind ebenfalls sinnvoll, aber erst, wenn man mit einem Gewehr umgehen kann.
- In anderen Ländern, zum Beispiel in einigen Bundesstaaten
  der USA und in Südafrika, ist es jedem Bürger erlaubt, halb-
  und vollautomatische Waffen zu besitzen. Wenn Sie in so
  einem Land leben, sollten Sie ganz legal ein Sturmgewehr
  erwerben, vorzugsweise eine AK-47 oder ähnliches. Lernen
  Sie den richtigen Umgang damit, und üben Sie auf den
  dafür ausgewiesenen Schießplätzen.
- Achten Sie die Gesetze des Landes, in dem Sie sich aufhalten, und vermeiden Sie den Umgang mit illegalen Schußwaffen. Den Gebrauch vieler Schußwaffen kann man ganz
  legal lernen, man muß also nicht Jahre im Gefängnis verbringen, weil man mit illegalen Schußwaffen erwischt
  wurde. Lernt soviel wie möglich und wartet mit dem Rest
  bis zum eigentlichen Dschihad.

So so, Mr. Bush, Al Kaida hat sich also verschworen, eines unserer »Grundrechte« (das Recht, Waffen zu tragen) gegen uns zu
nutzen.

Es gefällt mir wirklich, daß du Hunderte von Personen verhaften ließest. Sie wurden einfach auf der Straße aufgegriffen und ins
Gefängnis geworfen. Sie durften weder einen Anwalt konsul-

tieren noch ihre Familien benachrichtigen, und die meisten wurden einfach mit der Begründung ausgewiesen, sie hätten keine gültige Aufenthaltserlaubnis. Du kannst also den in der Verfassung im vierten Zusatzartikel garantierten Schutz vor willkürlicher Durchsuchung und Verhaftung mißachten, ebenso das Recht auf eine öffentliche Verhandlung vor einem Geschworenengericht, das Recht auf einen Verteidiger und das Recht auf freie Meinungsäußerung, auf Versammlungsfreiheit und freie Ausübung der Religion aus dem ersten Zusatzartikel. Du glaubst offensichtlich, du hättest das Recht, all diese Grundrechte zu mißachten, aber wenn es um das im zweiten Zusatzartikel garantierte Recht geht, eine AK-47 zu besitzen, dann hört der Spaß auf! DAS Recht läßt du ihnen – und verteidigst es, selbst wenn sie ein Flugzeug in ein Gebäude geflogen und Menschen getötet haben.

Als die Sache bekannt wurde, hast du dir natürlich Sorgen gemacht, daß die Bürger die Geschichte in den falschen Hals bekommen könnten (von denen die Mehrheit *strengere* Waffengesetze will), daher schicktest du eine Sprecherin des Justizministeriums vor, die uns erklären sollte, daß die Entscheidung von »leitenden Justizbeamten« nach einer ausführlichen Untersuchung »des Gesetzes« getroffen worden sei. Zu diesen Medienmanipulierern gehörte auch Mr. Viet Dinh, der Chef des Office of Legal Policy im Justizministerium. Wie rechtfertigte Dinh die verhinderte Überprüfung der Verdächtigen? Nach Angaben der *New York Times* »ordnete Mr. Dinh an, die Überprüfung sei nicht zulässig, weil sie *die Privatsphäre dieser Ausländer* verletze« (Hervorhebung des Autors).

Ja, wenn es um Waffen geht, dann müssen sogar die Rechte von Ausländern geschützt werden.

Aber im Juli 2002 kam die Wahrheit heraus. Die Finanzaufsichtsbehörde General Accounting Office (GAO) veröffentlichte die *tatsächliche* Meinung des Justizministeriums zu der Angelegenheit. Sie steht in einem Bericht vom 1. Oktober 2001, den dein Justizminister anscheinend unterschlagen hatte. Was stand darin? Die Rechtsexperten des Justizministeriums hatten erklärt, daß – aufgepaßt – *nichts dagegen sprach, die Kartei der Waffenkäufer zu benutzen und zu prüfen, ob ein verdächtiger Terrorist eine Waffe gekauft hatte.* Hast du das gelesen, Mr. Bush? Ich unterstreiche es für dich und nehme eine größere Schrift, damit du es ganz leicht und langsam lesen kannst:

## Es spricht nichts dagegen, zu überprüfen, ob ein verdächtiger Terrorist eine Waffe gekauft hat.

Es spricht nichts dagegen! Wie schockierend! Wer außer dir und John Ashcroft würde die Ansicht vertreten, es sei gesetzeswidrig, wenn man überprüft, ob ein potentieller Terrorist eine Schußwaffe gekauft hat? (Das GAO meldete auch, daß bei 97 Prozent der illegal gekauften Schußwaffen die Genehmigungen ursprünglich erteilt worden waren und zurückgenommen wurden, als man den Fehler bemerkte. Das wäre nicht möglich gewesen, wenn die Daten nach 24 Stunden anstelle von 90 Tagen gelöscht worden wären.)

Deine Regierung spricht vom »Phantom verlorener Bürgerrechte«? Erkläre das den Männern und Frauen, die ins Gefängnis geworfen wurden, Mr. Bush, und zwar nicht, weil sie Terroristen, sondern weil sie Muslime sind. Und erkläre mir, warum du glaubst, du hättest ein Recht darauf zu erfahren, welche Bücher ein mutmaßlicher Terrorist liest, aber nicht, welche Waffen er besitzt.

Wer unterstützt denn nun die Terroristen, Mr. Bush?[55]

---

[55] Fox Butterfield, »Justice Dept. bars use of gun checks in terror inquiry«, in: *The New York Times,* 6. Dezember 2001; Neil A. Lewis, »Ashcroft defends antiterror plan; says criticism may aid US foes«, in: *The New York Times,* 7. Dezember 2001; Peter Slevin, »Ashcroft blocks FBI access to gun records«, in: *The Washington Post,* 7. Dezember 2001; Violence Policy Center (www.vpc.org), »Firearms training for Jihad in America«; Fox Butterfield, »Ashcroft's words clash with staff on checks«, in: *The New York Times,* 24. Juli 2002.

## Frage 6
## Wußtest du, daß die Taliban nach Texas reisten, als du dort Gouverneur warst, und sich dort mit deinen Freunden aus dem Ölgeschäft trafen?

Mr. Bush, ich weiß nicht, was mich dazu trieb, eines Abends ein paar Suchbegriffe auf der Website der BBC einzugeben, aber da saß ich und tippte »Taliban« (die Briten schreiben »Taleban«) und »Texas« und siehe da, was erschien auf meinem Bildschirm? Ein Bericht der BBC vom Dezember 1997:

**»Taliban zu Pipeline-Gesprächen in Texas«**

Wie du weißt, wurden die Taliban in der Zeit, als du Gouverneur warst, nach Texas eingeladen. Laut BBC trafen sich die Taliban dort mit Vertretern von Unocal, dem Öl- und Energiekonzern, und sprachen über Pläne, eine Erdgaspipeline von Turkmenistan durch das von den Taliban kontrollierte Afghanistan nach Pakistan zu bauen.[56]

Mr. Bush, was ging da vor?

Laut dem Londoner *Telegraph Online* rollten deine Freunde vom Ölkonzern den roten Teppich für die berüchtigtsten, mordlustigsten Schurken der Welt aus und machten ihnen den Aufenthalt in Texas so angenehm wie möglich.

Zunächst verbrachten die Führer der Taliban einige Tage in Sugarland in Texas und genossen westlichen Luxus. Die Gastgeber brachten die brutalen Bastarde in einem Fünf-Sterne-Hotel unter, gingen mit ihnen in den Zoo und besuchten natürlich auch das NASA Space Center.[57]

»Houston, wir haben ein Problem« erhält da plötzlich eine

---

[56] »Taleban to Texas for pipeline talks«, *BBC World Service*, 3. Dezember 1997, http://news.bbc.co.uk/1/hi/world/west-asia/36 735.stm.

[57] Caroline Lees, »Oil barons court Taliban in Texas«, in: *The Telegraph (Online)*, 14. Dezember 1997.

ganz andere Bedeutung, aber das kam dir wohl nie in den Sinn, auch wenn die Taliban eines der repressivsten fundamentalistischen Regimes der Welt errichtet haben. Wenn es umgekehrt gewesen wäre und die Taliban dich in Kabul empfangen hätten, wäre die Hinrichtung von Frauen, die sich nicht von Kopf bis Fuß bedeckt hatten, sicher Teil des Unterhaltungsprogramms für die Gäste gewesen. Na, das wäre doch mal was anderes gewesen, stimmt's?

Nach dem Besuch in Texas schauten die Taliban-Führer in Washington vorbei und trafen sich dort mit Karl Inderfurth, dem Staatssekretär für Südasien. Dann ging's weiter nach Omaha, wo die University of Nebraska später einen speziellen Lehrgang für Afghanen zum Bau von Pipelines durchführte – alles finanziert von deinen Freunden bei Unocal. Bei einem weiteren Besuch im Mai 1998 (dieses Mal finanziert von Clintons Außenministerium) machten die Taliban-Abgesandten noch eine kleine Besichtigungstour in den Badlands National Park, zum Crazy Horse Memorial, zum Geburtsort von Gerald Ford und zum Mount Rushmore.[58]

Ja, diese ungeheure Gastfreundschaft ist wieder mal ein schönes Beispiel für den guten Willen der Amerikaner und ihr großes, gutes Herz. Oder für unsere Liebe zum Geld und zu billigen, fossilen Ressourcen. Zum Kuckuck, wenn der Preis stimmt, geben wir jedem eine Chance!

Wie jedermann weiß, gibt es in den ehemaligen Sowjetrepubliken östlich des Kaspischen Meers Erdöl- und Erdgasvorkommen im Wert von Milliarden Dollar, die nur darauf warten, angezapft zu werden. Jeder wollte natürlich ein Stück vom Kuchen

---

[58] Caroline Lees, »Oil barons court Taliban in Texas«, in: *The Telegraph (Online),* 14. Dezember 1997; Barbara Crossette, »US, Iran relations show signs of thaw«, in: *The New York Times,* 15. Dezember 1997; »Taleban in Texas for talks on gas pipeline«, in: *BBC News,* 4. Dezember 1997; Kenneth Freed und Jena Janovy, »UNO partner pulls out of Afghanistan project«, in: *Omaha World Herald,* 6. Juni 1998.

abhaben, und die US-Regierung half gern dabei. Sogar Präsident Clinton war von dem Plan einer Unocal-Pipeline begeistert.[59]

Um uns an die Beute heranzupirschen, mußten wir die Russen übertölpeln, und wir mußten eine Route zu den Gas- und Ölfeldern finden, die nicht durch den feindlichen Iran führte.

Unocal hatte also die Idee, eine Pipeline durch Afghanistan zu führen, Enron hingegen verfolgte einen ganz anderen Plan. Dieser Konzern wollte Erdgas aus Turkmenistan durch eine Pipeline unter dem Kaspischen Meer bis in die Türkei leiten. Die amerikanische Regierung finanzierte sogar die Machbarkeitsstudie für Enron.[60] Enron war auch im benachbarten Usbekistan aktiv und bemühte sich um Geschäftsabkommen zur Erschließung von Erdgasfeldern. Ende 1996 bezog Unocal Usbekistan in seine Verhandlungen über eine Pipeline durch Afghanistan und Pakistan ein.[61]

Und dann kamst du, Mr. Bush, auf die Idee, da mitzumischen. Du trafst dich mit dem usbekischen Botschafter und setztest dich für Enron ein. Der Enron-CEO Ken Lay beendete vor dem Treffen einen Brief an dich mit folgendem netten Satz:

»Ich weiß, daß das Treffen zwischen Ihnen und Botschafter Safaev produktiv sein und zu einer Freundschaft zwischen Texas und Usbekistan führen wird. Ihr Ken.«[62]

Welche Rolle spieltest du bei den Unocal-Gesprächen mit den Taliban? Ich denke, du wußtest, daß die Regierenden eines anderen Staates deinen Bundesstaat besuchten und sich mit Leuten trafen, die für deinen Wahlkampf gespendet hatten. Warum wur-

---

[59] Ed Vulliamy, »US women fight Taliban oil deal«, in: *The Guardian,* 12. Januar 1998; Dan Morgan u. a., »Women's fury toward Taliban stalls pipeline«, in: *The Washington Post,* 11. Januar 1998.

[60] »Trans-Caspian gas line receives go-ahead«, in: *Europe Energy,* 26. Februar 1999.

[61] Justin Weir, »Natural resources«, in: *Institutional Investor International,* April 1997; Gerald Karey, »Unocal's Uzbekistan deal adds to Central Asia plan«, in: *Platt's Oilgram News,* 5. November 1996.

[62] Brief von Kenneth L. Lay an Gouverneur George W. Bush, 3. April 1997.

den brutale Diktatoren in deinem Bundesstaat fürstlich bewirtet, obwohl du doch so sehr gegen brutale Diktatoren bist?

Gut, wir wollen fair sein, du warst nicht der einzige, der anderen helfen wollte, ein bißchen Geld mit einem der wahrscheinlich letzten großen Erdöl- und Erdgasvorkommen zu machen. Da waren noch das Weiße Haus unter Clinton, Henry Kissinger und ein anderer ehemaliger Außenminister, Alexander Haig, die alle gern behilflich sein wollten.[63]

Und da war natürlich auch Dick Cheney. Dick war damals CEO von Halliburton, einem Zulieferer der Ölindustrie. Wenn der Konzern nicht gerade Gefängnisse in Guantanamo Bay baute, bei Geschäften mit Burma massive Menschenrechtsverletzungen ignorierte oder Deals mit Libyen, Iran und dem Irak unter Saddam Hussein aushandelte (was Halliburton in den neunziger Jahren munter tat), baute er Öl- und Gaspipelines (und tut es noch).[64] 1998 hatte dein zukünftiger Mitpräsident Cheney folgendes zur Situation am Kaspischen Meer zu sagen: »Ich weiß von keiner anderen Zeit, in der eine Region so plötzlich strategische Bedeutung erlangt hätte wie die am Kaspischen Meer. Es ist fast so, als ob sich die Möglichkeiten über Nacht ergeben hätten.« Und in einer Rede am Cato Institute im gleichen Jahr berichtete er über Halliburton: »Bei etwa 70 bis 75 Prozent unserer Geschäfte geht es um Energie, wir arbeiten für Kunden wie Unocal, Exxon, Shell, Chevron und viele andere große Ölgesellschaften auf der ganzen Welt. Daher sind wir oft in Krisenregionen tätig. Der Herrgott hielt es nun einmal für angebracht, daß Erdöl und

---

[63] David B. Ottaway und Dan Morgan, »In drawing a route, bad blood flows«, in: *The Washington Post,* 5. Oktober 1998; Daniel Southerland, »Haig involved in plans to build gas pipeline across Iran«, in: *Houston Chronicle,* 22. Januar 1995.

[64] Jeremy Kahn, »Will Halliburton clean up?«, in: *Fortune,* 14. April 2003; Peter Waldman, »A pipeline project in Myanmar puts Cheney in Spotlight«, in: *The Wall Street Journal,* 27. Oktober 2000; Colum Lynch, »Firm's Iraq deals greater than Cheney has said«, in: *The Washington Post,* 23. Juni 2001.

Erdgas nicht nur dort vorkommen, wo demokratisch gewählte Regierungen an der Macht sind, die mit den USA verbündet sind. Gelegentlich müssen wir in Gebieten arbeiten, wo man, wenn man es sich recht überlegt, lieber nicht hingehen würde. Aber wir sind dort aktiv, wo das Geschäft ist.«[65]

Ja, Geschäfte konnte man in Afghanistan sicher machen. Nachdem die Sowjets von Mudschaheddin wie Osama bin Laden mit Unterstützung der USA aus Afghanistan vertrieben worden waren, vergaßen die Amerikaner das Land schnell wieder und ließen zu, daß es im Chaos versank.[66] Im Land tobte ein Bürgerkrieg. Als die Taliban Mitte der neunziger Jahre an die Macht kamen, herrschte in Washington eitel Freude.

Ursprünglich dachte man, die Taliban würden sich an das Vorbild Saudi-Arabien halten, das Washington so gut gefiel – repressiv herrschen und dem Westen geben, was er verlangt. Mit so einem Land konnten wir zusammenarbeiten. Allerdings wurden die brutalen Methoden der Taliban bald weltweit bekannt, und die amerikanischen Politiker machten einen Rückzieher.[67]

Aber nicht die Ölgesellschaften. Unocal wagte sich am weitesten vor, tat sich mit Delta Oil zusammen und arbeitete weiter am Pipeline-Deal mit den Taliban. Delta gehört den Saudis und wird von einem Mann namens Mohammed Hussein Al-Amoudi geleitet, der wegen seiner Verbindungen zu Osama bin Laden vom FBI überprüft wurde.[68] Keine Seite schien es zu stören, daß sich Osama bin Laden 1996 mit dem Segen der Taliban in Afghanistan

---

[65] Tyler Marshall, »High stakes in the Caspian«, in: *Los Angeles Times,* 23. Februar 1998; Richard B. Cheney, »Defending liberty in a global economy«, Rede bei der Collateral Damage Conference am Cato Institute, 23. Juni 1998.

[66] Peter Gorrie, »US underestimated bin Laden at first«, in: *Toronto Star,* 22. September 2001.

[67] Ahmed Rashid, *Taliban: Afghanistans Gotteskrieger und der Dschihad,* München, 2001.

[68] Jack Meyers u. a., »Saudi clans working with US oil firms may be tied to bin Laden«, in: *Boston Herald,* 10. Dezember 2001.

niedergelassen hatte, dem gleichen Jahr übrigens, in dem er erstmals zum »Heiligen Krieg« gegen die USA aufgerufen hatte.[69]

Dieses Gerede über »Dschihad« und »alle Amerikaner nieder-
metzeln« störte deine guten Freunde bei Enron jedoch nicht.
Neben dem Plan, das kaspische Erdgas bis zum Mittelmeer zu
leiten, arbeiteten Ken Lay und seine Kumpels hart an einem weiteren ausgekochten Schurkenstück. Sie bauten ein riesiges Erdgaskraftwerk in Dabhol in Indien. Wie alles andere, was bei
Enron so ausgeheckt wird (einschließlich der Wahlkampfstrate-
gie für dich!), war das Kraftwerk ein gigantischer Nepp.[70] Und
wer könnte die Leutchen in Indien besser schröpfen als gerade
jenes Unternehmen, das auch seine amerikanischen Mitarbeiter
und Kunden so abgezockt hatte?

Aber George, mich interessiert hier etwas ganz anderes.
Kannst du mir sagen, ob es nur ein Zufall war, daß Enron und
Unocal im gleichen Gebiet zugange waren, die einen bauten ein
Erdgaskraftwerk, die anderen eine Erdgaspipeline? Oder lief da
noch was anderes?

Weißt du, für mich sieht das so aus (bitte George, korrigiere
mich ruhig, wenn ich falsch liege): Unocal sollte die Taliban
bezahlen, damit die Pipeline durch Afghanistan und nach Pakistan gebaut werden könnte. Dann wollte Unocal die Pipeline bis
nach Indien und Neu Delhi verlängern. Gleichzeitig plante Enron
den Bau einer Pipeline von Dabhol nach Neu Delhi, wo sie natürlich auf die turkmenische Pipeline stoßen würde und Unocal und
Enron sich zusammentun könnten.[71] Nach einem anderen Plan

---

[69] Robert Fisk, »Saudi calls for jihad against US ›crusader‹«, in: *The Independent,* 2. September 1996; Tim McGirk u. a., »The Taliban allow a top ›sponsor‹ of terrorism to stay in Afghanistan«, in: *Time,* 16. Dezember 1996.

[70] Claudia Kolker, »The Fall of Enron: Dead Enron power plant affecting environment, economy, and livelihoods in India«, in: *Houston Chronicle,* 4. August 2002.

[71] »Turkmen-Pakistani export gas pipeline marks progress«, in: *Oil & Gas Journal,* 3. November 1997; »Gulf gas rides to the rescue«, in: *Middle East Economic Digest,* 16. Januar 1998.

von Unocal endete die Pipeline in Pakistan am Arabischen Meer, von wo das Gas hätte exportiert werden können.[72] Das Kraftwerk von Enron in Dabhol wäre dann nur eine kurze Tankerfahrt entfernt.

Aber dann jagte Osama zwei amerikanische Botschaften in Afrika in die Luft. Das reichte Präsident Clinton; er wollte mit Afghanistan nichts mehr zu tun haben. Die USA übten Vergeltung für bin Ladens Anschlag und beschossen eine Aspirinfabrik im Sudan und ein verlassenes Trainingslager von Al Kaida in Afghanistan mit Raketen.[73]

Ich nehme mal an, daß du und jeder andere Student der Wirtschaftswissenschaften eines lernten: Wenn das eigene Land erst einmal ein Land bombardiert hat, mit dem man Geschäfte machen will, dann ist es meistens Essig mit den Geschäften. Daher setzte Unocal sein Engagement bei den Taliban erst einmal aus und zog sich drei Monate später komplett zurück.[74] Den Taliban gingen damit Milliarden Dollar verloren, die sie unbedingt zur Finanzierung ihres Regimes und zum Schutz von bin Laden brauchten.

Ich bin mir nicht sicher, Mr. Bush, aber ich schätze, die Taliban waren ziemlich sauer auf Unocal und die Amerikaner, weil ihnen so ein lukratives Geschäft durch die Lappen gegangen war. Und ich weiß, daß diese verrückten Taliban ganz schön nachtragend sein können.

Für deine Freunde bei Enron und Unocal und Halliburton war natürlich klar, daß die Taliban und Osama bin Laden ihnen mit

---

[72] Pressemitteilung von Unocal, »Unocal, Delta sign MOU with Gazprom and Turkmenrusgaz for natural gas pipeline project«, 13. August 1996.

[73] James Astill, »Strike one: In 1998, America destroyed Osama bin Laden's ›chemical weapons‹ factory in Sudan. It turned out that the factory made medicine«, in: The Guardian, 2. Oktober 2001.

[74] »Unocal Statement: Suspension of activities related to proposed natural gas pipeline across Afghanistan«, Pressemitteilung, 21. August 1998; »Unocal Statement on withdrawal from the proposed Central Asia Gas (CentGas) pipeline project«, Pressemitteilung, 10. Dezember 1998.

diesen zwei terroristischen Anschlägen die Suppe versalzen hatten, und mit Clintons Reaktion war dann alles aus. Solange die Taliban an der Macht waren und Osama beherbergten, würde die Pipeline nie gebaut werden. Was konnte man da machen?

Ein neuer Präsident konnte jedenfalls nicht schaden.

Clinton hätte nie zugelassen, daß Unocal, Halliburton und Enron mit diesen Terroristen Geschäfte machten.

Also unterstützte Enron kräftig deinen Wahlkampf, um die Gore/Clinton-Achse auszuhebeln. Cheney wurde angeheuert, einen passenden Vizepräsidenten für dich zu suchen, und er kam schließlich auf die Idee, das könne er selbst machen.[75] Er nahm noch ein paar alte Kumpels von deinem Dad für die anderen Spitzenpositionen dazu, und du warst einverstanden. Und dann wurdest du vom Obersten Gericht zum Präsidenten ernannt.

Und dann …

Du warst noch nicht einmal einen Monat im Amt, als die Taliban bei dir anklopften. Sie wollten immer noch die Milliarden aus dem Pipeline-Deal. Sechs Tage, nachdem Cheney seine geheime Energy Task Force ernannt hatte, meldete die *London Times,* die Taliban würden der neuen US-Regierung einen Handel anbieten. Osama sollte aus Afghanistan rausgeworfen werden.[76] Jeder hoffte, daß dabei etwas für ihn herausspringen würde, und zufällig hattest du ja Zalmay Khalilzad, einen ehemaligen Berater von Unocal, mit in der Regierungsmannschaft. Khalilzad, der mittlerweile dem Nationalen Sicherheitsrat von Condoleeza Rice angehört, war bei einem Abendessen dabeige-

---

[75] Alison Mitchell, »Bush is reported set to name Cheney as partner on tikket«, in: *The New York Times,* 25. Juli 2000.

[76] Zahid Hussain, »Taleban offers US deal to deport bin Laden«, in: *The London Times,* 5. Februar 2001; Joseph Kahn und David E. Sanger, »President offers plan to promote oil exploration«, in: *The New York Times,* 30. Januar 2001; Eric Schmitt, »Cheney assembles formidable team«, in: *The New York Times,* 3. Februar 2001.

wesen, das Unocal für die Taliban in Texas gab.[77] Im Oktober 1996 hatte er gegenüber der Zeitschrift *Time* erklärt, die Taliban »wollen die Revolution nicht exportieren. Sie haben auch keine Ressentiments gegenüber den USA.«[78]

Um dir die Sache ein wenig schmackhaft zu machen, hatten sich die Taliban vor kurzem dem »Krieg gegen Drogen« angeschlossen. Da in Afghanistan 75 Prozent der weltweiten Mohnernte eingebracht werden (aus dem dann Heroin gemacht wird), waren das gute Nachrichten für dich. Die Taliban verboten also den Mohnanbau. Nachdem eine internationale Delegation nach Afghanistan gereist war und das Land für mohnfrei erklärt hatte, sagtest du dem verwüsteten Land auf der Stelle 43 Millionen Dollar an »humanitärer« Hilfe zu. Das Geld sollte von internationalen Hilfsorganisationen verteilt werden. Das ist die Art von Hilfe, die unsere Regierung Kuba und anderen Ländern früher immer verweigert hat. Aber die Taliban waren plötzlich »in Ordnung«.[79]

Natürlich horteten die Taliban immer noch große Mengen Heroin in Lagerhäusern, das sie weiterhin verkauften. Wenn man den Markt für eine begehrte Substanz quasi kontrolliert und dann das Angebot drastisch kürzt, dann muß sogar ein gescheiterter Geschäftsmann wie du, George, kapieren, was passieren wird. Die Preise gehen rauf, rauf, rauf! Wie *Foreign Policy in Focus* berichtete, bedeutete das konkret, daß ein Kilo Heroin nicht mehr 44 Dollar, sondern 700 Dollar kostete. Und diesen Profit konnten die bösen, freiheitsverachtenden Taliban komplett einsacken.[80]

---

[77] Joe Stephens und David B. Ottaway, »Afghan roots keep adviser firmly in the inner circle«, in: *The Washington Post,* 23. November 2001.

[78] Christopher Ogden, »Good News/Bad News in the Great Game«, in: *Time,* 14. Oktober 1996.

[79] Preston Mendenhall, »Afghanistan's cash crop wilts«, MSNBC.com, 23. Mai 2001; Robin Wright, »U.S. pledges $43 million to ease Afghanistan famine«, in: *Los Angeles Times,* 18. Mai 2001.

[80] Molly Moore, »Iran fighting a losing drug war; armed villagers struggle

Verschiedenen Berichten zufolge trafen sich Vertreter deiner Regierung mit den Taliban oder ließen ihnen im Sommer 2001 Nachrichten zukommen. Was für Nachrichten, Mr. Bush? Hast du mit ihnen ihr Angebot erörtert, dir bin Laden auszuliefern? Drohtest du den Taliban mit Gewalt? Sprachst du mit ihnen über eine Pipeline? Haben du und deine Regierung, wie ein ehemaliger CIA-Mitarbeiter gegenüber der *Washington Post* andeutete, die Chance versiebt, bin Laden in amerikanischen Gewahrsam zu bringen?[81] Wie auch immer, die Gespräche wurden fortgesetzt und endeten erst wenige Tage vor dem 11. September. Es würde keine Pipeline geben. Die Taliban gingen leer aus, und die Unternehmen, die dich unterstützten, hatten selbst Millionen bei der Planung dieser lukrativen Pipeline verloren. Was würde nun passieren?

Tja, wir wissen, was passiert ist. Zwei Flugzeuge rissen das World Trade Center ab, ein weiteres Flugzeug traf das Pentagon. Und ein viertes stürzte in Pennsylvania ab. Und du hast sogleich beschlossen, unsere Freiheit zu schützen, indem du unsere Freiheit einschränktest. Dann griffen wir überraschend Afghanistan

to seal Afghanistan border«, in: *The Washington Post,* 18. Juli 2001; Jerry Seper, »Cash flow for Taliban eyed as reason for opium surge«, in: *The Washington Times,* 3. Oktober 2001; »What is the role of drugs/heroin in Afghanistan conflict«, in: *Foreign Policy in Focus,* 5. Dezember 2001.

81 Michael Elliott u.a., »They had a plan; Long before 9/11, the White House debated taking the fight to al-Qaeda«, in: *Time,* 12. August 2002; Chris Mondics, »US courted, castigated Taliban«, in: *The Philadelphia Inquirer,* 21. Oktober 2001; George Arney, »US ›planned attack on Taleban‹«, *BBC News,* 18. September 2001; David Leigh, »Attack and Counter Attack«, in: *The Guardian,* 26. September 2001; Jonathan Steele u.a., »Threat of US strikes passed to Taliban weeks before NY attack«, in: *The Guardian,* 22. September 2001; »US tells Taliban: End bin Laden aid«, in: *The Chicago Tribune,* 3. August 2001; Barton Gellman, »A strategy's cautious evolution«, in: *The Washington Post,* 20. Januar 2002; David B. Ottaway und Joe Stephens, »Diplomats met with Taliban on bin Laden; some contend US missed its chance«, in: *The Washington Post,* 29. Oktober 2001.

an und verjagten die Taliban und ihre Kumpels von Al Kaida –
was viel einfacher war, als sie zu fangen. Die meisten dicken
Fische entkamen.

Ach ja, und wir übergaben Afghanistan an Unocal. Der neue
amerikanische Botschafter in Afghanistan? Zalmay Khalilzad,
seines Zeichens Unocal-Berater und Mitglied des Nationalen
Sicherheitsrates. Und der neue, von den Amerikanern einge-
setzte Chef von Afghanistan? Hamid Karzai, ebenfalls früher
für Unocal tätig.[82]

Am 27. Dezember 2001 unterzeichneten Turkmenistan, Afghanistan und Pakistan ein Abkommen über eine Pipeline.[83] Endlich wird das Erdgas vom Kaspischen Meer fließen, und all deine
Freunde sind glücklich.

Hier stinkt etwas, Mr. Bush. Aber das Erdgas kann es nicht
sein. *Erd*gas ist geruchlos.

## Frage 7
## Was war das für ein Gesichtsausdruck am Morgen des 11. September in dem Klassenzimmer in Florida, als dir dein Stabschef sagte: »Amerika wird angegriffen«?

Am Nachmittag des 10. September bist du nach Florida geflogen.
Du hast in einem teuren Hotel in Sarasota gewohnt, mit deinem
Bruder zu Abend gegessen und bist dann ins Bett gegangen.[84]

Am Morgen joggtest du eine Runde auf dem Golfplatz und be-
suchtest dann die Booker Elementary School, wo Kinder dir vor-
lasen. Du hast das Hotel zwischen 8.30 Uhr und 8.40 Uhr verlas-

---

82 Ilene R. Prusher u. a., »Afghan power brokers«, in: *The Christian Science Monitor,* 10. Juni 2002.

83 Balia Bukharbayeva, »$5 billion gas pipeline planned in Afghanistan«, The Associated Press, 28. Dezember 2002.

84 Tom Bayles, »The day before everything changed, President Bush touched locals' lives«, in: *Sarasota Herald-Tribune,* 10. September 2002.

sen, also gute zehn bis zwanzig Minuten, nachdem die Luftfahrt-
behörde wußte, daß Flugzeuge entführt worden waren. Niemand
machte sich die Mühe, dir das mitzuteilen.[85]

Du kamst in der Schule an, nachdem das erste Flugzeug den
Nordturm in New York City getroffen hatte. Drei Monate später
erzähltest du einem Drittklässler bei einer »Bürgerversammlung« in Orlando, du wärest vor dem Klassenzimmer gesessen
und hättest »gewartet, bis ich hineingehen konnte, und da sah
ich, wie ein Flugzeug gegen den Turm prallte – der Fernseher
war an, und ich flog früher selbst und sagte, das ist aber ein
schlechter Pilot. Ich sagte, das müsse ein schrecklicher Unfall
sein. Aber ich wurde weggeführt, ich hatte nicht viel Zeit, darüber nachzudenken …«[86]

Einen Monat später erzähltest du die gleiche Geschichte bei
einer weiteren »Bürgerversammlung« in Kalifornien.[87] Das Problem ist nur, daß du gar *nicht gesehen haben kannst,* wie das
erste Flugzeug in den Turm raste – *niemand* sah das live im Fernsehen, das wurde erst am nächsten Tag gezeigt.[88] Aber das geht
schon in Ordnung, wir waren an dem Morgen alle ein bißchen
durcheinander.

[85] »Transcript American Airlines Flight 11«, in: *The New York Times,*
16. Oktober 2001; Dan Balz und Bob Woodward, »America's chaotic
road to war«, in: *The Washington Post,* 27. Januar 2002; Alan Levin u. a.,
»Part I: Terror attacks brought drastic decision: clear the skies«, in: *USA
Today,* 12. August 2002.

[86] »President meets with displaced workers in town hall meeting«, Offizielle Abschrift des Weißen Hauses, 4. Dezember 2001.

[87] »President holds town hall forum on economy in California«, Offizielle
Abschrift des Weißen Hauses, 5. Januar 2002. Hier sagte Bush: »Als wir
ins Klassenzimmer gingen, sah ich gleich, wie dieses Flugzeug in das
erste Gebäude flog. Der Fernseher lief. Wissen Sie, ich dachte, das sei
ein Flugfehler des Piloten, und war erstaunt, daß jemand so einen furcht-
baren Fehler machen konnte. Und mit dem Flugzeug stimmte etwas nicht
oder … sei's drum, ich sitze hier …«

[88] Stephanie Schorow, »What did Bush see and when did he see it?«, in:
*Boston Herald,* 22. Oktober 2002.

Du gingst gegen 9.00 Uhr[89] ins Klassenzimmer. Das zweite Flugzeug raste um 9.03 Uhr in den Südturm.[90] Nur wenige Minuten später, da hast du den Kindern im Klassenzimmer beim Vorlesen zugehört, kam dein Stabschef Andrew Card herein und flüsterte dir etwas ins Ohr. Card berichtete dir wahrscheinlich vom zweiten Flugzeug und davon, daß wir »angegriffen« wurden.[91]

Und in dem Augenblick nahm dein Gesicht einen abwesenden Ausdruck an, nicht völlig geistesabwesend, aber du wirktest irgendwie gelähmt. Keine Regung war in deinem Gesicht zu sehen. Und dann ... bist du einfach nur dagesessen, und zwar *sieben Minuten* lang, und hast dich nicht gerührt. Das war, vorsichtig ausgedrückt, seltsam. Unheimlich. Du bliebst einfach auf deinem Kinderstühlchen sitzen und hörtest den Kindern beim Vorlesen zu, du lauschtest ihnen friedlich fünf oder sechs Minuten lang.[92] Du wirktest nicht beunruhigt, du entschuldigtest dich nicht, du wurdest nicht eilig von deinen Beratern oder dem Secret Service aus dem Zimmer geführt.

George, was hast du da gedacht? WAS ging in dir vor? Was bedeutete der Ausdruck auf deinem Gesicht? Ich habe dir schon sechs Fragen gestellt, die mir schwer zu schaffen machen, aber jetzt bin ich mit meiner Weisheit völlig am Ende.

Dachtest du, du hättest die Berichte, die die CIA dir einen Monat zuvor ausgehändigt hatte, ernster nehmen sollen? Man hatte dir gesagt, daß Al Kaida Attentate *in* den USA plante und dafür wahrscheinlich Flugzeuge benutzt werden würden. Es hatte frühere Berichte des Geheimdienstes gegeben, in denen vom Interesse von Al Kaida an einem Anschlag auf das Pentagon die

---

89 William Langley, »Revealed: What really went on during Bush's ›missing hours‹«, in: *London Telegraph*, 16. Dezember 2001.

90 »September 11, 2001: Basic Facts«, Amerikanisches Außenministerium, 15. August 2002.

91 David E. Sanger und Don Van Natta jr., »In four days, a national crisis changes Bush's Presidency«, in: *The New York Times,* 16. September 2001.

92 Ebenda.

Rede war.[93] Sagtest du dir in diesem Moment: »Tja, Gott sei Dank sind sie nicht ins Pentagon geflogen!«?

Oder hattest du einfach eine Scheißangst? Das ist in Ordnung, uns allen ging es so. Das muß man verstehen. Aber … nun ja, du bist der Oberbefehlshaber, und das bedeutet, daß du was befehlen mußt, wenn wir angegriffen werden, du darfst dann nicht einfach regungslos auf einem Stuhl sitzen.

Oder vielleicht dachtest du auch: »Ich wollte diesen Job doch gar nicht! Eigentlich sollte Jeb ihn bekommen, er war der Auserwählte! Warum ich? Warum ich, Daddy?« Hey, das verstehen wir. Wir machen dir keinen Vorwurf. Du sahst aus wie ein verschrecktes Hündchen, das nur noch nach Hause will. Das war plötzlich nicht mehr das, was du dir vorgestellt hattest, du warst nicht mehr CEO/Präsident, sondern solltest jetzt Kriegsherr/Präsident sein. Und wir wissen, was passierte, als du das letzte Mal in Uniform antreten solltest …

Oder … vielleicht, ich spekuliere wirklich nur, dachtest du in diesem Klassenzimmer nur an deine saudischen Freunde, die königliche Familie und die bin Ladens. Leute, von denen du nur zu gut wußtest, daß sie nichts Gutes im Schilde führten. Was für Fragen würde man dir stellen? Würde man Verdacht schöpfen? Hatten die Demokraten womöglich den Schneid, in der Vergangenheit deiner Familie herumzustöbern und deine Verbindungen zu diesen Leuten auszugraben (nein, keine Sorge, die Gefahr besteht nicht!)? Würde die Wahrheit je ans Licht kommen?

Eine Stunde später saßest du schon im Flugzeug – nicht zurück nach Washington, um die Nation an vorderster Front zu verteidigen und die verschreckten Bürger zu beruhigen, auch nicht zum nahegelegenen Luftwaffenstützpunkt MacDill in Tampa, wo das Oberkommando der Streitkräfte seinen Sitz hat.[94] Nein,

---

93 Bob Woodward und Dan Eggen, »Aug. memo focused on attacks in US«, in: *The Washington Post,* 18. Mai 2002.

94 »Timeline in terrorist attacks on Sept. 11, 2001«, in: *The Washington Post,* 12. September 2001.

du *flohst* – zuerst nach Louisiana und dann durch das halbe Land nach Nebraska, wo du dich in einem Bunker verschanzen wolltest.[95] Wie beruhigend das für uns andere war! Noch Wochen später verbreiteten du und deine Leute das Märchen, das sei zu deiner persönlichen Sicherheit geschehen, weil du das Ziel der Al Kaida gewesen seist.

Das Problem an der Geschichte ist natürlich, daß es jeder Blödmann besser machen würde. Wenn man weiß, daß gekaperte Flugzeuge als Raketengeschosse verwendet werden, ist ein Flugzeug der letzte Ort, an dem man sich aufhalten will. Wer wollte in dieser Situation da oben herumfliegen und ein fettes Ziel namens Air Force One bieten?

Vielleicht erfahren wir eines Tages, um was es eigentlich ging. Auf mich und Millionen andere wirkte es schlicht wie Hühnerkacke. Und ich schätze, am späten Nachmittag fiel dir das auch auf, deswegen machtest du schnurstracks kehrt und gingst ins Weiße Haus zurück, wo du weiter Präsident spielen konntest.[96] Von dem Augenblick an, in dem dein Hubschrauber auf dem Rasen hinter dem Weißen Haus landete, war deine »Präsidentschaft« etwas, das niemand mehr in Frage stellen wollte oder sollte.

Laut einem Artikel von Elsa Walsh im *New Yorker* gingst du zwei Tage später abends auf den Truman-Balkon des Weißen Hauses, wo du dich ein bißchen entspannen und eine Zigarre rauchen wolltest. Die letzten 48 Stunden waren furchtbar gewesen, und du mußtest dich ein bißchen ausruhen. In diesem Augenblick der Besinnung wolltest du einen guten Freund bei dir haben. Er kommt ins Weiße Haus, du umarmst ihn, führst ihn auf den Balkon und bietest ihm einen Drink an. Dann zündet ihr beide euch Zigarren an und blickt über die Ellipse auf das Washington Monument. Du sagst zu ihm: »Wenn wir sie [Al Kaida-Mitglieder, die an dem Anschlag beteiligt waren] nicht dazu bringen, zu kooperieren, dann überlassen wir sie euch.«

---

[95] Ebenda.
[96] Ebenda.

Dein Freund wußte dieses Angebot zu schätzen, da bin ich mir sicher. Schließlich war es dein lieber »Bandar Bush«, der Prinz von Saudi-Arabien.[97]

Rauch hing über den Trümmern in Manhattan und Arlington, und der Rauch von der Zigarre des saudischen Prinzen kräuselte sich durch die milde Abendluft von Washington, und du, George W. Bush, weiltest an seiner Seite.

Das sind meine sieben Fragen, Mr. Bush – sieben Fragen, die du mir beantworten sollst. Die 3 000 Toten und die Hinterbliebenen haben ein Recht darauf, und Millionen Amerikaner werden früher oder später die Wahrheit erfahren wollen. Sie werden verlangen, daß du reinen Tisch machst oder dein Amt niederlegst.

---

[97] Elsa Walsh, »How the Saudi Ambassador became Washington's indispensable operator«, in: *The New Yorker,* 24. März 2003.

# TWO

# Die Heimat des Whoppers

**Was ist die** schlimmere Lüge eines Präsidenten?

*Ich hatte keinen Geschlechtsverkehr mit Miss Lewinsky.*

Oder …

*Er ist im Besitz von Massenvernichtungswaffen – den tödlichsten Waffen der Welt. Sie sind eine direkte Bedrohung für die Vereinigten Staaten, für unsere Bürger und für unsere Freunde und Verbündeten.*

Eine dieser beiden Lügen brachte einem Präsidenten ein Amtsenthebungsverfahren ein. Die andere brachte dem Lügner nicht nur den von ihm gewollten Krieg, sondern auch riesige Geschäfte für seine Freunde und den so gut wie sicheren Sieg in den kommenden Präsidentschaftswahlen.

Natürlich sind wir auch früher schon belogen worden. Es gab viele Lügen: große Lügen, kleine Lügen, Lügen, die unserem Ansehen in der Welt schadeten. »Ich bin kein Gauner«, war eine Lüge, die den Sturz Richard Nixons nach sich zog. »*Read my lips,* es gibt keine Steuererhöhung«, war eher ein gebrochenes Versprechen als eine Lüge, kostete aber den ersten Bush trotzdem die Präsidentschaft. »Ketchup ist ein Gemüse« war wissenschaftlich betrachtet keine Lüge, aber die Äußerung war ein gutes Beispiel für die meschuggene Weltsicht der Regierung Reagan.

Andere Präsidenten logen über Vietnam, über Korea, über die

Indianer, oder sie logen bloß über die Gleichheit aller Menschen (während sie angekettete Sklaven in ihrem Hinterhof hielten). Ganze Schiffsladungen von Lügen wurden uns im Lauf der Jahrhunderte aufgetischt. Und wenn ein Präsident beim Lügen erwischt wurde, fiel er in Ungnade und wurde bestraft oder abgesetzt. Manchmal.

Vielleicht ist Bush immer noch im Amt, weil er die alte Weisheit beherzigt hat, daß eine Lüge, wenn man sie nur lange und oft genug wiederholt, früher oder später zur Wahrheit wird.

Als die Lügen, mit denen wir in den Irakkrieg geführt wurden, allmählich herauskamen und die Lügner angeprangert wurden, schaltete die Regierung Bush auf Survivaltraining und bediente sich der einzigen Verteidigungstrategie, die sie kennt: Wiederhole die Lügen immer wieder und wieder, bis die Amerikaner erschöpft das Handtuch werfen und anfangen, sie zu glauben.

Nichts jedoch kann die folgende unbestreitbare Tatsache kaschieren: Die wohl schlimmste Lüge ist jene, die Müttern und Vätern solche Angst machen soll, daß sie ihre Kinder in einen Krieg schicken, der nicht geführt werden müßte, *weil es nie eine Bedrohung gegeben hat.* Ein Mann, der den Bürgern seines Landes bewußt vorlügt, daß ihr Leben in Gefahr sei, nur um eine persönliche Rechnung zu begleichen (»Er versuchte, meinen Dad zu töten!«) oder um seine reichen Freunde noch reicher zu machen, auf einen solchen Lügner würde in einer gerechteren Welt eine Gefängniszelle in Joliet warten. (In Joliet, Illinois, kann man ins Gefängnis kommen, wenn man den Namen der Stadt falsch ausspricht. A. d. Ü.)

George W. Bush verwandelte das Weiße Haus in die Heimat des Whoppers – der faustdicken Lüge, indem er eine Lüge nach der anderen erzählte, nur um seinen dreckigen kleinen Krieg zu bekommen. (Whopper hat im Engl. auch die Bedeutung »faustdicke Lüge«, A. d. Ü.) Und es funktionierte.

Ich mag Whopper, das Hacksteak über der offenen Flamme gegrillt, saftig, mit Zwiebeln und Salat und haufenweise geheimen Zutaten garniert. Obendrein sind sie auch noch groß, größer

als ein Big Mac. Man braucht nicht einmal zu sagen: »Einen großen bitte«, weil sie bereits so verdammt GROSS sind. Aber ich
weiß, daß Whopper nicht gut für mich sind, deshalb habe ich
mir dieses Laster abgewöhnt.

George W. Bush mag Whopper auch. Seine sind RIESIG:
Texasgröße. Sie werden von einer ganzen Mannschaft zubereitet,
und er liefert sie an seine Kunden. Und die Amerikaner mampfen
sie gierig. Einen Whopper nach dem anderen. Große, saftige
Whopper! Und sie flutschen so richtig runter! Je mehr Whopper
die Leute essen, um so mehr wollen sie haben und um so mehr
denken sie wie Mr. Bush. Mit der Zeit glauben sie alles, was er
sagt, weil seine Whopper so himmlisch schmecken.

Bushs Whopper sind in allen Formen und Größen und Kombi-
nationen erhältlich. Erlaubt mir, euch das schmackhafte Menu zu
präsentieren, das der Whopper-Chefkoch im Weißen Haus spezi-
ell für euch zusammengestellt hat. Ich nenne es die »Imbisse der
Irakkriegs-Combo«:

## Nr. 1: Der Ur-Whopper: »Der Irak hat Atomwaffen!«

Nichts ist besser geeignet, ein Volk in Angst und Schrecken zu
versetzen, als die Behauptung, daß irgendwo ein Verrückter frei
rumläuft, der Atomwaffen besitzt (oder baut) und sie gegen *dich*
einsetzen will.

George W. Bush legte schon früh die Grundlagen, um uns verrückt vor Angst zu machen. In seiner Rede vor der UN-Vollver-
sammlung im September 2002 sagte er (ohne rot zu werden):
»Saddam Hussein hat all diesen Anstrengungen getrotzt und entwickelt weiterhin Massenvernichtungswaffen. Wir können erst
völlig sicher sein, daß er Atomwaffen [sic] besitzt, wenn er eine
einsetzt, was Gott verhüten möge.«

Kurz darauf, am 7. Oktober, verkündete Bush vor einer Men-
schenmenge in Cincinnati: »Wenn das irakische Regime eine
Menge hochangereichertes Uran produzieren, kaufen oder stehlen kann, die etwas größer ist als ein einziger Softball, könnte es

in weniger als einem Jahr eine Atomwaffe besitzen … Da wir klare Hinweise auf diese Bedrohung besitzen, können wir nicht auf den endgültigen Beweis – den rauchenden Colt – warten, weil er die Form eines Atompilzes annehmen könnte.«

Wie geht man vor, um den Widerwillen der amerikanischen Öffentlichkeit gegen einen Krieg mit dem Irak zu überwinden? Man sagt einfach »Atompilz« und RUMMS! Schon kann man zusehen, wie sich die Ergebnisse der Meinungsumfragen ändern!

Laut Bush hatten die Iraker nicht nur in Afrika Uran erworben, sondern auch »versucht, besonders starke Aluminiumröhren und anderes Zubehör für Gaszentrifugen zu kaufen, die man benötigt, um Uran für die Herstellung von Atomwaffen anzureichern«.

Beängstigend, nicht? Und noch viel beängstigender, wenn es tatsächlich wahr gewesen wäre. Joseph Wilson, ein hochrangiger amerikanischer Diplomat mit über 20 Jahren Berufserfahrung, der unter anderem auch in Afrika und im Irak gedient hatte, wurde 2002 von der CIA in den Niger geschickt. Er sollte die Behauptung der Briten überprüfen, der Irak habe von dem afrikanischen Staat »Yellow-Cake-Uranoxid« kaufen wollen. Er kam zu dem Schluß, daß die Behauptung falsch war. Später sagte er:

> Aufgrund der Erfahrungen, die ich mit der Regierung in den Monaten vor dem Irakkrieg gemacht habe, komme ich fast zwangsläufig zu dem Schluß, daß ein Teil der Informationen über das irakische Atomwaffenprogramm verzerrt wurde, um die Bedrohung zu übertreiben … [Die CIA] bat mich, in den Niger zu reisen und die Geschichte zu überprüfen … Anfang März traf ich [wieder] in Washington ein und legte der CIA einen detaillierten Bericht vor … Die Regierung der Vereinigten Staaten müßte mindestens vier Dokumente in ihrem Archiv haben, die bestätigen, daß ich meinen Auftrag ausgeführt habe.

(Im Juli 2003 sagte Wilson außerdem: »Es läuft wirklich alles darauf hinaus, daß die Regierung bei einem Problem, das die zentrale Rechtfertigung für die Führung eines Krieges war, die Tatsachen falsch dargestellt hat. Damit stellt sich die Frage, **worüber sonst noch gelogen wird**.«)

Das Weiße Haus ignorierte Wilsons Bericht und blieb bei seiner Story. »Die Leute zuckten zusammen und dachten, warum wiederholt ihr diesen Mist auch noch?«, bemerkte ein Regierungsbeamter laut *New York Times* zu diesem Vorgang.

Die Dokumente aus dem Niger waren wahrlich lausig gefälscht. Beispielsweise war der Außenminister, der eines der Dokumente »unterzeichnet« hatte, zum Zeitpunkt der Unterzeichnung gar nicht mehr in der Regierung des Niger. Den amerikanischen oder britischen Urhebern der Lügengeschichte war offensichtlich entgangen, daß er schon zehn Jahre zuvor aus dem Amt geschieden war.

Auch die »Aluminiumröhren« entpuppten sich als erfundene Bedrohung. Am 27. Januar 2003 – einen Tag vor Bushs Rede zur Lage der Nation – informierte Mohamed El Baradei, der Chef der Internationalen Atomenergiebehörde, den Weltsicherheitsrat, daß bei den zweimonatigen Inspektionen im Irak *keine* Beweise für verbotene Aktivitäten an früheren nuklearen Produktionsstätten des Irak gefunden worden seien. Außerdem sagte El Baradei, »daß die Aluminiumröhren für den Bau von Zentrifugen ungeeignet sind, wenn sie nicht modifiziert werden«.

Laut Berichten in der *Washington Post,* in der *Newsweek* und in anderen Zeitschriften war die Behauptung, daß die Röhren zur Produktion von Atomwaffen verwendet werden könnten, schon früher von britischen und amerikanischen Geheimdienstexperten angezweifelt worden. UN-Inspekteure sagten, sie hätten Beweise gefunden, daß der Irak die Röhren für den Bau kleiner Raketen verwenden wollte und nicht für den Bau von Atomwaffen. Auch hatten die Iraker nicht versucht, die Teile heimlich zu erwerben, denn ihre Bestellung war im Internet einsehbar.

Mr. Bush jedoch ließ sich von diesen Tatsachen nicht irre machen und hielt am 28. Januar 2003 vor fast 62 Millionen Fernsehzuschauern seine aggressive Rede zur Lage der Nation:

»…Saddam Hussein versuchte kürzlich in Afrika beträchtliche Mengen Uran aufzutreiben«, sagte er. »Stellen Sie sich jene neunzehn Flugzeugentführer mit anderen Waffen und anderen Plänen vor – diesmal bewaffnet von Saddam Hussein. Sie müßten nur eine einzige Phiole, einen Kanister, eine Kiste ins Land schmuggeln, um einen Tag des Schreckens über uns zu bringen, wie wir ihn noch nicht gesehen haben. Wir werden alles in unserer Macht Stehende tun, damit dieser Tag nie kommt.«

Am 16. März erschien Co-Präsident Dick Cheney in der NBC-Sendung *Meet the Press* und verkündete dem Volk, daß Hussein »mit größtem Eifer versucht hat, Atomwaffen zu erwerben. Und wir glauben, **daß er tatsächlich wieder über Atomwaffen verfügt**.«

Drei Tage später zogen wir in den Krieg.

Im Frühjahr und Sommer 2003 nahm die Kritik an den Lügen der Regierung über den Atomwaffenbesitz des Irak so stark zu, daß selbst Präsident Bush sie nicht mehr ignorieren oder Fragen zu dem Thema einfach vom Tisch fegen konnte. Zuerst versuchte er, CIA-Direktor George Tenet zum Sündenbock zu machen: »Die CIA hat die Rede des Präsidenten zur Lage der Nation geprüft, bevor sie gehalten wurde«, mußte Tenet im Juli sagen. »Ich bin verantwortlich für die Überprüfung, die in meinem Dienst stattfindet. Und […] der Präsident hatte allen Grund zu der Annahme, daß der ihm vorgelegte Text korrekt war. Die sechzehn Wörter [über das afrikanische Uran] hätten in dem für den Präsidenten geschriebenen Text nie enthalten sein dürfen.« Dann jedoch kamen Memoranden vom Oktober ans Licht, die bewiesen, *daß* Tenets CIA das Weiße Haus gewarnt hatte, eine so unsinnige Behauptung aufzustellen. Das Weiße Haus hatte den Rat zunächst beherzigt, ihn dann jedoch, insbesondere in der Rede zur Lage der Nation, mehrfach mißachtet. Zum nächsten Sündenbock wurde Condoleezza Rice' Stellvertreter Stephen Hadley erkoren. Er sagte, *er* hätte den Wortlaut von Bushs Januar-Rede abgesegnet. Dies wirkte so kläglich, daß Bush schließlich auf einer denkwürdigen Pressekonferenz am 30. Juli erklärte, nur er selbst und kein anderer sei für die Worte verantwortlich, die aus seinem Mund kämen. Daß er *diese* Worte überhaupt sagen mußte, hätte eigentlich bei der ganzen Nation den Verdacht wecken müssen, daß ein solcher Mann vielleicht doch nicht der Führer der freien Welt sein, sondern besser im Burger King von Waco Whopper wenden sollte.

## Nr. 2: Der Käse-Whopper: »Der Irak verfügt über chemische und biologische Waffen!«

In einer am 7. Oktober 2002 aus Cincinnati übertragenen Rede servierte George W. Bush folgenden frisch gebratenen Whopper: »Manche fragen, wie groß diese Gefahr für Amerika und die Welt ist. Sie ist jetzt schon beträchtlich, und sie wird mit der Zeit immer größer. Wenn wir wissen, daß Saddam Hussein heute schon gefährliche Waffen besitzt, und das wissen wir, was hat es dann für einen Sinn, daß die Welt weiter wartet, statt gegen ihn vorzugehen, obwohl er dann immer noch stärker wird und sogar noch mehr gefährliche Waffen entwickelt?« Nur ein paar Monate später legte Bush dann den Käse auf den Whopper: »Unseren Quellen zufolge hat Saddam Hussein kürzlich die Kommandeure der irakischen Streitkräfte zum Einsatz chemischer Waffen ermächtigt – genau der Waffen, von denen der Diktator behauptet, sie nicht zu besitzen.«

Wer hätte diesen Bastard Saddam Hussein nicht gern bombardiert, nachdem er das gehört hatte? Und dann setzte Außenminister Colin Powell noch eins drauf. Nicht genug, daß die Iraker chemische Waffen zusammenbrauten, sagte er. Sie täten es auch noch *auf Rädern!*

»Eine der furchterregendsten Tatsachen, die aus unserem dikken Ordner mit geheimdienstlichen Erkenntnissen über die biologischen Waffen des Irak hervorgeht, ist die Existenz mobiler Produktionsstätten zur Herstellung biologischer Kampfstoffe«, teilte Powell den Vereinten Nationen mit. »Wir wissen, daß der

Irak mindestens sieben dieser mobilen Fabriken für biologische Kampfstoffe besitzt.«

Dann brachte er so genaue Einzelheiten, daß ... *es einfach wahr sein mußte!*

... eine Raketenbrigade brachte Abschußrampen für Raketen und Sprengköpfe mit biologischen Kampfstoffen in der Umgebung von Bagdad in Stellung ... Die meisten Rampen und Sprengköpfe waren in großen Gehölzen versteckt und sollten alle ein bis vier Wochen verlegt werden, um eine Entdeckung zu vermeiden.

Unserer konservativen Schätzung zufolge besitzt der Irak heute einen Vorrat von 100 bis 500 Tonnen chemischer Kampfstoffe. Das ist genug, um 16 000 Gefechtsfeldraketen zu bestücken.

Dennoch konnte die US-Armee nach ihrem Einmarsch im Irak nicht ein einziges dieser »mobilen Labors« finden. Es gibt ja so viele Palmen, unter denen man sie verstecken kann. Da kann man unserer Armee keinen Vorwurf machen. Sie konnte auch keine einzige chemische oder biologische Waffe finden, obwohl Verteidigungsminister Rumsfeld am 30. März 2003 in der ABC-Sendung *This Week* gesagt hatte: »Wir wissen, wo sie sind. Sie sind in dem Gebiet um Tikrit und Bagdad und etwas östlich, westlich, südlich und nördlich davon.« Oh ja, okay, alles klar! Jetzt finden wir sie! Vielen Dank! Auf geht's, Jungs!

Am 5. Juni 2003 erklärte George W. Bush dann: »Wir haben kürzlich zwei mobile Waffenfabriken entdeckt, in denen biologische Kampfstoffe hergestellt werden konnten. Dieser Mann hat jahrzehntelang Mittel für den Massenmord versteckt. Er wußte, daß die Inspektoren danach suchten.«

Dieser Whopper hielt etwa einen Tag. Dann ergab eine offizielle britische Untersuchung der zwei im Nordirak gefundenen »Wohnwägen«, daß »sie *nicht* mobile Biowaffenlabors sind, wie Tony Blair und George Bush behaupteten, sondern Wasserstoff zum Füllen von Artillerie-Ballons herstellten, wie die Iraker stets betonten«.

Das war es also. Tanks zum Füllen von Ballons! Waffen zur massenhaften Ballonproduktion! Das war mehr als nur ein bißchen peinlich für das amerikanische Oberkommando. Generalleutnant James Convay, der Kommandeur der First Marine Expeditionary Force im Irak, sagte: »Es war damals wie heute eine Überraschung für mich, daß wir keine Waffen an, wie Sie sagen, einigen vorgeschobenen Stationierungsorten fanden... Nicht weil wir nicht danach gesucht hätten, das können Sie mir glauben... Wir sind praktisch an jedem Munitionsversorgungspunkt zwischen der kuwaitischen Grenze und Bagdad gewesen, *aber sie sind einfach nicht da.*«

Es hat nie chemische oder biologische Waffen gegeben außer denen, die wir Saddam in den achtziger Jahren verkauft haben und die er gegen die Kurden eingesetzt hat. Und gegen die Iraner, nachdem wir ihm Satellitenfotos der Truppenbewegungen geliefert hatten, damit er die iranischen Stellungen lokalisieren konnte. Wir wußten, wozu er die Fotos brauchte, und nur ein knappes Jahr, nachdem die Vereinten Nationen über die Gasangriffe gegen die Iraner berichtet hatten, nahmen wir wieder volle diplomatische Beziehungen mit Saddams Regime auf.

Wer den Käse-Whopper auf seinem Brötchen ein bißchen anhebt, sieht, daß Saddam zu einem bestimmten Zeitpunkt tatsächlich Massenvernichtungswaffen besaß – *mit freundlicher Genehmigung der USA und ihrer Verbündeten.* Hier ist eine Liste aus einem Untersuchungsbericht des US-Senats von 1994. Sie enthält die biologischen Wirkstoffe, die amerikanische Konzerne Saddam Hussein zwischen 1985 und 1990 mit Genehmigung der US-Regierung verkaufen durften. Wir lieferten an Saddam:

- **Bacillus Anthracis:** Anthrax oder Milzbrand ist eine häufig tödlich verlaufende Infektionskrankheit, die durch die Aufnahme von Sporen ausgelöst wird. Sie beginnt mit plötzlichem hohem Fieber, Atembeschwerden und Schmerzen in der Brust und endet mit einer Septikämie (Blutvergiftung). Wenn die Septikämie weit fortgeschritten ist, kann auch die Behandlung mit Antibiotika wirkungslos sein, wahrscheinlich weil die Exotoxine im Körper bleiben, auch wenn die Bakterien abgetötet sind.

- **Clostridium Botulinum:** Eine bakterielle Quelle des Botulinumtoxins, das Erbrechen, Verstopfung, Durst, allgemeine Schwächezustände, Kopfschmerzen, Fieber, Schwindelgefühle, Doppel-Sehen und eine Erweiterung der Pupillen verursacht. Diese Symptome gehen einher mit einer Lähmung der Muskeln, die sich auch auf das Schlucken erstreckt. Die Infektion ist oft tödlich.

- **Histoplasma Capsulatum:** Verursacher einer Krankheit, die oberflächlich betrachtet einer Tuberkulose gleicht. Symptome: Lungenentzündung, Vergrößerung von Leber und Milz, Anämie, grippeartige Symptome und akute Entzündung der Haut mit feinen roten Knötchen, in der Regel auf den Schienbeinen. Eine reaktivierte Infektion zieht in der Regel die Lunge, das Gehirn, das Rückenmark, das Herz, das Bauchfell und die Nebennieren in Mitleidenschaft.

- **Brucella Melitensis:** Ein Bakterium, das chronische Erschöpfung, Appetitverlust, starke Schweißausbrüche im Ruhezustand, Gelenk- und Muskelschmerzen, Schlaflosigkeit und Übelkeit verursachen und wichtige Organe schädigen kann.

- **Clostridium Perfringens:** Ein hochgiftiges Bakterium, das Gasbrand verursacht. Das Bakterium produziert Toxine, die an den Muskelbündeln im Körper entlangwandern und Zellen abtöten. So entsteht totes Gewebe, das der weiteren Vermehrung der Bakterien dient. Am Ende gelangen die Bakterien und Toxine in die Blutbahn und verursachen eine Erkrankung des gesamten Organismus.

Zusätzlich gingen mehrere Lieferungen Escherichia coli (E. coli) und genetisches Material sowie menschliche und bakterielle DNS direkt an die irakische Atomenergiekommission.

Dokumente über biologisches Material, das US-Konzerne vor 1985 an den Irak geliefert hatten, waren »nicht verfügbar«. In dem Senatsgutachten hieß es außerdem: »Die exportierten biologischen Materialien waren weder verdünnt noch abgeschwächt, und sie waren reproduktionsfähig.« Die ersten beiden, Anthrax und Botulinum, waren der Eckstein des irakischen Biowaffenprogramms, das durch die erstaunliche Hilfe der Vereinigten Staaten von Amerika überhaupt erst möglich wurde.

Wie William Blum in *The Progressive* berichtete, »hieß es in dem Gutachten ferner, daß die amerikanischen Exporte in den Irak auch Vorstufen chemischer Kampfstoffe, Pläne für Produktionsanlagen für chemische und biologische Waffen und Vorrichtungen zum Füllen chemischer Gefechtsköpfe umfaßt hätten«.

Wie in dem Gutachten von 1994 und durch die Centers for Disease Control dokumentiert, wurden in den achtziger Jahren noch zahlreiche weitere biologische Materialien in den Irak geliefert, die zum Bau von Biowaffen verwendet werden konnten.

Alles oben genannte kam von amerikanischen Firmen und wurde *mit Genehmigung* der Regierungen Reagan und Bush geliefert. Zu den Lieferanten gehörten: American Type Culture Collection, Alcolac International, Matrix-Churchill Corp., Sullaire Corp., Pure Aire und Gorman-Rupp.

Auch sogenannte Dual-Use-Technologien, die für zivile und militärische Zwecke geeignet sind, wurden in den Irak geliefert, darunter Hochleistungscomputer und Laser sowie andere Geräte, die zum Bau von Atomwaffen und ihrer Komponenten benötigt werden. Wie die Zeitschrift *L. A. Weekly* 2003 berichtete, geht aus Anhörungen im Senat und aus Regierungsdokumenten hervor, daß folgende Firmen zu den Lieferanten gehörten:

- **Hewlett-Packard** – arbeitete von 1985 bis 1990 mit dem Irak zusammen und lieferte Computer für eine Organisation der irakischen Regierung, die an der Scud-Rakete und dem Atomprogramm arbeitete. HP lieferte außerdem Computer an zwei Regierungsbehörden, die die Programme für die Produktion von atomaren und chemischen Waffen leiteten. Außerdem verkaufte der Konzern kryptografische Geräte und Teile für Radaranlagen an den Irak.

- **AT&T** – wurde im Jahr 2000 für die Optimierung der Produkte des Huawei-Konzerns bezahlt. Der Irak wiederum bezahlte zwischen 2000 und 2001 Huawei für die Verbesserung seiner Luftabwehrsysteme.
- **Bechtel** – half den Irakern von 1988 bis 1990 beim Bau einer riesigen petrochemischen Fabrik, und zwar in enger Zusammenarbeit mit einer irakischen Firma, die für ihre Verbindungen zum Militär bekannt war.
- **Caterpillar** – lieferte dem Irak in den achtziger Jahren Traktoren im Wert von zehn Millionen Dollar. Sie wurden bei den Bauarbeiten für das irakische Atomprogramm eingesetzt.
- **DuPont** – verkaufte dem Irak 1989 spezialbehandeltes Öl im Wert von 30 000 Dollar, das der Irak im seinem Atomprogramm verwendete.
- **Kodak** – lieferte ebenfalls 1989 Geräte im Wert von 170 000 Dollar. Sie fanden im Raketenprogramm des Irak Verwendung.
- **Hughes Helicopter** – lieferte 1983 60 Hubschrauber, die die Iraker für die militärische Verwendung umbauten.

Insgesamt genehmigte das amerikanische Handelsministerium zwischen 1985 und 1990 den Verkauf von Dual-Use-Technologien im Gesamtwert von 1,5 Milliarden Dollar, darunter chemische und biologische Stoffe, Computer und Zubehör für konventionelle und atomare Waffensysteme. Im selben Zeitraum wurden Flugzeuge, Hubschrauber und zugehörige Ersatzteile für 308 Millionen Dollar an den Irak geliefert.

Aber die Regierungen Reagan und Bush schufen nicht nur die Voraussetzungen für die Produktion chemischer, biologischer und atomarer Waffen im Irak, sie arbeiteten auch noch in anderen Bereichen hart daran, Saddam Hussein militärisch zu stärken.

Im August 2002 übergaben hochrangige Offiziere der *New*

*York Times* weitere Informationen über die amerikanische Militärhilfe für Saddam Hussein. Unsere Jungs in Washington D.C. hatten es für eine gute Idee gehalten, dem Irak im Krieg gegen den Iran Geheimdienstmaterial zu liefern und ihm bei der Planung seiner Schlachten zu helfen, obwohl sie ganz genau wußten, daß Hussein chemische Waffen bereits eingesetzt hatte und wieder einsetzen würde.

Die US-Regierung hatte nämlich beschlossen, daß der Irak den Iranisch-Irakischen Krieg nicht verlieren dürfe und daß sie alle »legalen« Möglichkeiten nutzen wollte, um dem wahnsinnigen Saddam zum Sieg zu verhelfen. Reagan erließ sogar eine nationale Sicherheitsdirektive, die der Umsetzung dieses Zieles diente.

In einer eidesstattlichen Erklärung von 1995 enthüllte Howard Teicher, Co-Autor der Direktive und Mitglied von Reagans Nationalem Sicherheitsrat, weitere Details über das amerikanische Engagement:

CIA-Direktor Casey leitete persönlich die Anstrengungen, dem Irak genügend Waffen, Munition und Fahrzeuge zu liefern, um seine Niederlage im Iranisch-Irakischen Krieg zu verhindern. In Befolgung von Secured [der Nationalen Sicherheitsdirektive] unterstützten die USA aktiv die irakischen Kriegsanstrengungen durch Kredite in Milliardenhöhe, durch militärische Nachrichten und Beratung. Außerdem überwachten sie sorgfältig die Waffenkäufe des Irak in der Dritten Welt, um sicherzustellen, daß der Irak über die erforderlichen Waffensysteme verfügte.

Einer dieser »Waffenkäufe in der Dritten Welt« war ausgesprochen interessant. Man stelle sich das Entsetzen der Amerikaner vor, als sie entdeckten, daß ihre guten Freude, die Saudis, dem Irak »versehentlich« 300 in den USA hergestellte 2000-Pfund-Bomben des Typs MK-84 geliefert hatten. Die meiste Zeit jedoch waren Reagans Strohmänner geschickt genug, die Waffen durch getarnte Kanäle in anderen Ländern zu leiten.

Aber nicht nur Strohmänner wurden eingesetzt. Reagan und Bush scheuten nicht davor zurück, sich auch persönlich die Hände schmutzig zu machen. Dazu heißt es in Teichers eidesstattlicher Erklärung:

> 1986 riet Präsident Reagan Saddam Hussein in einer geheimen Botschaft, den Luftkrieg zu verschärfen und die Bombardierung des Iran zu verstärken. **Die Botschaft wurde vom Vizepräsidenten Bush weitergeleitet.** Er übermittelte sie an den ägyptischen Präsidenten Mubarak, der sie wiederum an Saddam Hussein weitergab.

Selbst als Saddam seine Massenvernichtungswaffen einsetzte, um seine eigene Bevölkerung zu vergasen (ein Ereignis, das George W. Bush und seine Kumpane heute – eineinhalb Jahrzehnte zu spät – furchtbar empört), konnte das die Regierung Reagan nicht erschüttern. Der Kongreß der Vereinigten Staaten wollte Wirtschaftssanktionen gegen den Irak verhängen, aber das Weiße Haus erstickte die Initiative. Warum? Nach heute zugänglichen Dokumenten des Außenministeriums hätten Wirtschaftssanktionen die amerikanischen Chancen vermindert, »in dem massiven Wiederaufbau nach dem Krieg« Aufträge zu ergattern.

Massenvernichtungswaffen? Oh ja, Hussein besaß tatsächlich mal welche. Wir mußten nur die Quittungen prüfen und die Gewinne auf den Bankkonten der Wahlkampfspender von Reagan und Bush addieren, um Bescheid zu wissen.

## Nr. 3: Der Whopper mit Speck: »Der Irak hat Verbindungen zu Osama bin Laden und der Al Kaida!«

Als ob es nicht gereicht hätte, daß Hussein Atombomben, Nervengas und die Beulenpest in der Flasche besaß, wurde er nun auch noch der Komplizenschaft mit der Mutter aller Terroristen beschuldigt: mit der Al Kaida und Osama bin Laden! Ich bin

sicher, ihr habt genau reagiert wie ich, als ihr das gehört habt,
nämlich: »Kann es noch schlimmer werden? Wann werden wir
uns diesen Saddam endlich vom Hals schaffen?«

Wenige Stunden nach den Anschlägen vom 11. September
hatte der amerikanische Verteidigungsminister bereits herausgefunden, wer für sie verantwortlich war oder zumindest, wen er
dafür bestrafen wollte. Laut CBS News wollte Rumsfeld so viele
Informationen wie möglich über die Angriffe und sagte seinen
Rercheuren, sie sollten »massiv werden... Tragen Sie alles
zusammen. Ob es mit der Sache zu tun hat oder nicht.« Er verfügte bereits über Geheimdienstberichte, die auf eine Verbindung zu Osama hindeuteten (den er »Usama« nannte), aber er
wollte mehr, weil er noch andere Ziele hatte. Er wollte Geheimdienstmaterial, das »so gut ist, daß es zugleich auch S.H. [Sad-
dam Hussein] betrifft. Nicht nur U.B.L.«

W.A.B.O.B.S.! (Was für ein Haufen Mist. A.d.Ü.)

Ich sage Osama, du sagst Usama... und Rumsfeld sagt einfach
nur das magische Wort »Saddam«, und im Handumdrehen sagen
alle anderen es auch! General im Ruhestand Wesley Clark
berichtete, er habe am 11. September und in den Wochen danach
Telefonanrufe von Mitarbeitern privater Forschungsinstitute und
des Weißen Hauses erhalten, in denen er aufgefordert wurde, in
seiner Eigenschaft als politischer Kommentator für CNN den
11. September mit Saddam Hussein »in Verbindung zu bringen«.
Er sagte, das werde er tun, wenn ihm jemand den Beweis dafür
liefere. Niemand konnte das.

Während der Vorbereitung des Krieges im Herbst 2002 wiederholten Bush und die Mitglieder seiner Regierung diese
Behauptung immer wieder. Dabei verzichteten sie auf Einzelheiten (auch »Fakten« genannt), damit die Behauptung hübsch klar
und einfach blieb und gut im Gedächtnis haftete. Bush reiste im
Land umher und machte für republikanische Kongreßkandidaten
Wahlkampf. Dabei infizierte er die Köpfe der amerikanischen

Bevölkerung mit der Lüge von der Saddam/Osama-Verbindung, indem er sie wie ein Papagei wiederholte. Hier könnt ihr lesen, was er in nur einer Woche zusammenlog:

*»Dieser [Hussein] ist eine Person, die Amerika verabscheut. Er ist eine Person, die Kontakte zur Al Kaida hatte.«*
George W. Bush
Alamogordo, New Mexico, 28. Oktober 2002

*»Er ist eine Bedrohung für Amerika, und er ist eine Bedrohung für unsere Freunde. Er ist sogar eine noch größere Bedrohung, denn wir haben erfahren, daß er unbedingt zum zweiten Mal eine Atomwaffe entwickeln will. Er hat Verbindungen zur Al Kaida.«*
George W. Bush
Denver, Colorado, 28. Oktober 2002

*»Dies ist ein Mann, der verabscheut, wofür wir stehen. Er haßt genau wie die Al Kaida die Tatsache, daß wir die Freiheit lieben. Die können das nicht ausstehen, wissen Sie. Dies ist ein Typ, der Verbindungen zu diesen finsteren, terroristischen Netzwerken hat.«*
George W. Bush
Aberdeen, South Dakota, 31. Oktober 2002

*»Das ist das Wesen dieses Mannes. Wir wissen, daß er Kontakte zur Al Kaida hat.«*
George W. Bush
Portsmouth, New Hampshire, 1. November 2002

*»Wir wissen, daß er Verbindungen zur Al Kaida hat.«*
George W. Bush
Tampa, Florida, 2. November 2002

*»Dieser Mann hat Kontakte zur Al Kaida gehabt. Dieser Mann ist auf viele Arten eine ernste Bedrohung, aber merken Sie sich besonders diese Art: Er ist ein Typ, der nichts lieber täte, als Terroristen auszubilden und Terroristen mit Waffen zu versorgen,*

*damit sie seinen schlimmsten Feind angreifen und keine Finger-
abdrücke hinterlassen. Dieser Typ ist eine Bedrohung für die
Welt.«*                                                George W. Bush
St. Paul, Minnesota, 3. November 2002

*»Dieser Mann verabscheut Amerika und das, woran wir glauben.
Dieser Mann haßt einige unserer engsten Verbündeten. Dieser
Mann hat Verbindungen zur Al Kaida gehabt.«*
George W. Bush
St. Louis, Missouri, 4. November 2002

*»Mit so einem Typ haben wir es zu tun. Dieser Mann haßt Ame-
rika, er haßt unsere Freunde, er verabscheut, woran wir glauben.
Er hat Kontakte zur Al Kaida gehabt.«*
George W. Bush
Bentonville, Arkansas, 4. November 2002

*»Dieser Mann verabscheut Amerika, er verabscheut, wofür wir
stehen, er verabscheut einige unserer besten Freunde und Verbündeten. Dieser Mann hat Verbindungen zur Al Kaida.«*
George W. Bush
Dallas, Texas, 4. November 2002

Nur für den Fall, daß wir es immer noch nicht gefressen hatten,
trichterte Bush es uns auch in seiner Rede zur Lage der Nation
am 28. Januar 2003 noch einmal ein: »Erkenntnisse aus geheimdienstlichen Quellen, geheime Mitteilungen und Aussagen von
inzwischen inhaftierten Personen beweisen, daß Saddam Hussein
Terroristen hilft und sie schützt, darunter auch Mitglieder der Al
Kaida.«

Unmittelbar nach der Rede stellte CBS durch eine Online-
Umfrage fest, daß die Zahl der Befürworter einer US-amerikanischen Militäraktion im Irak gewachsen war.

Eine Woche später, am 5. Februar, wurden Bushs Behauptungen von Außenminister Colin Powell in einer langatmigen Rede

vor dem UN-Sicherheitsrat nachgebetet. Er zählte zunächst zahlreiche Fälle auf, in denen der Irak seiner Ansicht nach nicht richtig mit den Waffeninspektoren zusammengearbeitet hatte. Dann
kam er auf die Verbindung zwischen Saddam und Osama zu
sprechen: »Worauf ich jedoch heute Ihre Aufmerksamkeit len-
ken will, ist der potentiell sehr viel schlimmere Nexus zwischen
dem Irak und dem Netz der Al Kaida, ein Nexus, der klassische
terroristische Organisationen und moderne Methoden des Mordes miteinander verbindet.«

Doch die »Beweise« für diese Behauptungen der Regierung
erwiesen sich schnell als getürkt. In derselben ersten Februar-
woche wurde der BBC ein britischer Geheimdienstbericht zuge-
spielt, in dem es hieß, es gebe keine Verbindungen zwischen Saddam und Osama. Die beiden Übeltäter hatten in der Vergangenheit
tatsächlich versucht, ein Bündnis zu schmieden, aber es war wie in
einer besonders schönen TV-Folge von *Herzblatt* ausgegangen:
Sie *haßten* einander. Dem Bericht zufolge standen bin Ladens
Ziele »im ideologischen Widerspruch zum heutigen Irak«.

Obendrein lag die Gift- und Sprengstoffabrik der Al Kaida, die
Saddam laut Bush und seiner Mannschaft angeblich beherbergte,
im Nordirak, einem Gebiet, das von den Kurden beherrscht und
seit den frühen neunziger Jahren von US-amerikanischen und
britischen Flugzeugen überwacht wurde. Der Norden des Irak
war Saddams Zugriff entzogen, für die USA jedoch war er leicht
erreichbar. Tatsächlich gehörte der Stützpunkt Ansar al-Isalam
einer militanten fundamentalistischen Gruppe, deren Führer Saddam Hussein zum »Feind« erklärt hatte. Auf der Besichtigungstour, die eine große internationale Gruppe von Journalisten auf
dem Stützpunkt machte, stellte sich schnell heraus, daß auf dem
Gelände keine Waffen hergestellt wurden.

Aber nichts von alledem spielte eine Rolle. Der Präsident hatte
es gesagt, *also mußte es wahr sein!* Ja, dieser Whopper schmeckte hervorragend: Wie Meinungsumfragen bewiesen, glaubte in
den Monaten vor dem Krieg fast die Hälfte der Amerikaner, daß
Saddam Hussein Verbindungen zu Osama bin Ladens Terrornetz

unterhielt. Schon bevor Bush seine Rede zur Lage der Nation gehalten und Powell dem Sicherheitsrat seine »Beweise« für die Verbindung zwischen Saddam und Osama vorgelegt hatte, erbrachte eine Meinungsumfrage von Knight-Ridder folgendes Ergebnis: Die Hälfte der Befragten nahm irrtümlich an, mindestens einer der Flugzeugentführer des 11. September sei irakischer Staatsbürger gewesen. Bush hatte das nicht einmal zu sagen brauchen.

Die Regierung Bush hatte es durch eine der dreistesten Lügen aller Zeiten geschafft, daß die amerikanische Öffentlichkeit Saddam und Osama miteinander zu verwechseln begann. Wenn es gelang, die Amerikaner glauben zu machen, daß Saddam bei dem Massenmord an fast 3 000 Menschen auf amerikanischem Boden die Finger im Spiel gehabt hatte, dann konnte man auf den Whopper mit den Massenvernichtungswaffen getrost verzichten. Die Fahnen würden trotzdem wehen und die Soldaten ihr Marschgepäck schnüren.

Natürlich ist das Problem bei dem Saddam/Osama-Whopper, daß Saddam Hussein für Osama bin Laden ein Ungläubiger ist. Hussein beging die Sünde, einen säkularen Irak zu schaffen statt eines muslimischen Staates, der von fanatischen Geistlichen geführt wurde. Unter Saddam gab es in Bagdad Kirchen und Moscheen und sogar eine Synagoge. Und er ließ Tausende und Abertausende von Schiiten verfolgen und töten, weil sie für seinen säkularen Staat eine Bedrohung darstellten.

Tatsächlich ist der wichtigste Grund, warum Saddam und Osama einander nicht leiden können, derselbe, warum auch Bush Saddam nicht mehr mochte: die Invasion in Kuwait. Bush und Co. waren sauer, weil Saddam die Sicherheit unseres Öls am Golf bedrohte, und Osama war sauer, weil wegen Saddam amerikanische Truppen nach Saudi-Arabien und in die Nähe der heiligen Stätten der Muslime verlegt wurden. Das ist das größte Problem, das bin Laden mit uns hat – und ausgerechnet Saddam hat ihm das eingebrockt!

Saddam und Osama waren Todfeinde, und sie konnten ihren

gegenseitigen Haß nicht einmal überwinden, um gemeinsam die USA zu besiegen. Also, wenn sie sich nicht einmal dazu verbünden können, den großen Satan Bush zu vernichten, dann gehört DAZU schon eine Menge Haß!

## Nr. 4: Der Whopper mit viel Zwiebeln und sauren Gurken: »Saddam Hussein ist der böseste Mann der Welt!«

Okay, er war böse. Wirklich böse. Er vergaste Kurden und Iraner, folterte Schiiten, folterte Sunniten, folterte zahllose andere, ließ seine Bevölkerung hungern und unter allen Arten von Mangel leiden, während er Geld hortete und seine vielen Paläste gut mit Vorräten vom Feinsten versorgte (und mit einem Streichelzoo für seine gestörten, erwachsenen Söhne).

All das ist grauenhaft, und die Welt hatte recht, wenn sie Saddam verabscheute und jeden Versuch der irakischen Bevölkerung, ihn loszuwerden, unterstützte.

Nur daß es den USA leider vollkommen wurst war, wie schlecht der Diktator sein eigenes Volk behandelte. So etwas hat uns *noch nie* interessiert. Tatsächlich mögen wir Diktatoren sogar! Sie helfen uns zu kriegen, was wir wollen, und sie leisten großartige Arbeit für uns, wenn sie dafür sorgen, daß ihre Bevölkerung gegen die Beutezüge unserer multinationalen Konzerne nicht rebelliert.

Wir haben eine lange und ruhmreiche Geschichte, was die Unterstützung wahnsinniger Diktatoren und ihrer Regime betrifft, unter der einen Voraussetzung, daß sie uns bei der Beherrschung der Welt nützlich sind. Offensichtliche Beispiele sind die Saudis und natürlich Saddam, aber es gibt auch noch andere Staaten, in denen wir die richtigen Leute unterstützt haben:

- **Kambodscha:** Nachdem die USA in den späten sechziger Jahren den Vietnamkrieg heimlich auf Kambodscha ausgedehnt hatten, sahen sie tatenlos zu, wie das bereits schwer angeschlagene Land allmählich unter die Herrschaft von Pol Pot und seinen Roten Khmer geriet. Sie unterstützten diesen Wahnsinnigen aus dem einzigen Grund, daß er gegen die vietnamesischen Kommunisten war, die dem mächtigen Amerika damals gerade eine totale Niederlage beibrachten. Und dann übernahm er die Macht und ließ Millionen seiner eigenen Landsleute ermorden.

- **Kongo/Zaire:** Die CIA bändelte schon früh mit Mobutu Sese Seku an und läutete damit eine Ära schrecklicher Gewalttaten ein, die bis heute andauern. Aus Angst vor dem nationalistischen Führer Patrice Lumumba brachten die Amerikaner Mobutu an die Macht, schauten bei der Ermordung Lumumbas zu und halfen Mobutu, die dadurch ausgelösten Aufstände niederzuschlagen. Mobutu schwang sich zum Diktator auf, verbot jedes politische Engagement, ließ Menschen umbringen und regierte das Land bis 1990 mit kontinuierlicher Unterstützung der Vereinigten Staaten (und, oh ja, auch der französischen Drückeberger). Mit Billigung mehrerer US-Regierungen mischte er sich außerdem bei Krisen und Konflikten in seinen Nachbarländern ein.

- **Brasilien:** Der linksgerichtete, demokratisch gewählte Präsident Joao Goulart war nicht der Mann, den Washington an der Spitze des größten südamerikanischen Landes haben wollte. Obwohl er während der Kubakrise seine Solidarität mit den USA bekundete, waren seine Tage gezählt. Den USA war ein befreundetes autoritäres Regime lieber als eine Demokratie, und deshalb unterstützten sie putschende Militärs in Brasilien. 15 Jahre Terror, Folter und Mord waren die Folge.

- **Indonesien:** Der südostasiatische Inselstaat ist einer der Lieblingsverbündeten der USA und wird zufällig ebenfalls von einem autoritären Regime regiert. Außerdem ist Indonesien der Staat mit der weltweit größten muslimischen Bevölkerung. Auch dort wurde 1965 mit Hilfe der US-Regierung ein demokratisch gewählter Präsident gestürzt und durch einen Militärdiktator ersetzt. General Suharto führte eine autoritäre Regierung, die das Land drei Jahrzehnte lang regierte. In den Jahren nach Suhartos Machtergreifung wurde etwa eine halbe Million Menschen getötet: Dies hinderte die USA nicht daran, der illegalen Annexion Osttimors in den siebziger Jahren im voraus zuzustimmen. Allein in Osttimor kamen mindestens 200 000 Menschen ums Leben.

Natürlich haben wir noch sehr viele weitere Diktatoren unterstützt und demokratisch gewählte Regierungen destabilisiert oder gleich ganz beseitigt. (Guatemala und der Iran in den fünfziger Jahren und Chile in den siebziger Jahren sind weitere Beispiele für die überwältigende Freiheitsliebe, mit der wir beim Sturz von Staatschefs helfen, die von den Bürgern ihrer Länder *gewählt* worden sind.)

Zur Zeit ist mit China der größte Saddam-Zirkus der Welt unsere Lieblingsdiktatur. Die chinesische Regierung zensiert das Internet und schränkt die Pressefreiheit, die Arbeiterrechte, die Religionsfreiheit und alle Ansätze unabhängigen Denkens massiv ein. Dies und ein Justizsystem, das sich an kein Gesetz gebunden fühlt und von Korruption zerfressen ist, machen China zum idealen Standort für US-amerikanische Firmen. Es gibt über 800 Restaurants von Kentucky Fried Chicken, etwa 400 von McDonald's und dazu noch 100 Pizza Huts in China. Und Kodak hat dort fast ein Monopol beim Verkauf von Filmen erreicht.

Die vielen Firmen, die in China eine Niederlassung aufgemacht haben, verkaufen den Chinesen nicht nur ihre Waren. Das Handelsbilanzdefizit der USA gegenüber China beträgt 103 Milliarden Dollar und ist das größte Bilanzdefizit zwischen zwei Ländern, das die Welt je gesehen hat. Wir importieren sechsmal mehr, als wir exportieren. Allein Wal-Mart importiert chinesische Waren im Wert von zwölf Milliarden Dollar. Damit ist dieses Unternehmen einer der größten Handelspartner Chinas, größer als Rußland oder Großbritannien.

Noch viele andere Konzerne profitieren von den billigen,

staatlich kontrollierten Arbeitskräften in China, von General Motors über Boeing bis...ach, zum Teufel, zieht einfach eure Hosen aus und seht euch das Etikett an, oder nehmt euren Fernseher auseinander. Oder zieht die Hosen aus, während ihr den Fernseher auseinandernehmt. Und während China ein Vermögen an seinen Exporten verdient und die amerikanischen Konzerne mit ihren hohen Gewinnen in China ein Vermögen verdienen, steckt die amerikanische Wirtschaft in der Krise. Und die chinesischen Normalbürger? Naja, die warten bloß darauf, daß einer der mobilen Tötungswagen der Regierung um die Ecke kommt, sie schnappt und sie von ihrem Elend erlöst werden.

Wenn die Rechtfertigung für den Einmarsch in einem anderen Land »die Befreiung der Menschen von einem Unterdrückungsregime« ist, sollten wir besser schnell die allgemeine Wehrpflicht für alle Männer und Frauen über 18 einführen, denn wir werden bei Gott viel zu tun haben! Nachdem wir schon mal im Irak einmarschiert sind, »um die Iraker zu befreien«, könnten wir genausogut mit den anderen Ländern weitermachen, die wir so königlich am Schlafittchen gepackt haben. Danach könnten wir vielleicht wieder nach Afghanistan zurückkehren und anschließend mit Burma, Peru, Kolumbien und Sierra Leone weitermachen, bis wir schließlich in einem Land ankommen, das wenigstens einen schönen Namen hat: in der Elfenbeinküste.

Vor dem Irakkrieg, als die Öffentlichkeit mit diesem Riesentablett voller Whoppers getäuscht wurde, war »die Befreiung des irakischen Volkes« immer eine Art nachträglich angeheftetes Zusatzargument. Die Befreiung selbst stand *niemals* im Vordergrund bei der Rechtfertigung des Krieges. Warum? Offensichtlich ist es denen, die über unsere Kriege entscheiden, nicht besonders wichtig, Menschen von Unterdrückungsregimen zu befreien. Wenn das anders wäre, müßten sie der halben Welt den Hintern versohlen. Nein, sie reden von »unserer Sicherheit« und, was ihnen noch wichtiger ist, von »unseren Interessen«. Und wir alle wissen, daß es bei »unseren Interessen« immer nur um *unser eigenes* gutes Leben geht. Wir teilen den Wohlstand nicht – weder monetär noch ideologisch. Wir bringen nur unsere eigenen Schäfchen ins Trockene und steigern unseren eigenen Wohlstand. Das ist ganz offensichtlich so und kommt überall zum Ausdruck: durch »Welfare to Work« (Beschäftigung ehemaliger Sozialhilfeempfänger, A. d. Ü.), durch die Ausbeutung billiger Arbeitskräfte, durch unsere alte Vorliebe für Diktatoren und durch unsere Weigerung, die Dritte Welt zu entschulden. Befreiung hört sich hübsch an, aber sie ist nicht die Knochen eines einzigen GIs wert, und sie ist ganz sicher keinen Cent von unserem Geld wert. Billiges Benzin, billige Kleider, billige Fernseher? Ja, das hört sich doch viel besser an!

Selbst der professionelle Kriegstreiber und Bush-Berater Paul Wolfowitz rückte, wie aus einer Abschrift des Verteidigungsministeriums hervorgeht, im Mai 2003 in einem Telefon-Interview mit der Zeitschrift *Vanity Fair* mit der Wahrheit heraus:

In Wahrheit entschieden wir uns aus Gründen, die viel mit der amerikanischen Regierungsbürokratie zu tun haben, für das eine Problem, auf das sich alle einigen konnten, und das waren die Massenvernichtungswaffen als zentraler Grund (für den Irak-Krieg. A. d. Ü.). Es hat immer drei fundamentale Probleme gegeben. Eines sind die Massenvernichtungswaffen, eines ist die Unterstützung des Terrorismus, und das dritte ist die verbrecherische Behandlung des irakischen Volkes. Tatsächlich könnte man sagen, daß es noch ein viertes, alle anderen überragendes Problem gibt, nämlich die Verbindung zwischen den beiden erstgenannten ...
Der dritte Problem für sich allein genommen ist, ich glaube, das habe ich schon früher gesagt, zwar ein Grund, den Irakern zu helfen, aber kein Grund, das Leben junger Amerikaner aufs Spiel zu setzen, zumindest nicht in dem Ausmaß, wie wir es getan haben.

Das Risiko nicht wert? Warum haben wir es dann getan?

Natürlich, Wolfowitz war vom Drehbuch abgewichen. Als keine Massenvernichtungswaffen gefunden wurden, als in den von Saddam Hussein kontrollierten Gebieten kein einziges Mitglied der Al Kaida aufgestöbert wurde und als die Regierung nicht beweisen konnte, daß Saddam für Amerikas Sicherheit eine unmittelbare Bedrohung dargestellt hatte, versuchten sie und ihre vielen Marionetten in den Medien schnell den Whopper zu wechseln: »Nein, wir sind nicht dort, um Atomwaffen zu entschärfen, *wir sind dort, um die Menschen im Irak zu befreien!* Ja, äh, genau, das ist der Grund, warum wir das Land bombardiert haben und mit 150 000 Soldaten einmarschiert sind!«

Ihr wißt ja, daß man manchmal den falschen Whopper kriegt, weil der eigene mit dem eines anderen Kunden verwechselt wird. Dann muß man sich entscheiden, ob man einfach den anderen Whopper ißt oder ob man ihn zurückbringt und sich den holt, den man bestellt hat.

Nachdem die ursprünglichen »Rechtfertigungen« des Krieges als Lügen entlarvt waren, bekamen die demokratischen und linksliberalen Kriegsbefürworter durch den dritten Whopper eine geschickte Ausrede geliefert. Wie hatten sie bloß so dumm sein können, Bushs Behauptungen über Massenvernichtungswaffen und die Verbindung mit dem 11. September zu glauben? »Nein, wir sind nicht so dumm gewesen!«, riefen die Demokraten. »Schaut euch die ganzen Massengräber an, die wir entdeckt haben! Wir haben den Krieg nur unterstützt, um dieser brutalen Unterdrückung ein Ende zu machen!«

Genau. Sagt es noch zweimal, knallt die Hacken zusammen und sagt laut, daheim ist es am schönsten, daheim ist es am schönsten, daheim ist es am schönsten. Das ist es, was wir den Irakern gebracht haben, ein kleines Stück Heimat. Den American Way of Life. Demokratie. Deshalb sind wir dort. Das werden wir ihnen servieren.

Kürzlich kam in *Nightline* ein Interview mit einer irakischen Frau, die pro-amerikanisch ist und Englisch unterrichtet. Sie sagte, es sei jetzt alles so schlimm nach der amerikanischen Invasion, daß sie manchmal wünsche, Saddam wäre noch an der Macht. Ihre Meinung ist anscheinend ziemlich verbreitet. Die Iraker haben 20 Jahre unter einem brutalen Diktator gelebt und nach nur *90 Tagen* unter amerikanischer Herrschaft wünschen sie sich Saddam zurück! Oh je, da müssen wir uns aber ziemlich schlimm aufgeführt haben!

Anscheinend füllen inzwischen die verrückten Geistlichen das Vakuum, das Saddam hinterlassen hat, und im Irak heißt es jetzt: »Schaut euch den neuen Chef an, es ist immer noch der alte.« Die Bush-Regierung schiebt es immer weiter auf, die Herrschaft über den Irak dem Volk zu übergeben, das sie befreit hat. Warum?

Weil sie weiß, daß die Iraker, wenn heute Wahlen wären, ganz demokratisch dafür stimmen würden, die Demokratie abzuschaffen und die Regierungsgewalt rabiaten Fundamentalisten zu übergeben. Jetzt schon müssen Frauen um ihr Leben fürchten, wenn sie sich nicht »bedecken«, und jedem, der Alkohol verkauft oder Filme zeigt, droht ebenfalls die Hinrichtung. Juhu! Freiheit! Demokratie! Befreiung!

Ich bin schon richtig gespannt, welches Land wir auf dieser Welt als nächstes befreien!

## Nr. 5: Der Whopper mit Freiheitsfritten (und *amerikanischem* Käse): »Die Franzosen sind nicht auf unserer Seite, sie könnten sogar unsere Feinde sein!«

Wenn du ein zwanghafter Lügner bist, kann das ganz verschiedene Folgen haben. Zum Beispiel erzählst du vielleicht so viele Lügen, daß du vergißt, welche Lüge du gerade erzählst oder welche du erzählen solltest oder wem du sie erzählst oder ob du sie deinem Gesprächspartner schon einmal erzählt hast. Oder vielleicht hast du sie das letzte Mal ein bißchen anders erzählt. Dann mußt du dich verdammt anstrengen, um die beiden Geschichten miteinander in Einklang zu bringen. Du mußt alle, die bei deiner notorischen Lügerei mitgemacht haben, miteinander in Übereinstimmung bringen. Und auf einmal hast du dich so in die Scheiße geritten, daß du nur noch eine einzige Chance hast: Du mußt einem anderen die Schuld in die Schuhe schieben.

Auftritt Frankreich.

Wenn du einen Sündenbock brauchst, auf den du so richtig einschlagen kannst, dann ist Frankreich absolut erste Wahl. Und genau diese Wahl haben Bushs »Experten« getroffen, als sie die Franzosen beschuldigten, zur »Achse der Drückeberger« zu gehören. Und das taten sie natürlich, um die amerikanische Öffentlichkeit von den wirklichen Bösewichtern abzulenken, die in Washington saßen.

Frankreich hatte beschlossen, einen übereilten Krieg gegen den Irak nicht zu unterstützen. Es versuchte, die USA davon zu überzeugen, die Waffeninspektoren ihre Aufgabe zu Ende führen zu lassen. Der französische Außenminister Dominique de Villepin hielt bei Kriegsbeginn eine eindrucksvolle Rede vor dem Weltsicherheitsrat:

Verstehen Sie mich richtig: Wir haben tatsächlich die Wahl zwischen zwei verschiedenen Weltsichten. Denen, die sich für den Einsatz von Gewalt entscheiden und glauben, sie könnten die komplexen Probleme dieser Welt durch schnelles, präventives Handeln lösen, raten wir entschlossen, aber langfristig zu handeln. Um heute unsere Sicherheit zu gewährleisten, müssen nämlich alle Dimensionen des Problems berücksichtigt werden: all die vielfältigen Krisen mit ihren zahlreichen Facetten, einschließlich der kulturellen und religiösen Aspekte. Deshalb kann in den internationalen Beziehungen nichts Dauerhaftes aufgebaut werden ohne Dialog und Respekt vor dem anderen, ohne die Berücksichtigung der allgemeinen Lage und die Einhaltung von Prinzipien. Dies gilt insbesondere für die Demokratien, die ein gutes Beispiel geben sollten. Wenn wir dies außer acht lassen, laufen wir Gefahr, Mißverständnisse, Radikalisierung und eine Spirale der Gewalt zu erzeugen. Und zwar ganz besonders im Nahen Osten, einer Region der Brüche und alten Konflikte, in der Stabilität eines unserer wichtigsten Ziele sein muß.

Im ersten Irakkrieg wurden die USA von einer echten Koalition mächtiger Verbündeter unterstützt. Aber als es um die Fortsetzung ging, verspürten die meisten dieser Länder wenig Lust, sich abermals zu beteiligen. Bush und sein Team von Spitzendiplomaten mußten sich mit einer nicht mehr so breiten, nicht mehr so mächtigen, nur noch 49 Länder starken »Koalition der Willigen« begnügen. Die meisten dieser Länder (wie zum Beispiel Tonga, Aserbeidschan und Palau) werden bei den Volleyballspielen der Vereinten Nationen immer als letzte aufgestellt und NIEMALS zum Abschlußball eingeladen (nicht einmal von ihren verzweifelten Vettern). Deshalb sind sie so unendlich dankbar, wenn sie überhaupt irgendwo mitmachen dürfen (siehe Whopper Nr. 6).

Wenn wirklich ernsthaft Gefahr bestanden hätte, daß Saddam Hussein seinen riesigen Vorrat an Massenvernichtungswaffen eingesetzt oder ein anderes Land überfallen hätte, dann wären bestimmt mehr Länder in die Schlacht gezogen, um den Verrückten aufzuhalten. Das gilt besonders für solche Länder, die viel näher am Irak liegen als die USA.

Trotzdem mußten die Franzosen ihren Widerstand teuer bezahlen. Niemand verweigert den Vereinigten Staaten ungestraft den Gehorsam! Und niemand erzählt ungestraft überall herum, daß wir lügen, vor allem nicht, *wenn* wir lügen. Also machten sich Bush und seine Politstrategen und all ihre kleinen Sprachrohre eifrig daran, die Franzosen anzugreifen.

Colin Powell drückte es auf PBS eher diplomatisch aus: »Die Abstimmung über diese zweite Resolution war eine sehr schwierige Phase. Wir waren der Ansicht, daß Frankreich eine wenig hilfreiche Rolle spielte.« Auf die Frage, ob Frankreich dafür zu

leiden haben würde, daß es die amerikanische Position nicht unterstützt hatte, antwortete der Außenminister mit einem schlich-
ten »Ja«.

Donald Rumsfeld ging anders vor – er wurde gleich beleidi-
gend. Auf die Frage nach der europäischen Haltung zum Krieg
antwortete er: »Sie meinen Frankreich und Deutschland, wenn
Sie an Europa denken. Ich nicht. Für mich sind diese Länder
das alte Europa.« (Rummy meint offensichtlich ein Europa –
oder *Nouveau Europe,* wie er es nennt –, das nur aus so wichtigen
Koalitionspartnern wie Albanien, Estland, Ungarn, Litauen und
der Slowakei besteht.)

Bush sagte auf NBC, als ihn Tom Brokaw nach seinem Verhältnis zu dem französischen Präsidenten Jacques Chirac fragte:
»Ich bezweifle, daß er in nächster Zeit auf die Ranch kommen
wird.« (Chirac wird es zweifellos das Herz brechen, daß er auf
einen Besuch in Crawford, Texas, verzichten muß.)

Doch es war ein anonymer Mitarbeiter aus dem Weißen Haus,
der die schlimmste aller Strafen verhängte: Er beschuldigte den
hochdekorierten Vietnamveteranen und demokratischen Präsi-
dentschaftsanwärter Senator John Kerry, daß er »französisch«
aussehe.

Der Abgeordnete Jim Saxton aus New Jersey brachte im Repräsentantenhaus einen Gesetzentwurf ein, der verhindern sollte,
daß französische Firmen amerikanische Finanzmittel für den
Wiederaufbau des Irak erhielten. Seine Kollegin, die Abgeordnete Ginny Brown-Waite aus Florida, ersann eine noch bessere
Möglichkeit, um die Franzosen zu zwiebeln: Sie legte einen Gesetzentwurf vor, nach dem die Leichen der im Zweiten Weltkrieg
in Frankreich gefallenen amerikanischen Soldaten in die USA
zurückgeholt werden sollten. »Die Überreste unserer tapferen
Helden sollten in vaterländischem Boden bestattet werden«,
erklärte sie, »nicht in einem Land, das uns den Rücken gekehrt
hat.«

Eine Gruppe, die für niedrigere Steuern eintrat, veröffentlichte
Anzeigen gegen zwei republikanische Senatoren, die sich gegen

Bushs Steuersenkungen ausgesprochen hatten. Die Senatoren waren jeweils neben einer wehenden französischen Flagge abgebildet, und die Bildunterschrift lautete:»Präsident Bush führte mutig die Kräfte der Freiheit, aber einige sogenannte Verbündete wie Frankreich stellten sich quer. An der Heimatfront schlägt Präsident Bush mutige Steuersenkungen zur Schaffung von Arbeitsplätzen und zur Förderung des Wirtschaftswachstums vor. Aber einige sogenannte Republikaner … stellen sich quer.«

Sean Hannity, Moderator von Fox News, erklärte den Fernsehzuschauern:»Wenn ich diesen Sommer eine Frankreichreise geplant hätte, würde ich sie absagen. Und ich sage Ihnen auch warum. Was Jacques Chirac tat, als wir ihn brauchten, und wie und in welchem Ausmaß er aus egoistischen Motiven unsere Anstrengungen sabotierte, zeugt von einer Hinterhältigkeit, die zu einem solchen Zeitpunkt unverzeihlich ist. Es tut mir leid, ich möchte nur … möchte nur jedem Amerikaner sagen, bleibt weg von Frankreich, reist nach Großbritannien.«

Die Amerikaner zeigten schnell Wirkung, nachdem sie die französischen Whopper geschluckt hatten: Französischer Wein wurde in den Rinnstein gegossen und, in einem neuen Restaurant in New Jersey, in die Toilette. Französische Restaurants wurden gemieden. Urlauber sagten ihre Frankreichreisen ab; die Buchungen gingen um 30 Prozent zurück. Das Speiserestaurant im Kongreß ersetzte den Begriff»French Fries« auf seiner Karte durch»Freedom Fries«. Es folgte dem Beispiel eines Restaurantbesitzers in Florida, der wiederum einem Beispiel aus dem Ersten Weltkrieg folgte, als man»Sauerkraut« in»Freiheitskohl« umbenannt hatte. Restaurants im ganzen Land zogen nach und, wie es der Präsident der Restaurantkette Fuddruckers formulierte:»Jeder Gast, der in dem Fuddruckers an seinem Ort an die Theke kommt und ›Freiheitsfritten‹ bestellt, zeigt, daß er die Verteidiger unserer wichtigsten Freiheiten und insbesondere die Verteidiger der Freiheit von Furcht unterstützt.« (Ganz zu schweigen von der Freiheit von Tatsachen: Was wir als»French Fries« bezeichnen, stammt eigentlich aus Belgien.)

Vor über 200 Jahren prägte Patrick Henry den Schlachtruf der amerikanischen Revolution: »Freiheit oder Tod!« Heute könnte er seinen Patriotismus beweisen, indem er die Imbißbude wechselt.

French Cleaners, einer in libanesischem Besitz befindlichen Ladenkette im San Joachim Valley in Kalifornien, wurde eines ihrer Geschäfte mit antifranzösischen Graffiti beschmiert, ein anderes wurde niedergebrannt. Das in französischem Besitz befindliche Hotel Sofitel in Manhattan ersetzte die französische Flagge an dem Gebäude durch das Sternenbanner. Fromage.com, ein französischer Käsevertrieb, erhielt Hunderte feindseliger E-Mails.

In Las Vegas verwendete man ein mit zwei Maschinengewehren und einer 76-Millimeter-Kanone bestücktes Panzerfahrzeug, um französischen Joghurt, französisches Brot, Flaschen mit französischem Wein, Perrier, Grey-Goose-Wodka, einen Reiseführer für Paris und insbesondere Fotokopien der französischen Flagge zu zermalmen. Ein britischer Hersteller von französischem Senf wartete gar nicht erst auf negative Reaktionen seiner Kundschaft, sondern brachte eine Presseerklärung heraus, in der es hieß: »Das einzig Französische an französischem Senf ist der Name!«

In den ganzen USA fanden Organisationen, die für französische Austauschschüler Gastfamilien suchten, erstmals seit Jahren nicht mehr genug Plätze.

*Ein* französischer Drückeberger entging allerdings dem Volkszorn: Der Chefkonditor im Weißen Haus durfte, obwohl er Franzose ist, auch weiterhin Mahlzeiten für den Präsidenten zubereiten. Es ist schön und gut, wenn man unsere langjährigen Verbündeten durch das Umtaufen von Nahrungsmitteln und die Verschwendung einer Menge teuren Weins verhöhnt, aber George W. Bush braucht trotzdem sein *pain au chocolat.* Es gibt ihm Seelenstärke oder »Freiheitskraft«.

Natürlich war Frankreich eine dankbare Zielscheibe. Zu viele Franzosen sind »grob« zu uns gewesen, und sie haben sich in ihrer Geschichte immer wieder Despoten gebeugt. Auch wenn es im Zweiten Weltkrieg tapfere Widerstandskämpfer gab und

viele Franzosen ums Leben kamen, kämpfte Frankreich nicht
wie etwa Rußland bis zum bitteren Ende. Es kooperierte und kol-
laborierte mit den Deutschen, besonders als Juden und Kommunisten zusammengetrieben, deportiert und in Konzentrationsla-
gern ermordet wurden.

Tatsächlich haben die Franzosen in ihrer Geschichte schon
diverse fatale Fehler begangen. So errichteten sie zum Beispiel
vor dem Zweiten Weltkrieg an der deutsch-französischen Grenze
die Maginot-Linie, um Frankreich gegen eine Invasion der deutschen Hunnen zu verteidigen. Das Problem war nur, daß die
Bunker militärisch wertlos waren und die Deutschen tief in
Frankreich standen, bevor jemand »Garçon, bitte mehr von dem
stinkenden Käse« hätte sagen können.

Schließlich spielt bei uns auch schlicht und ergreifend die
Eifersucht eine Rolle. Die meisten Amerikaner wissen, daß die
Franzosen kultivierter, intelligenter und belesener sind als der
durchschnittliche Amerikaner. Wir geben nicht gerne zu, daß
sie den Film, das Auto, das Stethoskop, die Blindenschrift, die
Fotografie und vor allem den Zauberzeichner (Etch a Sketch,
ein in den sechziger Jahren beliebtes Spielzeug, auf dem man
mittels zweier Drehknöpfe Zeichnungen anfertigen konnte.
A. d. Ü.) erfunden haben. Sie haben uns die Aufklärung gebracht,
und die Aufklärung hat den Weg für die breite Akzeptanz all der
Ideen und Grundsätze geebnet, auf denen die Gründung der Vereinigten Staaten beruhte. Außerdem haben die Franzosen die 35-
Stunden-Woche und bekommen mindestens vier Wochen bezahlten Urlaub im Jahr, und wir können darauf nur reagieren, indem
wir über ihre Gewerkschaften und über die Streiks spotten, die
ständig ihr Land lahmlegen.

Frankreich war also wirklich die perfekte Zielscheibe. Und es
war ein unterhaltsamer Zeitvertreib, auf den Franzosen herumzu-
hacken. Warum auch sollte ein Nachrichtensender seine kostbare
Sendezeit mit der Frage verschwenden, ob der Irak wirklich Massenvernichtungswaffen besitzt, wenn er eine lustige Sendung
über die bösen Franzosen machen kann?

Und doch, als all die Lügen herauskamen, dachten ein paar Leute noch einmal darüber nach, was man ihnen über die Franzosen erzählt hatte und was sie uns wirklich angetan hatten.

Dabei stellte sich heraus, daß die Franzosen eher etwas *für* uns getan hatten.

Die meisten Amerikaner können sich kaum mehr daran erinnern, wer letztes Jahr die Super Bowl gewonnen hat, und sie können sich erst recht nicht merken, wie dieses Land wirklich gegründet wurde.

Wir alle wissen über die Boston Tea Party Bescheid, als die Kolonisten wegen der Teesteuer ihren eigenen reimportierten Tee ins Meer warfen. Und wir wissen auch, daß Paul Revere nach seinem berühmten nächtlichen Ritt die Einwohner von Concord vor den anrückenden britischen Truppen warnte. Aber wir neigen dazu zu vergessen, daß wir den Unabhängigkeitskrieg ohne die Franzosen niemals gewonnen hätten. Zum Teufel, wir erinnern uns gar nicht gern daran, daß Reveres Vater ... ein Franzose war (und nicht Revere, sondern Rivoire hieß). Auch daß es der französisch-britische Krieg um Kanada war, der für die Kolonisten das Faß zum Überlaufen brachte, haben viele von uns vergessen. Damals mußten die Kolonisten Steuern auf Briefmarken und Tee an die britische Krone bezahlen, um England einen Krieg zu finanzieren, den die Kolonisten nicht zu verantworten hatten. Und als die Wut und Empörung in den Kolonien ihren Höhepunkt erreichte und sie sich vom Mutterland trennen wollten, wußten sie, daß sie es allein nicht schaffen würden. Also wandten sie sich an die Franzosen, und die Franzosen waren begeistert, daß sie bei der Demütigung der Briten helfen durften. Sie schickten uns Truppen und Schiffe und 90 Prozent des Schießpulvers, das wir verwendeten, und Dutzende Millionen Dollar.

Der Krieg endete in Yorktown, als die Briten vor George Washington kapitulierten und die Band »The World Turned Upside Down« (»Die Welt steht auf dem Kopf«) spielte. In Wirklichkeit jedoch kapitulierten die Briten *vor den Franzosen.* Die

Rotröcke waren von der französischen Flotte eingeschlossen, und an jenem letzten Kriegstag standen mehr Franzosen in den Reihen der Aufständischen als Kolonisten.

Tatsächlich ist Frankreich immer der beste Freund der Vereinigten Staaten gewesen. Fast ein Drittel der französischen Direktinvestitionen wird in den USA getätigt. Frankreich ist unser fünftgrößter Auslandsinvestor, und 650000 Bürger der USA arbeiten bei Franzosen. Die Allgemeine Erklärung der Menschenrechte wurde von einer Kommission unter Vorsitz von Eleanor Roosevelt und mit dem Franzosen René Cassin als stellvertretendem Vorsitzenden verfaßt. Und ganz ähnlich wie in Vietnam haben die USA und Frankreich auch im Irak eine gemeinsame, schmutzige Vergangenheit, in der die Irakische Erdölgesellschaft, die im Besitz US-amerikanischer, britischer und französischer Ölgiganten war, die Ölfelder der Iraker ausbeutete.

Trotzdem warfen die Amerikaner den Franzosen alle Arten von Verrat vor, als es um den Irak ging. Es wurde behauptet, die Franzosen seien nur gegen den Krieg, weil sie wirtschaftlich von dem Regime Saddam Husseins profitierten. Tatsächlich waren es jedoch die Amerikaner, die einen gewaltigen Schnitt machten. 2001 waren die USA der führende Handelspartner des Irak. Sie verbrauchten über 40 Prozent seiner Ölexporte, und ihr Handel mit dem irakischen Diktator hatte einen Umfang von 6 Milliarden Dollar. Demgegenüber gingen 2001 nur 8 Prozent der irakischen Ölexporte nach Frankreich.

Fox News spielte den Vorreiter, indem es Chirac mit Saddam in Verbindung brachte. Es zeigte altes Filmmaterial mit einem gemeinsamen Auftritt der beiden Männer. Dabei spielte es keine Rolle, daß das Treffen in den siebziger Jahren stattgefunden hatte. Dagegen zeigten die Medien keineswegs (bis zum Erbrechen), wie man Saddam den Schlüssel der Stadt Detroit übergeben oder wie Donald Rumsfeld in den frühen achtziger Jahren Bagdad besucht hatte, als er mit Saddam über den Verlauf des Iranisch-Irakischen Krieges Gespräche führte. Dieses Video, in dem Rumsfeld Saddam umarmt, war es offensichtlich nicht wert, in einer Endlosschleife zu laufen. Es kam nicht ein einziges Mal. Doch, okay, einmal wurde es gezeigt, in der Talkshow von Oprah Winfrey. Im Studio ging ein hörbares Raunen durch das Publikum, als Rumsfeld mit Saddam herumschäkerte. Der amerikanische Normalbürger war schockiert, daß der Teufel in Wirklichkeit *unser* Teufel war. Danke Oprah!

Wie schnell haben wir vergessen, daß ausgerechnet die Franzosen den Weltsicherheitsrat am Tag nach dem 11. September dazu brachten, die Angriffe zu verurteilen und Gerechtigkeit für die Opfer zu fordern. Jacques Chirac war das *erste* ausländische Staatsoberhaupt, das nach den Angriffen in die USA reiste und uns sein Beileid aussprach und uns seine Unterstützung zusicherte.

Eines der Kennzeichen einer wahren Freundschaft besteht darin, daß dein Freund sich traut, dich zu warnen, wenn du Mist bauen willst. Das ist die Art von Freund, die du dir *wünschen* solltest. Und diese Art von Freund ist Frankreich gewesen – bis wir auf unseren besten Freund pfiffen und in den Whopper bissen, während die Freiheit frittiert wurde.

## Nr. 6: Der Combo-Whopper mit extra Salat: »Die USA marschieren nicht allein im Irak ein, sondern mit einer Koalition der Willigen!«

Das ist mein Lieblingswhopper, weil ich immer lachen muß, wenn ich an ihn denke.

Um den Anschein zu erwecken, als würde die internationale Gemeinschaft unsere Invasion im Irak mit einem wohlwollenden Lächeln begrüßen, sagte Bush, wir seien nicht die einzigen, die eine Militäraktion gegen Saddam für richtig hielten: »Viele Staaten besitzen jedoch genügend Entschlossenheit und Mut, um gegen die Bedrohung des Friedens vorzugehen. Eine breite Koalition bildet sich nun, um die gerechten Forderungen der Welt durchzusetzen. Der Sicherheitsrat der Vereinten Nationen ist seiner Verantwortung nicht gerecht geworden, deshalb werden wir der unseren gerecht.«

Natürlich ist es immer besser, wenn man seinen Whopper mit Freunden teilt. Je mehr es sind, desto besser. So werden die Lasten auf viele Schultern verteilt. Kein Land muß dann nur *seine eigenen* jungen Männer und Frauen in den Tod schicken. In keinem Land muß die Bevölkerung allein die Milliarden Dollar für die Führung des Krieges und den anschließenden Wiederaufbau bezahlen. Kein Land will, daß seine Städte und Bundesstaaten bankrott gehen, und kein Land will Milliarden Schulden machen, nur um einen einzigen lausigen Diktator zu stürzen. Also wollten wir eine Koalition bilden, um die Last zu verteilen – tolle Idee!

Das Problem war nur, fast niemand wollte sich unserer »Koalition der Willigen« anschließen. Nur eine buntscheckige Truppe ziemlich wunderlicher Staaten war bereit, sich auf Bushs Wahnsinn einzulassen. Sehen wir uns die Liste mal an. Sie beginnt mit:

Afghanistan.

Okay, einen Moment bitte. Afghanistan? Was genau sollte dieses Land für einen Beitrag leisten? Pferde? Zehn Stöcke und einen Stein? Hatten sie nicht genug eigene Probleme da unten? Oder konnten sie einen oder zwei Warlords entbehren, um uns im Irak auszuhelfen? Ich habe das Außenministerium gebeten, mir eine Liste mit den afghanischen Beiträgen zu den Kriegsanstrengungen zu schicken, aber bis jetzt keine Antwort erhalten.

Das nächste Mitglied der »Koalition der Willigen« ist ebenfalls so ein Schwergewicht: Albanien. Das Albanien, dessen wichtigster Industriezweig die kleinbäuerliche Subsistenzwirtschaft ist und wo auf 30 Personen ein Telefon kommt? Sehen wir weiter …

Australien. Okay, das ist endlich ein richtiges Land! Nur daß sich 70 Prozent seiner Bevölkerung in Umfragen gegen den Krieg aussprachen. Warum steht das Land dann auf der Liste? Weil George W. Bush den australischen Premierminister John Howard mit der Aussicht auf ein Freihandelsabkommen köderte. Wen man nicht überzeugen kann, den besticht man eben.

Inzwischen wurde Australiens Nachbarstaat Neuseeland, der

sich der Koalition nicht anschloß, (welche Überraschung!) von den Gesprächen über das Handelsabkommen ausgeschlossen.

Kommen wir wieder auf die Willigen zurück: Aserbeidschan (sein Öl holen wir uns als nächstes, also hatte es überhaupt keine Wahl), Bulgarien (Wenn man Bulgarien auf seiner Seite hat, kann man einfach nicht verlieren. Außerdem bekam ich dadurch Gelegenheit, zweimal in einem Buch »Bulgarien« zu schreiben!), Kolumbien (kriegt eine Pause in dem anderen Krieg, den wir dort führen), die Tschechische Republik (Wie peinlich! Aber wir lassen euch trotzdem in die NATO!), Dänemark (Das sollte genügen, um das Land von der Mitgliedschaft in Skandinavien auszuschließen. Ich wußte sowieso nicht, daß es dazugehört. Nehmt Finnland auf, das paßt besser!), El Salvador (wir haben es nicht umsonst annektiert!), Eritrea (Wo zum Teufel ist denn das?), Estland (Frankreich sollte sich an diesem Land ein Beispiel nehmen. Es gibt auch Nazi-Kollaborateure, die uns *mögen!),* Äthiopien (hat uns nicht einmal eine Schar halbverhungerter Kinder zu Hilfe geschickt), Georgien, Ungarn, Italien (das zweite richtige Land. Dort sind 69 Prozent der Bevölkerung gegen den Krieg.), Japan (Ich kann es nicht fassen. Wissen denn die Japaner, von denen 70 Prozent gegen den Krieg sind, daß man sie auf diese Liste gesetzt hat?), Südkorea, Lettland (noch mehr Nazi-Kollaborateure), Makedonien, die Niederlande (Was? Zuviel legaler Drogengebrauch?), Nicaragua, die Philippinen (vielleicht sollten sie dort lieber ihre eigenen Al Kaida-Mitglieder aufspüren), Polen (haben die Polen nicht gehört, daß der Papst gegen den Krieg ist?), Palau …

Palau?

Palau ist eine Inselgruppe im Nordpazifik; ihre 20000 Einwohner würden halbwegs ausreichen, um den Madison Square Garden zu füllen. Palau hat, wie die *Washington Post* uns berichtet, eine exzellente Tapioka und saftige Kokosnüsse, aber leider keine Soldaten. Natürlich wird man auch ohne Armee in die »Koalition der Willigen« aufgenommen. Andere Mitglieder ohne Armee sind Island, Costa Rica, die Salomonen und Mikronesien. Aber wir erwarten ja nicht, daß die ihre jungen Leute in den Tod schicken! Das ist unser Job. Es reicht uns völlig, daß sie *gewillt* sind, es zu tun!

Einen Moment! Wichtige Nachricht! Polen hat tatsächlich angeboten, 200 Soldaten zu entsenden. Vielen Dank für euren guten Willen!

Und Marokko hatte zwar auch keine Soldaten übrig, bot aber an, 2000 Affen zu schicken, damit sie im Irak Landminen zur Explosion bringen. Bis jetzt hat es aber noch keine geschickt, und wenn es nicht bald die Affen herausrückt, darf es nicht von den Vorteilen einer Mitgliedschaft in der Koalition der Willigen profitieren. Andererseits braucht die »Koalition der Willigen« die Affen doch nicht so dringend, weil sie schon von einem viel weiterentwickelten Menschenaffen angeführt wird.

Oh, jetzt habe ich die Reihenfolge nicht eingehalten. Blättern wir mal zurück: Jetzt stehen noch Rumänien, die Slowakei und Spanien auf der Liste (nur 13 Prozent der Spanier waren für den Krieg und selbst das nur unter der Bedingung, daß die UNO der Invasion zustimmte), und … Moment mal … die Türkei. Die türkischen Politiker weigerten sich, 26 Milliarden Dollar für das Privileg anzunehmen, daß US-Truppen in ihrem Land stationiert würden – vielleicht mit Rücksicht auf Meinungsumfragen, denen zufolge 95 Prozent der Türken gegen den Einmarsch im Irak waren.

Die Nachhut bilden Usbekistan und das Vereinigte Königreich *(unser allerbester Freund in der ganzen weiten Welt!)*. In Großbritannien waren nur neun Prozent der Bevölkerung für eine Militäraktion gegen den Irak, falls die USA und Großbritannien sie allein durchziehen würden. Außerdem waren die Briten uneins in der Frage, wer die größte Bedrohung für den Weltfrieden darstellte: Bush und Hussein erhielten je 45 Prozent der Stimmen. Warum führte sie Tony Blair in diesen Schlamassel hinein? Was versprach ihm Bush?

Wir haben also eine »Koalition der Willigen«, die für etwa 20 Prozent der Weltbevölkerung steht. Aber selbst das ist noch irreführend, denn die meisten Bürger in den Staaten der Koalition waren gegen den Irakkrieg, so daß es sich eigentlich um eine »Koalition der Genötigten« handelt. Oder genauer gesagt, eine »Koalition der Genötigten, Bestochenen und Eingeschüchterten«.

Nur für die Akten seien auch paar von den Ländern genannt, die nichts mit dem Fiasko zu tun haben wollten und damit der **»Koalition der Unwilligen«** angehörten:

Ägypten, Algerien, Argentinien, Belgien, Brasilien, Chile, China, Deutschland, Finnland, Frankreich, Griechenland, Indien, Indonesien, der Iran, Irland, Israel, der Jemen, Jordanien, Kanada, Kuba, Mexiko, Neuseeland, Nigeria, Norwegen, Österreich, Pakistan, Rußland, Sambia, Schweden, die Schweiz, Simbabwe, Südafrika, Syrien, Thailand, die Vereinigten Arabischen Emirate, Venezuela, Vietnam – und 103 weitere Staaten.

Aber wer braucht die schon? Feiglinge! Schlappschwänze! Drückeberger!

## Nr. 7: Der Juniorwhopper für Kinder: »Wir tun unser möglichstes, damit keine Zivilisten ums Leben kommen.«

Wir haben in den neunziger Jahren eine Menge darüber gelernt, wie man Krieg führt und dabei die amerikanischen Verluste auf ein absolutes Minimum begrenzt. Das hat man davon, wenn man einen Demokraten im Weißen Haus sitzen hat. Clinton schloß Militärstützpunkte, verringerte die Truppenstärke und steckte Geld in die Lösung des Problems, wie man Menschen aus der Ferne bombardiert. Kein Bodenkrieg, keine Probleme. Als Bill fertig war, verfügten wir über eine schlanke, bösartige Hightech-Kampfmaschine.

Eines von meinen bevorzugten Rüstungsprojekten in der Clinton-Ära wurde in Littleton, Colorado, in der Nähe der Columbine Highschool verwirklicht. Dort baute Lockheed Martin, der größte Rüstungskonzern der Welt, Raketen, mit denen neue Satelliten ins All geschossen wurden. Diese Satelliten leiteten später die Raketen, die auf Bagdad abgefeuert wurden. Der Feuersturm, den Bush im zweiten Golfkrieg auf die irakische Hauptstadt (mit einer Bevölkerung von fünf Millionen Zivilisten) losließ, wäre ohne die Trägerraketen von Lockheed nicht möglich gewesen. Das präzisionsgesteuerte Bombardement von Bagdad leitete eine neue Ära der Kriegführung ein. Die Waffen trafen fast auf den Zentimeter genau, und die Angriffe konnten im Zentralkommando der US-Armee in Tampa, Florida, koordiniert werden. Dieselben Satelliten wurden auch schon bei der Bombardierung Afghanistans nach dem 11. September eingesetzt. Durch beide Bombardements wurden Schätzungen zufolge insgesamt 9 000 Zivilisten ermordet. Dreimal so viele wie am 11. September und 8 985 mehr als in der Columbine High School.

Das Pentagon prahlt damit, wie perfekt seine Leitsysteme inzwischen sind. Angeblich müssen keine Zivilisten mehr sterben, wenn man nur militärische Einrichtungen als Ziele programmiert.

Das sollte das Pentagon mal Razek al-Kazem al-Khafaji sagen, der bei einem einzigen Angriff seine Frau, seine sechs Kinder, seinen Vater, seine Mutter und zwei Brüder verloren hat.

»Gott wird uns an Amerika rächen«, schrie er zwischen Trümmern und Leichenteilen den Reportern ins Gesicht.

Der Mann ist undankbar!

Und dann war da der Junge, der seine Eltern und beide Arme verloren hatte, als eine US-Rakete in sein Haus einschlug. Er bat die Reporter unter Tränen, ihm bei der Suche nach seinen Armen zu helfen.

Oder die Frau, die in ein herzzerreißendes Schluchzen ausbrach, als zuerst der Körper einer jungen Frau und dann ein abgetrennter Kopf – der Kopf ihrer Tochter – aus einem schwelenden Krater geborgen wurden. Den Krater hatten vier US-Bomben gerissen. Sie hatten ein Restaurant treffen sollen, in dem Saddam »vielleicht« hätte sein können. Doch sie zerstörten drei Wohnhäuser und töteten vierzehn Menschen, darunter sieben Kinder und die Tochter jener Frau.

Eigentlich sollten die Iraker doch dankbar sein, weil ihre Familienmitglieder verstümmelt wurden, um die Amerikaner von der Bedrohung durch Saddam und seine unauffindbaren Massenvernichtungswaffen zu befreien. Aber sie fallen einfach in Ohnmacht oder brechen in Tränen aus.

Eines ist allerdings unbestreitbar: Zum zweiten Mal seit dem 11. September kratzten sich amerikanische Regierungsbeamte am Kopf und überlegten, warum ihnen der Hauptübeltäter entkommen war.

Dieselben Politiker töteten irakische Zivilisten, aber das Zählen überließen sie anderen. Eine britisch-amerikanische Forschungsgruppe in London gab bekannt, daß in dem Krieg zwischen 6 806 und 7 797 Zivilisten umgekommen waren. Das sind eine ganze Menge Unfälle, wenn man die eingesetzten Waffen als »präzisionsgelenkt« bezeichnet. Natürlich spricht das Pentagon nicht gerne über »Search-And-Destroy-Missionen« (Missionen zum Aufspüren und Vernichten von Feinden) oder über Cluster-Bomben.

Jede dieser etwa 500 Kilogramm schweren Streubomben besteht aus 200 bis 300 »Bomblets«, kleinen Splitterbomben, die über ein Gebiet von der Größe mehrerer Fußballfelder verteilt werden. Die Bomblets können von Kindern für Spielzeuge gehalten werden, und wie das Pentagon selbst schätzt, explodieren 5 bis 20 Prozent von ihnen nicht beim Aufschlag, sondern bleiben auf dem Boden liegen, bis sie ein argloses Kind aufhebt.

Auch wenn die Heulsusen von Human Rights Watch sagen, es sei ein »Verbrechen«, im Stadtgebiet Streubomben einzusetzen, wo sie jahrelang gefährlich bleiben, sind uns zivile Opfer natürlich keineswegs gleichgültig. Wir sorgen sogar dafür, daß unsere Medien die Würde der armen Iraker nicht verletzen, indem sie uns beim Abendessen abscheuliche Bilder verstümmelter Kinder zeigen. Wir zeigen nur die von Kugeln durchsiebten Leichen von Saddams Söhnen Udai und Kussai, und zwar einmal, zweimal, hundertmal. Das ist alles.

Weil so viele von unseren Soldaten erschossen worden sind, seit Bush das Ende des Krieges verkündet hat, sind unsere Soldaten verständlicherweise ein bißchen nervös. Jeder Zivilist sieht wie ein potentieller Killer aus. Deshalb haben unsere Soldaten unschuldige Iraker erschossen. So wurden zehn Frauen und Kinder von US-Soldaten erschossen, als ihr Minibus an einem Checkpoint nicht anhielt. Sie hatten anscheinend einen amerikanischen Befehl mißverstanden und gemeint, sie sollten auf den Checkpoint ZUFAHREN statt in die andere Richtung. Tut uns leid, sagte General Richard Meyers.

In diesem Land wird es auf keinen Fall besser, solange wir die Besatzer sind und die Iraker sich fragen, wann sie endlich wieder Strom kriegen.

## Nr. 8: Der Whopper mit Mayo: »Wir sind da, um die Ölfelder des Irak zu beschützen!«

Äh… Ja, das stimmt.

## Nr. 9: Der Doppelwhopper mit Käse und einem Coke: »Die amerikanischen Medien berichten die Wahrheit über den Irak!«

Wer eine Unmenge Whopper verkaufen will, braucht ein gutes Marketing. Konzerne müssen viel Geld für Werbung und Vertrieb aufwenden. Doch die Regierung Bush kostete es keinen Cent, daß die angeblich »linksliberalen« Medien sich mit dem Hauptquartier des Weißen Hauses bei Fox News zusammentaten und eine gut gestylte Offensive der Kriegspropaganda veranstalteten, der man kaum entrinnen konnte.

Und es funktionierte: Sogar Vegetarier mampften die Whopper. Untermalt von kriegerischer Marschmusik und der amerikanischen Fahne nachempfundenen Grafiken wurden wir von den Faule-Ausreden-statt-Nachrichten-Sendern rund um die Uhr hemmungslos mit Bildern bombardiert: Tränenreiche Abschiede stolzer Familien, wenn tapfere Soldaten nach Übersee aufbrachen; heroische junge Amerikanerinnen, die von wagemutigen

Amerikanern gerettet wurden; schlaue Bomben, die ihre exzellente Zerstörungsarbeit verrichteten; dankbare Iraker, die Saddam-Statuen umstürzten; ein Amerika, das geschlossen hinter Unserem Tatkräftigen und Entschlossenen Führer stand.

Und dann das Filmmaterial, das direkt aus der rauhen irakischen Wüste übertragen wurde: Reporter, die bei den Bodentruppen »eingebettet« waren und großen Spielraum hatten, ohne Kontrolle von seiten des Pentagons zu berichten (wie wir glauben sollten). Das Ergebnis? Zahlreiche Nahaufnahmen und persönliche Berichte über die Strapazen und Gefahren, denen unsere Soldaten ausgesetzt waren, aber *fast nichts* darüber, warum man diese großartigen jungen Leute in diesen Krieg geschickt hatte. Und noch weniger darüber, was mit der irakischen Bevölkerung geschah.

Wer die amerikanischen Nachrichten nicht komplett ignorierte und nur BBC oder den kanadischen Sender CBC oder *Le Journal* aus Frankreich anschaute (mit bequemen englischen Untertiteln für ein amerikanisches Publikum, das zu faul und ungebildet ist, um eine Fremdsprache zu lernen), konnte ziemlich schnell zu der falschen Einsicht gelangen, daß all die Opfer einer gerechten Sache dienten.

Und was genau war der Grund für diesen Krieg mit dem Irak? Wir waren so massiv mit Whoppern gestopft, daß Umfragen zufolge die Hälfte der Amerikaner tatsächlich glaubte, es hätten Iraker die Flugzeuge des 11. September geflogen. Zu einem bestimmten Zeitpunkt glaubte auch fast die Hälfte, daß die USA Massenvernichtungswaffen im Irak gefunden hätten, obwohl nie welche entdeckt worden waren. Außerdem war ein Viertel der Befragten der Ansicht, daß Saddam einen chemischen oder biologischen Angriff gegen die Streitkräfte der »Koalition« unternommen hatte, was ebenfalls nie geschehen war.

Diese weitverbreiteten Irrtümer waren verständlich. Im amerikanischen Fernsehen kamen praktisch keine Kritiker oder Gegner der Argumente zu Wort, mit denen die Regierung Bush so entschlossen auf den Krieg zusteuerte.

Die medienkritische Organisation FAIR analysierte die Abendnachrichten von sechs US-amerikanischen Fernsehsendern und
Nachrichtenkanälen für die drei Wochen ab dem 20. März 2003,
dem Vortag der Bombardierung des Irak. In der Studie wurden
die politischen Bindungen und die Ansichten von mehr als
6 000 Interviewpartnern untersucht, die in den Berichten über
den Irak vor der Kamera erschienen. Die Ergebnisse waren keine
große Überraschung:

- Es war 25mal wahrscheinlicher, daß die Fernsehzuschauer
  einen US-amerikanischen Kriegsbefürworter zu sehen bekamen als einen Kriegsgegner.
- Militärische Interviewpartner kamen doppelt so oft zu Wort
  wie zivile.
- Nur vier Prozent der Personen, die in den drei Wochen im
  Fernsehen befragt wurden, waren Angehörige einer Universität, eines privaten Forschungsinstituts oder einer Nichtregie-
  rungsorganisation.
- Von insgesamt 840 Interviewpartnern, die Angehörige der
  Regierung oder des Militärs waren oder gewesen waren, konnten nur vier eindeutig als Kriegsgegner identifiziert werden.
- Die wenigen Auftritte von Personen, die gegen den Krieg waren,
  wurden konsequent auf einzelne Satzbrocken beschränkt, wobei es sich in der Regel um Straßeninterviews mit anonymen
  Passanten handelte. Nicht ein einziger der sechs untersuchten
  Sender brachte ein ausführliches Interview mit einem Kriegs-
  gegner.

In einigen Fällen bekannten sich Journalisten ganz offen zu
einem verblüffenden Mangel an Objektivität. So zitiert die Studie von FAIR, was Dan Rather, der Moderator von CBS News,
bei einem Auftritt in der Talkshow von Larry King sagte: »Wissen Sie, ich bin Amerikaner. Ich habe nie versucht, den Eindruck
zu erwecken, ich sei Internationalist oder so was ähnliches. Und
wenn mein Land Krieg führt, will ich, daß mein Land gewinnt,

egal wie ›gewinnen‹ definiert ist. Ich kann und will nicht behaupten, das sei unparteiische Berichterstattung. In dieser Sache bin ich parteiisch.«

In dem dreiwöchigen Untersuchungszeitraum registrierte FAIR in den von Rather moderierten Abendnachrichten auf CBS nur eine einzige Äußerung gegen den Krieg. Sie stammte von ... äh ... mir, als ich bei der Oscarverleihung von dem »fiktiven Krieg« eines »fiktiven Präsidenten« sprach.

Nebenan bei Fox News beantwortete Neil Cavuto eine kritische Frage in seiner Sendung wie folgt: »Es ist keineswegs falsch, wenn man in dieser Sache Partei ergreift ... Sie sehen keinen Unterschied zwischen einer Regierung, die die Menschen unterdrückt, und einer, die das nicht tut, aber ich sehe diesen Unterschied.«

MSNBC demonstrierte seinen Patriotismus mit »America's Bravest« – einer Art Schwarzem Brett mit Bildern von im Irak kämpfenden Soldaten, die deren Freunde und Angehörige an den Sender geschickt hatten. Und Brian Williams von NBC und MSNBC sagte über das Töten irakischer Zivilisten: »Zivilisten wurden früher vorsätzlich zu militärischen Zielen. Die Brandbomben von Dresden und Tokio im Zweiten Weltkrieg sollten Zivilisten töten und die Überlebenden in Angst und Schrecken versetzen. Heute werden wir Zeuge, wie das Gegenteil passiert.«

(Die US-Armee vergab kürzlich einen Auftrag in Höhe von 470 Millionen Dollar an Microsoft, das MSNBC gemeinsam mit NBC besitzt. NBC wiederum gehört General Electric, einem der größten Rüstungskonzerne des Landes. GE bekommt milliardenschwere Regierungsaufträge für die Produktion von Antrieben für Militärflugzeuge. Trotzdem erbrachte die Untersuchung von FAIR das Ergebnis, daß NBC mehr kritische Ansichten über den Krieg brachte als jeder andere US-amerikanische Sender – ein ganzes sensationelles Prozent mehr.)

Hier noch ein paar weitere Whopper, die amerikanische Fernsehsender und Zeitungen über den Irakkrieg brachten:

ABC berichtete am 26. April 2003, daß »das US-Militär 200
Kilometer nordwestlich von Bagdad ein Waffenlager gefunden
hat, wo die Tests auf chemische Kampfstoffe zunächst positiv
ausfielen. Zu dem dort gefundenen Material gehörten 14 Zwei-
hundert-Liter-Fässer, mindestens ein Dutzend Raketen und 150
Gasmasken.«

Wie sich herausstellte, befanden sich keine chemischen Waffen in dem Lager, und die ersten Berichte waren völlig falsch.
ABC brachte jedoch keine Gegendarstellung und kein Dementi.

Die *New York Times* trug am 8. September 2002 mit dem Artikel »U. S. Says Hussein Intensifies Quest for A-Bomb Parts«
ihren Teil dazu bei, die Story mit den Massenvernichtungswaffen
zu verbreiten:

> Über ein Jahrzehnt, nachdem Saddam Hussein sich zum
> Verzicht auf Massenvernichtungswaffen bereit erklärt hat,
> intensiviert der Irak nach Aussage von Vertretern der Regie-
> rung Bush seine Anstrengungen, Atomwaffen zu beschaf-
> fen, und versucht auf der ganzen Welt das notwendige
> Material zur Herstellung einer Atombombe zu erwerben.
> In den letzten 14 Monaten versuchte der Irak, Tausende
> von besonders konstruierten Aluminiumröhren zu kaufen,
> die Regierungsvertretern zufolge als Komponenten von
> Zentrifugen zur Urananreicherung dienen sollten.

Alles falsch.

Die *Washington Post* brachte die aufregende Geschichte der
Gefreiten Jessica Lynch, einer jungen Soldatin, die aus einem
irakischen Krankenhaus gerettet wurde, nachdem sie bei einem
Gefecht in der irakischen Wüste schwer verwundet worden war:

Die Gefreite Jessica Lynch, die am Dienstag aus einem irakischen Krankenhaus befreit worden ist, kämpfte erbittert
und erschoß mehrere irakische Soldaten… Lynch, die
19jährige Soldatin einer Nachschubabteilung, feuerte am
23. März selbst dann noch auf die Iraker, nachdem sie mehrere Schußwunden erlitten hatte und mehrere Soldaten ihrer
Einheit vor ihren Augen im Kampf gefallen waren, sagte
ein Regierungsvertreter… »Sie kämpfte bis zum Äußer-
sten«, sagte der Regierungsbeamte. »Sie wollte nicht lebend
in Gefangenschaft geraten.«

Die *New York Times* brachte mehr über die dramatischen Einzelheiten der Rettungsaktion:

Spezialkräfte der Marine, sogenannte Seals, holten die
Gefreite Lynch heraus, dabei wurden sie sowohl auf dem
Weg in das Gebäude als auch auf dem Rückweg unter Feuer
genommen… Lynch war seit dem Zweiten Weltkrieg der
erste US-Kriegsgefangene, der aus Feindeshand befreit
wurde, und die erste Frau, die je befreit wurde…

Es dauerte eine Weile, aber dann wurde die Geschichte komplizierter, wie sich zwei Monate später in der *New York Times* nachlesen ließ:

Wie es scheint, hat die tapfere junge Gefreite vielleicht
doch nicht wie Rambo gekämpft, als ihre Nachschubeinheit
die falsche Abzweigung nahm und in einen irakischen Hin-
terhalt geriet. Möglicherweise wurde sie in dem Feuerge-
fecht, das sich vielleicht ereignete, vielleicht aber auch
nicht, weder durch Messerstiche noch durch Schüsse verwundet. Auch erscheint es heute wahrscheinlich, daß sie
nicht in einem irakischen Krankenhaus mißhandelt wurde.
Ihre heldenhaften Retter mußten sich den Weg durch die
Gänge des Hospitals nicht freikämpfen; tatsächlich brannte

das Personal des Krankenhauses vielleicht sogar darauf, sie zu übergeben.

In Wirklichkeit war keine von Jessica Lynchs Verletzungen durch einen Kampf verursacht, und sie wurden in dem irakischen Krankenhaus mit großer Sorgfalt medizinisch behandelt. Eine irakische Krankenschwester sang sie nachts in den Schlaf, und sie bekam Extrarationen an Saft und Keksen. Das Personal des Krankenhauses hatte schon vor ihrer »Befreiung« versucht, sie an die Amerikaner zu übergeben, und hatte auf deren Ankunft gewartet. Die irakischen Streitkräfte hatten das Gebiet bereits geräumt.

Während Lynch in einem amerikanischen Krankenhaus genas, überschlugen sich die Fernsehanstalten, weil sie mit ihr einen Exklusivvertrag über ihre Geschichte abschließen wollten. CBS bot ihr sogar ein komplettes Paket mit Optionen auf ein Buch, einen Konzertauftritt und einen Fernsehfilm, realisiert durch CBS News, CBS Entertainment, MTV und den Verlag Simon & Schuster – alle Unternehmen sind unter dem Dach der riesigen Viacom-Gruppe.

Gleichgültig, wo Jessica Lynchs Geschichte letztlich erzählt wird, sie wird mehr der verlogenen Inselwelt in *Survivor* gleichen als der realen Welt der Wohngemeinschaft in *The Real World*. (Beides »Reality-TV«: in Survivor werden junge Leute auf einer geräumten Touristeninsel ausgesetzt und gefilmt, in TRW wurde der Alltag einer Wohngemeinschaft aufgenommen. A. d. Ü.) Sie tut mir leid, eine junge Frau, die sich freiwillig meldete, um zur Verteidigung der Vereinigten Staaten ihr Leben zu riskieren, und dann mißbraucht wird: als Sandwich in einer Kantine voller Whopper.

## Nr. 10: Der absolut riesige Dreifachwhopper: »Wir haben nicht gelogen. Und wir lügen auch jetzt nicht, um die zuvor erzählten Lügen zu vertuschen.«

Als ein paar Medien endlich ihre Pflicht taten und die Lügen der Regierung Bush entlarvten, als Bush verzweifelt nach jemandem (wem auch immer) suchte, den er für die ganzen Lügen verantwortlich machen konnte, und als eine Mehrheit der amerikanischen Bevölkerung der Ansicht war, daß man ihr nicht die ganze Wahrheit über den Irak gesagt hatte, rangen sich Bush & Co. zu der Erkenntnis durch, daß sie dringend etwas unternehmen müßten, um die ganze Krise ein für allemal zu überwinden.

Was taten sie? Sie blähten ihre Whopper zu Riesenwhoppern auf!

Man nennt diese Strategie »eins draufsetzen«: Wenn du bei einer Lüge ertappt wirst, streite einfach alles ab und lüge weiter, egal was passiert.

Richard Pryor skizzierte diesen Ansatz 1982 in der Kabarettnummer *Live on the Sunset Strip.* Er sagte, wenn ein Mann von seiner Frau mit einer anderen Frau im Bett erwischt werde, solle er alles abstreiten, selbst wenn seine Frau direkt neben dem Bett stehe, auf dem er nackt mit der anderen Frau liege. Streiten Sie einfach ab, daß Sie Sex haben, sagte Pryor. Bestreiten Sie sogar, daß eine Frau neben Ihnen im Bett liegt: »Und wem glaubst du jetzt, mir oder deinen betrügerischen Augen?«

Einer der ersten Whopper über einen Whopper (ein Whopper zum Quadrat) wurde im Februar 2003 von Colin Powell serviert: »Meine Kollegen, alle Äußerungen, die ich heute mache, sind durch Quellen untermauert, durch zuverlässige Quellen. Es handelt sich nicht um Behauptungen, sondern um Tatsachen und Schlußfolgerungen, die auf zuverlässigen Erkenntnissen beruhen.«

Nur wenige Tage zuvor war sich Powell seiner Sache offenbar noch nicht so sicher gewesen. Als er bei einer Besprechung mit CIA-Beamten das Belastungsmaterial gegen Saddam Hussein durchging, warf er die Papiere in die Luft und schrie: »So eine Scheiße lese ich nicht vor!«

Und er hatte guten Grund, den »Erkenntnissen« zu mißtrauen. Ein großer Brocken von Powells Hintergrundinformationen stammte direkt aus Quellen, die im Internet leicht zu identifizieren waren, unter anderem die Seminararbeit eines graduierten Studenten, die auf zwölf Jahre alten Dokumenten beruhte. Einige Passagen waren direkt kopiert worden, so direkt, daß nicht einmal die Tippfehler berichtigt waren. Doch Powell nannte diesen Whopper »zuverlässig«.

Dann gab Ari Fleischer, der Pressesprecher des Weißen Hauses, folgende »Erklärung« ab: »Die Stellungnahme des Präsidenten basierte auf der Aussage über das Yellow-Cake[-Uran] aus dem Niger. Angesichts der Tatsache, daß sich der Bericht über das Yellow Cake nicht als richtig entpuppt hat, wirkt das auch auf die allgemeinere Aussage des Präsidenten zurück.«

Hä?

Überlassen wir das Erklären nun dem Whoppermeister selbst. George W. Bush sagte: »Ich meine, die Erkenntnisse, die ich kriege, sind verdammt gute Erkenntnisse. Und die Reden, die ich gehalten habe, waren durch diese guten Erkenntnisse untermauert. Und ich bin auch heute noch, genau wie zu dem Zeitpunkt, als ich die Reden hielt, absolut davon überzeugt, daß Saddam Hussein ein Programm für Massenvernichtungswaffen entwickelte.«

Dazu Ari Fleischer: »Der Präsident hat sich weiterbewegt. Und ich glaube, offen gesagt, ein Großteil des Landes hat sich ebenfalls weiterbewegt.«

Vielleicht in seinem Land, aber nicht in meinem. Verteidigungsminister Donald Rumsfeld tischte in *Meet the Press* schnell noch ein paar weitere Whopper auf: »Wie sich herausstellt, ist es eigentlich korrekt, was der Präsident gesagt hat ... Aber insgesamt betrachtet: Glauben wir wirklich, daß er chemische und biologische Waffen besaß und ein Programm zur Entwicklung von Atomwaffen laufen hatte? Die Antwort lautet ja, davon bin ich überzeugt.«

Rumsfeld fügte hinzu: »Und unmittelbar davor sagte ich, wie der Präsident gesagt hat, und unmittelbar danach sagte ich, wie der Präsident gesagt hat. Ich wiederholte einfach, was der Präsident gesagt hatte.«

Könnt ihr dem folgen? Bevor sich euer Kopf vollends vom Hals gedreht hat, wenden wir uns lieber Condoleezza Rice zu, damit sie uns endlich aufklärt. Sie sagte folgendes zu Wolf Blitzer von CNN: »Lassen Sie mich zunächst einmal nur das eine sagen, Wolf: Es sind sechzehn Wörter, und die Sache ist gewaltig überbewertet worden… Nun, ich glaube, nachdem wir im Irak sind und Wissenschaftler befragen und wir uns die Dokumente ansehen und wir zum Beispiel herausfinden, daß er jemanden Teile von Zentrifugen in seinem Hof vergraben ließ…«

Dieser Whopper war schon so verrottet, daß es sogar Blitzer auffiel, und Rice gezwungen wurde zuzugeben, daß ihre »Erkenntnisse« zwölf Jahre alt waren: »Vor dem ersten Golfkrieg – also 1991.«

Condoleezza Rice konnte das jedoch nicht erschüttern. Sie trat am selben Tag auch noch in *Face the Nation* auf. Dort bestand sie darauf, daß »die Rede des Präsidenten zur Lage der Nation eine Aussage enthielt, die richtig war… Wir verwenden eine Menge Daten. Die geben wir Redenschreibern. Sie landen in Reden, und dann verlassen wir uns auf einen Überprüfungsprozeß… Und, wie Sie vielleicht bemerkt haben, in der Erklärung des Präsidenten heißt es ›in Afrika‹. Das ist nicht spezifisch. Es heißt, er versuchte – das hieß nicht, daß er bekam oder erwarb. Es geht darum, daß er es versuchte. Und es wird das britische Dokument zitiert.«

Es hört einfach nicht auf. Ein Whopper wird auf den anderen draufgepackt. So viele Whopper… Es kann einem schlecht davon werden.

So viele Whopper, daß selbst der Ohrenzeuge eines Weltklasse-Lügners, der frühere Nixon-Berater John Dean, sich zu dem Kommentar gedrängt fühlte: »Wir sollten nicht vergessen, daß Richard Nixon zurücktrat, als das Repräsentantenhaus ein

Amtsenthebungsverfahren wegen Mißbrauchs der CIA und des FBI gegen ihn einleiten wollte.«

Warum hat es keine Konsequenzen, daß uns all diese Whopper aufgetischt werden? Warum hält George Bush immer noch unser Weißes Haus besetzt? Wo ist die Klageschrift des Amtsenthebungsverfahrens?

Wie viele Whopper braucht es noch, bis der Kongreß satt ist?

# THREE

# Öl gut, alles gut

**Letzte Nacht hatte ich** einen Traum. Genauer gesagt, ich hatte mehrere Träume. Einer hatte etwas damit zu tun, ein Kamel mit Tofutti-Eis zu beschmieren. In einem anderen schob ich den Golfspieler Fred Couples in einem Einkaufswagen durch einen Target-Supermarkt im kalifornischen Modesto, während er Verse aus der Bhagavadgita rezitierte. Ich brauche Hilfe, ich weiß.

Es war einer dieser Abende, an denen ich zu lange aus gewesen war und zu viel gefeiert hatte und an denen in dem Moment, in dem mein Kopf auf dem Kissen aufschlug, in meinem Unterbewußtsein eine Art Highspeed-Megasender-DirecTV anging und ich die Fernbedienung zum Ausschalten nicht finden konnte. Ich war in einer Bar gewesen, um gemeinsam mit guten Freunden und geliebten Menschen das Ableben von Udai und Kussai Hussein zu feiern. Wenn die eigene Regierung in der Lage ist, »Leute Die Wir Nicht Mögen« in die Ecke zu treiben und umzulegen, sollte man niemals den Nutzen unterschätzen, der darin liegen könnte, sich mit einem nahestehenden Menschen zu treffen. Doch eine Bar voller Leute, die »Udai! Udai! Udai!« skandierten, während ich einen Tequila nach dem anderen und mindestens einen zu viel hinunterkippte, hat sogar mich umgehauen. Ich hatte nicht mehr so ausgelassen gefeiert, seit der Bundesstaat Texas diesen geistig Behinderten hatte hinrichten lassen.

Egal, zurück zu meinem Traum. Er war so real, daß er sich wie ein Traum aus Dickens' *Weihnachtslied in Prosa,* jener Geschichte des alten Geizkragens Scrooge, anfühlte. Plötzlich war ich in der Zukunft. Es war das Jahr 2054, und der Anlaß war mein 100. Geburtstag. Entweder war ich etliche Jahre vorher Mitglied eines Vereins für gesunde Ernährung geworden, oder der Welt war aus irgendeinem Grund Ben & Jerry's-Eiskreme ausgegangen, auf jeden Fall sah ich für einhundert ziemlich gut aus.

In diesem Traum erhielt ich einen Überraschungsbesuch von meiner Urenkelin Anne Coulter Moore. (Anne Coulter ist eine konservative Publizistin, A. d. Ü.) Ich hatte keine Ahnung, wie sie zu diesem Namen kam, und zu viel Angst, sie danach zu fragen. Sie erklärte mir, daß sie in der sechsten Klasse sei und mir für ein Projekt in mündlicher Geschichte ein paar Fragen stellen wollte. Aber da war kein Licht, sie hatte keinen Computer, und das Wasser, das sie trank, war nicht in einer Flasche. Die Unterhaltung, oder wie ich mich daran erinnere, lief folgendermaßen ab:

**Anne Coulter Moore:** *Hallo, Urgroßvater! Ich habe dir eine Kerze mitgebracht. Aus irgendeinem Grund haben wir diesen Monat mit unserer Ration eine Kerze extra bekommen. Ich habe geahnt, daß es hier nicht genug Licht für ein Interview geben würde.*

**Michael Moore:** Danke, Annie. Wenn es dir möglich wäre, mir den Bleistift dazulassen, mit dem du schreibst, könnte ich ihn nach dem Interview verbrennen und mich daran ein bißchen aufwärmen.

**Anne Coulter Moore:** *Tut mir leid, Urgroßvater, aber wenn ich dir den Bleistift gebe, habe ich für den Rest des Jahres nichts mehr, um damit zu schreiben. Damals, als du jung warst, habt ihr da nicht andere Dinge zum Schreiben genommen?*

**Michael Moore:** Ja, wir hatten Kugelschreiber und Computer und kleine Maschinen, aus denen das, was man in sie hineinsprach, geschrieben wieder herauskam.

**Anne Coulter Moore:** *Und was ist mit denen passiert?*

**Michael Moore:** Weißt du, Liebling, um sie herzustellen, braucht man Kunststoff.

**Anne Coulter Moore:** *Ach ja, Kunststoff. Haben damals alle Kunststoff geliebt?*

**Michael Moore:** Es war eine magische Substanz, aber sie wurde aus Erdöl hergestellt.

**Anne Coulter Moore:** *Ich verstehe. Und seitdem alles Öl aufgebraucht ist, müssen wir mit diesen Bleistiften schreiben.*

**Michael Moore:** Ganz richtig. Junge, Junge, wir vermissen das Öl ganz schön, nicht?

**Anne Coulter Moore:** *Als du jung warst, waren die Leute wirklich so dumm zu glauben, daß das Öl ewig reichen würde? Oder waren wir ihnen einfach egal?*

**Michael Moore:** Natürlich wart ihr uns nicht egal. Aber unsere Führer damals schworen auf einen ganzen Stapel Bibeln, daß es genügend Erdöl für alle gebe, und natürlich wollten wir ihnen glauben, weil wir so viel Spaß hatten.

**Anne Coulter Moore:** *Und als dann das Öl zur Neige ging und ihr erkannt habt, daß das Ende nahe ist, was habt ihr getan?*

**Michael Moore:** Wir versuchten, die Dinge unter Kontrolle zu halten und die Teile der Welt zu beherrschen, in denen der Großteil der verbliebenen Erdöl- und Erdgasvorräte lag. Viele Kriege wurden geführt. Für die frühen Kriege, in Kuwait und im Irak, mußten unsere Führer sich noch Ausreden einfallen lassen wie »Dieser böse Mann hat böse Waffen« oder »Diese lieben Menschen müssen befreit werden«. Wir liebten das Wort »befreien«.

Aber darum ging es in keinem dieser Kriege wirklich. In Wahrheit ging es immer nur um das Öl. Wir konnten das damals nur nicht offen sagen.

In den frühen Kriegen verloren wir nur wenig Soldaten, und so glaubten wir, alles würde beim alten bleiben. Aber diese Kriege verschafften uns nur für ein paar mehr Jahre Öl.

**Anne Coulter Moore:** *Ich habe gehört, daß es damals, als du auf die Welt gekommen bist, so viel Öl gab, daß ihr alles daraus hergestellt habt. Und daß ihr die meisten dieser Sachen einmal benutzt und dann weggeworfen habt. Vor ein paar Jahren haben Mom und Dad eine Lizenz zum Graben auf der Deponie erhalten. Mom sagte, sie wären auf eine Goldader gestoßen. Sie haben einen Haufen Plastiktüten gefunden, die noch kein bißchen vermodert waren. Und darin waren jede Menge Dinge aus Kunststoff. Ihr wart ganz schön clever, diese Sachen so ordentlich in diesen Tüten aufzubewahren.*

**Michael Moore:** Äh, danke, aber das war nur ein glücklicher Zufall. Du hast recht, wir stellten praktisch alles aus Erdöl her, das wir in Kunststoff verwandelten. Möbelpolster, Einkaufstüten, Spielzeug, Flaschen, Kleidung, Arzneimittel, selbst Babywindeln wurden aus Erdöl hergestellt. Die Liste der Dinge, die zum Teil aus Öl und seinen Nebenprodukten bestanden, war endlos: Aspirin, Fotoapparate, Golfbälle, Autobatterien, Teppiche, Kunstdünger, Brillen, Shampoo, Klebstoff, Computer, Kosmetika, Waschmittel, Telefonapparate, Konservierungsstoffe für Nahrungsmittel, Fußbälle, Insektizide, Koffer, Nagellack, Toilettensitze, Strumpfhosen, Zahnpasta, Kissen, weiche Kontaktlinsen, Reifen, Kugelschreiber, CDs, Turnschuhe – alles, was du willst, und irgendwie wurde es aus oder unter Verwendung von Erdöl hergestellt. Junge, Junge, waren wir von dem Zeug abhängig. Wir tranken etwas aus einer Plastikflasche und warfen sie weg. Wir waren imstande, einen Liter Benzin zu verfahren, um einen Liter Milch zu kaufen, und sogar die war dann noch in einer Plastikflasche abgefüllt. Deine Großmutter bekam jede Weihnachten Geschenke, die zum Großteil aus Kunststoff bestanden und unter einem Weihnachtsbaum aus Plastik lagen, der so gemacht war, daß er wie ein echter aussah. Und ja, du hast recht, wir packten sogar unseren Müll in Plastik, bevor wir ihn wegwarfen.

**Anne Coulter Moore:** *Wie sind die Leute überhaupt auf den Gedanken gekommen, Öl zu VERBRENNEN? Warum etwas verbrennen, von dem man nur ein wenig hat? Haben die Leute damals auch Diamanten verbrannt?*

**Michael Moore:** Nein, Diamanten haben sie nicht verbrannt. Diamanten galten als wertvoll. Erdöl galt zwar auch als wertvoll, aber das kümmerte niemanden. Wir machten daraus einfach Benzin, legten Strom an eine Zündkerze und verbrannten das Zeug, wo immer sich uns die Gelegenheit dazu bot!

**Anne Coulter Moore:** *Wie war das, als ihr nicht mehr atmen konntet, weil die Luft vom vielen Benzinverbrennen so dreckig geworden war? Hat euch das nicht gezeigt, daß nichts, was vom Erdöl kommt, zum verbrennen gedacht ist? Vielleicht wollte die Natur euch mit dem Gestank sagen: »Verbrennt mich nicht!«*

**Michael Moore:** Ach, ach, dieser Gestank. Er *war* der Versuch der Natur, uns zu sagen, daß etwas nicht in Ordnung ist. Was haben wir gedacht?

**Anne Coulter Moore:** *Ja was denn?*
**Michael Moore:** Nichts, gar nichts.

**Anne Coulter Moore:** *Aber es hat euch doch vergiftet. Und ihr hattet keine Atemstationen wie wir heute. Was habt ihr also getan?*

**Michael Moore:** Die Leute mußten das einfach schlucken und den Dreck einatmen. Millionen Menschen wurden krank und starben daran. Da keiner zugeben wollte, daß es die Luftverschmutzung durch die Verbrennung fossiler Brennstoffe war, die das Atmen so schwer machte, sagten die Ärzte, wir hätten

Asthma oder Allergien. Für dich ist eine Fahrt in einem Automobil etwas, was du im Museum machst, aber damals »pendelten« die meisten Menschen jeden Tag zwanzig, dreißig oder sogar fünfzig Kilometer zur Arbeit. Sie haßten die Stunden, die sie in ihren Autos saßen, und sie bekamen richtig schlechte Laune.

**Anne Coulter Moore:** *Ihr habt das ganze kostbare Öl verbrannt und euch dabei auch noch selbst gehaßt? Verrückt.*
**Michael Moore:** Hey, ich habe nicht gesagt, daß wir uns haßten. Wir haßten das Pendeln, aber viele Leute hielten es für das kleinere Übel, weil sie nicht in Städten wohnen wollten, in denen so viele, völlig verschiedene Menschen lebten.

**Anne Coulter Moore:** *Was ich nicht verstehe, ist, ihr hattet so viel Spaß, seid herumgefahren und das alles und habt unser ganzes Öl verbraucht. Warum seid ihr dann nicht auf einen anderen Brennstoff umgestiegen, bevor das Öl ausging, um auch weiterhin so viel Spaß haben zu können?*
**Michael Moore:** Die Amerikaner gehörten zu der Art Menschen, die daran gewohnt waren, eine Sache auf eine bestimmte Weise zu tun, und die davon dann nicht mehr abrücken wollten.

**Anne Coulter Moore:** *Amerikaner?*
**Michael Moore:** Laß uns davon lieber nicht anfangen.

**Anne Coulter Moore:** *Mein Lehrer in der sechsten Klasse hat gesagt, daß einer eurer Führer geglaubt hat, mit Wasserstoff angetriebene »Brennstoffzellenautos« würden Benzinautos ersetzen. Das war verrückt! Heute weiß doch jedes Kind, daß Wasserstoff schwer herzustellen ist. Es ist zwar in $H_2O$ enthalten, aber den Wasserstoff aus der Verbindung zu lösen, erfordert viel Energie – und viel Energie war genau das, was ihr nicht hattet. Dummköpfe!*
**Michael Moore:** Ganz recht, Anne, wir waren so vollgestopft mit

Prozac und Kabelfernsehen, daß wir alles glaubten, was unsere Führer uns sagten. Wir glaubten ihnen sogar, als sie sagten, daß der Wasserstoff die neue Offenbarung sei – eine grenzenlose, umweltfreundliche Energie, die das Öl ersetzen werde. Wir gaben so viel Geld für das Militär aus, um den Zugang zum Öl sicherzustellen, daß unsere Schulen verkamen und die Leute mit der Zeit immer dümmer und dümmer wurden. Deshalb fiel es auch niemandem auf, daß Wasserstoff *noch nicht einmal ein Brennstoff ist!!* Es kam so weit, daß die meisten College-Absolventen nicht einmal wußten, wofür »$H_2O$« steht.

Bald darauf wurde es wirklich schlimm. Das Öl wurde knapp, und da es auch keinen Wasserstoff gab, mit dem wir unsere Autos hätten antreiben können, wurden die Leute richtig böse. Aber da war es schon zu spät. Und dann fing das große Sterben an.

**Anne Coulter Moore:** *Ich weiß, die Nahrungsmittel gingen aus.*
**Michael Moore:** Zu der Zeit erschien es eine gute Idee, mit Hilfe des Öls mehr Nahrungsmittel zu erzeugen. Heute fällt es schwer zu glauben, daß damals niemand zu erkennen schien, daß die gewaltige Nahrungsmittelproduktion, die notwendig war, um so viele Menschen am Leben zu halten, nicht sehr lange aufrechterhalten werden konnte.

Das war wahrscheinlich unser schlimmster Fehler. Die künstlich hergestellten Dünger, Pestizide und Herbizide, ganz zu schweigen von den Traktoren und sonstigen landwirtschaftlichen Geräten, hingen von fossilen Brennstoffen ab. Als die Ölproduktion ihren Zenit überschritt, stiegen die Preise für Nahrungsmittel im Verein mit denen für fossile Brennstoffe an. Zuerst verhungerten nur die Armen auf der Welt. Aber als den Leuten aufging, was los war, wurden Geschäfte und Warenhäuser geplündert, und auch reich zu sein war keine Garantie mehr dafür, genügend zu essen zu haben.

Verschlimmert wurde das noch dadurch, daß die Leute, als das große Sterben begann, es sich nicht mehr leisten konnten, zur Arbeit zu fahren, ihre Wohnungen zu heizen oder Strom zu kaufen. Einige Experten sagten zwar vorher, daß die globale Erdölproduktion um das Jahr 2015 herum ihren Höhepunkt erreichen würde, und wurden dafür ausgelacht – aber sie behielten recht. Die Brennstoffpreise schossen immer schneller in die Höhe – aber es war zu spät, um noch einen einigermaßen reibungslosen Übergang auf eine alternative Energiequelle zu schaffen. Die Katastrophe war da.

**Anne Coulter Moore:** *Urgroßvater, warum schiebst du einen Golfspieler in einem Einkaufswagen durch die Gegend?*

**Michael Moore:** Oh, verzeih mir. Der stammt aus meinem anderen Traum. Fred, zum Teufel, verschwinde, du störst hier.

**Anne Coulter Moore:** *Ich habe eine Theorie über das, was passiert ist. Ich habe gehört, daß deine Generation die Sonne geliebt hat und ihr euch die ganze Zeit in die Sonne gelegt und einfach geschlafen habt. Ich glaube, dafür habt ihr das ganze billige Öl verbraucht. Ihr habt die Erde aufgeheizt und den Winter abgeschafft, damit ihr alle richtig braun werdet und cool ausseht.*

**Michael Moore:** Nein, in Wahrheit hatten wir gewaltige Angst vor der Sonne. Die meisten von uns arbeiteten in Gebäuden mit luftdicht versiegelten Fenstern und Maschinen, die unsere Luft und unser Wasser filterten und reinigten. Wenn wir hinaus ins Freie gingen, schmierten wir uns mit Sonnencreme ein und setzten dunkle Sonnenbrillen und Hüte auf, um unsere Augen und Köpfe zu schützen. Aber so sehr wir die Sonne auch fürchteten, die Kälte haßten wir noch mehr. Wer konnte, zog in die warmen Bundesstaaten, wo es fast nie schneite. Dort verbrachte er seine Zeit dann in klimatisierten Wohnungen und Büros und fuhr in einem Auto mit Klimaanlage durch die Gegend. Das trieb den Erdölverbrauch natürlich noch mehr in die Höhe und heizte die Erde noch weiter auf, weshalb die Leute ihre Klimaanlagen noch mehr aufdrehten.

**Anne Coulter Moore:** *Warum haben sie Atombomben erfunden, um alle auf einmal umzubringen, wenn sie doch bereits Bomben auf Erdölbasis hatten? Und als sie aus den Atombomben Kernkraftwerke bauten, wußten sie nicht, daß eines explodieren und alle verbrennen könnte?*

**Michael Moore:** Vor einhundert Jahren wurde uns gesagt, daß die Kernspaltung Elektrizität so billig produzieren würde, daß es sich nicht einmal mehr lohnen würde, den Verbrauch zu messen. Passierte niemals. Der zweite Präsident Bush … oder war es der dritte Präsident Bush …? Egal, jedenfalls nicht der vierte Präsident Bush, aber einer dieser verdammten Bushs hat die Kernenergieproduktion hochgefahren. Doch dann packte ein verärgerter Kernkraftarbeiter seinen Lieferwagen mit Sprengstoff aus Dünger und Waschmittel voll und brummte mit der Ladung in seinen Arbeitsplatz – was nicht nur seinen Arbeitsplatz, sondern auch eine benachbarte Kleinstadt vernichtete. Danach wurde das Programm wieder eingestellt.

**Anne Coulter Moore:** *Dad sagt, daß zu deiner Zeit über sechs Milliarden Menschen auf der Erde gelebt haben. Manchmal macht es mir Angst, aber meistens versuche ich nicht an die Zeit zu denken, als überall auf der Welt so viele Menschen an Hunger und Krankheiten starben. In der Schule habe ich gehört, daß heute etwa eine halbe Milliarde Menschen auf der Welt lebt. Das klingt für mich nach ziemlich viel, aber manchmal habe ich Angst, daß das große Sterben noch gar nicht zu Ende ist. Was meinst du?*

**Michael Moore:** Mach dir keine Sorgen. Das große Sterben ist vorüber. Du bist jetzt sicher. Grab einfach weiter brav nach Plastik, und alles wird gut.

**Anne Coulter Moore:** *Urgroßvater, wie hast du überlebt?*

**Michael Moore:** Deine Urgroßmutter und ich waren auf Reisen im Ausland, als das große Sterben losging. Wir überlebten, weil wir irgendwo in der Großen Ölregion auf eine Höhle stießen, in der ein Haufen Nahrungsmittel und Mobiltelefone und ein FedEx-Karton lagen. Ich hätte niemals gedacht, daß jemand so lange in einer Höhle überleben könnte, ohne entdeckt zu werden. Aber wir schafften es, genauso wie die Leute, die vor uns in der Höhle gelebt hatten. Was mir allerdings seltsam vorkam, war, daß in der Höhle ein Dialyseapparat stand. Ich mußte immer wieder daran denken, daß vielleicht, aber nein, das war doch unmöglich ...

**Anne Coulter Moore:** *Dad sagt, daß er hofft, daß du und Urgroßmutter wieder zu uns ziehen, damit wir alle es wärmer haben. Obwohl ich wütend bin auf dich, weil du das ganze Öl verbraucht und nicht mal einen Kanister für uns aufgehoben hast, wäre es schön, euch bei uns zu haben und zusammen unter der Familiendecke zu kuscheln, wenn die Temperaturen wieder unter Null fallen und wir die Nachbarn nicht überreden können, zu uns herüberzukommen. Einmal war es so kalt, daß wir ein paar Tiere unter die Decke geholt haben. Das war zwar wärmer, aber die haben so gestunken, daß ich nicht einschlafen konnte. Mom sagt, daß ihr manchmal sogar draußen geheizt habt, damit ihr ohne Jacken herumstehen und Drinks schlürfen konntet. Könnten du und Urgroßmutter nicht bei uns wohnen?*
**Michael Moore:** Aber natürlich, sehr gerne. Ich fürchte nur, daß wir, alt wie wir sind, auch ziemlich stinken.

**Anne Coulter Moore:** *Mom hat gesagt, daß du in einem dieser Ölkriege ein paar Minuten lang berühmt warst, weil du wegen irgend etwas herumgebrüllt hast. Aber alles, was wir haben, ist dieses alte Bild von dir mit offenem Mund, auf dem du auf etwas deutest. Und du benutzt dazu zwei Finger! Worüber hast du dich so aufgeregt? Über das Öl?*
**Michael Moore:** Ähm, also, Urgroßmutter erlaubt mir nicht darüber zu reden, solange sie noch am Leben ist. Sie hat sich an

dem Abend in Schale geworfen und alles, und sie war so schön und… Gibst du mir das Bild, Kleine? Ich fange schon an, Buhrufe zu hören!

**Anne Coulter Moore:** *Natürlich, hier hast du es. Danke, Urgroßvater! Irgendwelche letzten Worte? Die Kerze ist fast abgebrannt.*

**Michael Moore:** Ja, weißt du, wenn ich jetzt so zurückblicke, dann waren die zehn Jahre zwischen 2005 und 2015 die entscheidenden zehn Jahre in der Geschichte unserer Spezies. Viele von uns wollten die anderen vor der Gefahr warnen, daß uns das Öl ausgeht, aber kaum jemand hörte ihnen zu. Es gab gute Menschen, Menschen, die sich für ihre Mitmenschen, für die Kinder und für die Erde einsetzten. Wir haben gekämpft, aber wir haben nicht entschlossen genug gekämpft. Die Kräfte der Selbstsucht und Habgier waren stärker. Sie schienen erpicht darauf, uns auszurotten, und fast hätten sie das auch geschafft. Es tut mir leid. Es tut uns leid. Vielleicht macht ihr es ja besser.

Genau in dem Moment, als ich gerade so richtig predigte und rührselig wurde, schreckte ich von kaltem Schweiß bedeckt auf und murmelte etwas von einer überfälligen Rechnung von einer Trockenreinigung aus Toledo. Mit einem Ruck saß ich kerzengerade im Bett, bevor mir klarwurde, daß alles nur ein Traum gewesen war und so etwas Lächerliches in Wahrheit niemals würde passieren können. Also legte ich mich wieder hin, kuschelte mich unter meine elektrische Heizdecke und war bald schon wieder vom Schlaf und süßen Träumen von tanzenden Tofutti-Eiscremes umhüllt…

## FOUR

# Die Vereinigten Staaten von *Buuh!!*

**Es gibt keine terroristische Bedrohung.**
Beruhigt euch. Entspannt euch, hört aufmerksam zu und sprecht mir dann langsam nach:

Es gibt keine terroristische Bedrohung.

*Es gibt keine terroristische Bedrohung!*

***ES... GIBT... KEINE... TERRORISTISCHE... BEDROHUNG!***

Fühlt ihr euch besser? Nicht wirklich, stimmt's? Ich weiß, es ist verdammt schwer. Erstaunlich, wie schnell diese Überzeugung so tief in unser kollektives Bewußtsein gehämmert wurde, daß heute das ganze Land, ach was, die ganze Welt nur so von Terroristen wimmelt. Überall laufen bösartige Verrückte Amok, die nur ein Ziel verfolgen: Alle lebenden amerikanischen Ungläubigen abzumurksen.

Natürlich schwand unsere Angst nicht gerade, als wir den Massenmord an 3 000 Menschen mitansehen mußten, die gleichsam vor unseren Augen auf grausamste Weise ausgelöscht wurden. So etwas ist dazu angetan, selbst die hartnäckigsten Skeptiker unter uns davon zu überzeugen, daß da draußen Menschen lauern, die uns hassen und regelrecht erpicht darauf sind, daß weniger von *uns* auf der Erde herumlaufen.

Aber warum hassen sie uns? Unser Führer wußte, warum, als er ein paar Tage nach dem 11. September eine Rede an die Nation hielt: »Sie wollen, daß wir nicht mehr fliegen, und sie wollen, daß wir nicht mehr shoppen. Aber dieses großartige

Land wird sich von den Übeltätern nicht einschüchtern lassen.«

Wenn ich sage, es gibt keine terroristische Bedrohung, dann sage ich damit nicht, daß es keine Terroristen oder keine Terroranschläge gibt oder daß es in Zukunft keine Terroranschläge mehr geben wird. Es GIBT Terroristen, und sie HABEN schlimme Anschläge verübt und WERDEN das, leider Gottes, in nicht allzu ferner Zukunft auch wieder tun. Davon bin ich restlos überzeugt.

Bloß weil es ein paar Terroristen gibt, befinden wir uns aber noch lange nicht in einer besonders bedrohten oder gefährdeten Lage. Wenn aber Bush und Konsorten von Terroristen sprechen, tun sie so, als ob es *Millionen* von ihnen gäbe, als ob sie *überall* wären und als ob das auf alle Zeiten hinaus so bleiben würde. Cheney hat das als die »neue Normalität« bezeichnet, ein Zustand, der »das Leben in Amerika permanent prägen wird«. Das hoffen sie aber nur.

Sie nennen es den Krieg gegen den »Terror«. Wie, bitte schön, führt man eigentlich Krieg gegen ein Substantiv? Kriege werden gegen Staaten geführt, gegen Religionsgemeinschaften oder gegen Völker. Sie werden nicht geführt gegen Substantive oder Probleme, und bislang hat das noch jedes Mal, wenn es versucht wurde – der »Krieg gegen die Drogen«, der »Krieg gegen die Armut« –, das Scheitern der Kriegsanstrengungen zur Folge gehabt.

Unsere Führer möchten uns glauben machen, daß dies ein Guerillakrieg ist, geführt von Tausenden ausländischer Terroristen/Soldaten, die heimlich in unserem Land leben. Aber das ist es *nicht,* was sich hier abspielt, und es ist höchste Zeit für einen Realitätscheck. Amerikaner werden sehr selten vom internationalen Terrorismus und so gut wie nie auf amerikanischem Boden ins Visier genommen. Im Jahr 2000 betrug die Wahrscheinlichkeit, als Amerikaner in den Vereinigten Staaten einem Terroranschlag zum Opfer zu fallen, exakt *Null.* Im Jahr 2002 betrug diese Wahrscheinlichkeit erneut exakt NULL. Und im Jahr

2003, während ich dies schreibe, erlaube ich mir die Frage: Wie hoch ist die Gesamtzahl der Menschen, die in den Vereinigten Staaten in diesem Jahr einem Terrorakt zum Opfer gefallen sind? Null. Selbst im tragischen Jahr 2001 betrug euer Risiko als Amerikaner, in diesem Land euer Leben bei einem Terrorakt zu verlieren, gerade einmal 1 zu 100 000.

Im Jahr 2001 war es viel wahrscheinlicher, daß ihr an der Grippe oder einer Lungenentzündung dahinscheidet (1 : 4 500), euch selbst das Leben nehmt (1 : 9 200), einem Mord zum Opfer fallt (1 : 14 000) oder bei einem Verkehrsunfall ums Leben kommt (1 : 6 500). Aber hat sich jemand wegen der Gefahr verrückt gemacht, auf der Fahrt mit dem Auto zu einer Konditorei, wo man sich von einem hustenden Jugendlichen ein Herzkrankheiten förderndes süßes Stückchen geben läßt, sein Lebenslicht auszuhauchen? Nein. Die Selbstmordrate allein bedeutet, daß IHR im Jahr 2001 eine größere Gefahr für euch selbst dargestellt habt als alle Terroristen zusammengenommen. Sämtliche oben zitierten Todesursachen sind weitaus wahrscheinlicher als der Tod durch Terrorismus, aber deswegen werden keine neuen Gesetze verabschiedet, keine Länder bombardiert, keine Milliarden Dollar pro Monat an zusätzlichen Mitteln bereitgestellt, keine Einheiten der Nationalgarde entsandt und kein Alarm der Stufe Orange ausgelöst. Genausowenig bringt CNN deswegen am unteren Bildschirmrand fortlaufende Textbänder mit Details, die uns in heillose Panik versetzen. Auch in der Öffentlichkeit keine Reaktion, abgesehen vielleicht von Gleichgültigkeit, Verdrängung oder, bestenfalls, jener achselzuckenden Akzeptanz, daß derlei Tragödien nun mal zum Leben gehören.

Aber wenn auf einmal so viele Menschen so grausam getötet werden, und dann auch noch live im Fernsehen, können statistische Angaben wie die oben gemachten rein gar nichts gegen die emotionale Reaktion ausrichten, die der Anblick des ganz realen Horrors, wie wir ihn am 11. September miterlebten, auslösen muß. Wir sind zu der Überzeugung gelangt, daß das Böse uns ins Visier genommen hat, *daß jeder von uns zu jeder Zeit an jedem Ort in diesem riesigen Land einem Terroranschlag zum Opfer fallen könnte* – obwohl die Wahrscheinlichkeit, daß dies tatsächlich passiert, praktisch null ist. Eine Massenpsychose hat das Land erfaßt; ich bin Teil davon, ihr seid Teil davon, und selbst die hochrangigen Generäle, die die Tränen nicht mehr zurückhalten können, auch sie sind Teil davon.

Ganz recht, auch ich habe mich davon infizieren lassen. Ich lebe einen Teil des Jahres in New York, und jeden Tag, den ich dort bin, frage ich mich, ob dies der Tag ist, an dem die nächste Bombe hochgeht. Wenn ich draußen vor meinem Fenster einen lauten Knall höre, zucke ich zusammen. Wenn ich ein tieffliegendes Flugzeug am Himmel sehe, verfolge ich es mit mißtrauischen Augen. Beim Fliegen unterziehe ich meine Sitznachbarn einer kritischen Inspektion, und außerdem trage ich im Flugzeug immer eine Waffe bei mir. Ja, ihr habt richtig gelesen, ich trage eine Waffe bei mir. Eine legale Waffe. Ich habe stets einen Baseball im Handgepäck, ein Geschenk von Rudy Giuliani, als wir in New York *TV Nation* drehten. Der Baseball ist von allen Spielern der New York Yankees der Saison 1994 unterzeichnet. Sollte irgendein Schurke versuchen, die Cockpittür aufzubrechen, denke ich, daß ich ihm einen ziemlich guten, harten Ball mit rund 80 Sachen pro Stunde verpassen könnte. (So ein Baseball erzielt auch in eine Socke gestopft eine erstaunlich durchschlagende Wirkung; einmal richtig ausholen und zack! – ein K.-o.-Schlag direkt auf die Rübe!) Und nicht zu vergessen, Schnürsenkel; um die Daumen gewickelt, ergeben die ein recht brauchbares Würgeinstrument, wenn man sie erst einmal um den Hals des Bastards geschlungen hat. Was auch immer gerade verfügbar und greifbar ist, ich werde bestimmt nicht kampflos untergehen.

Ihr seht, mich hat es ebenfalls erwischt. Aber wahrscheinlich kann das gar nicht anders sein, wenn man mit jemandem, der an Bord einer dieser Maschinen saß, gearbeitet und ihn gut gekannt hat.

Wie konnte es mit mir kleinem altem Pazifisten nur so weit kommen? Zur Hölle, ich habe Schiß, so wie jeder andere auch.

Angst, zumindest die rationale Variante, ist ein wichtiger Bestandteil unserer Überlebensfähigkeit. Echte Gefahr zu registrieren und entsprechend zu reagieren ist ein Instinkt, der unserer Spezies über viele Jahrtausende hinweg gute Dienste geleistet hat.

*Irrationale* Angst dagegen ist ein Killer. Sie bringt unseren Überlebenskompaß zum Rotieren. Sie läßt dich zur Waffe greifen, wenn du mitten in der Nacht ein Geräusch hörst (und dann erschießt du aus Angst deine Frau, die im Dunkeln zur Toilette getappt ist). Angst bewirkt, daß wir nicht neben jemandem wohnen möchten, der einer anderen Rasse angehört. Und sie bringt uns dazu, bereitwillig die bürgerlichen Freiheiten aufzugeben, die wir seit über 200 Jahren genießen, nur weil unsere »Führer« uns etwas von einer »terroristischen Bedrohung« erzählen.

Angst ist ein so zentrales und dabei so leicht manipulierbares Gefühl, daß sie zu unserem besten Freund und zugleich zu unserem schlimmsten Feind geworden ist. Und wenn sie als Waffe gegen uns eingesetzt wird, kann sie vieles von dem zerstören, was wir an unserem Leben in den Vereinigten Staaten von Amerika so lieben.

Laut Regierung Bush und den Geschichten, die sie in den Medien lanciert, sind die Terroristen *überall.* Jeder neue Tag scheint eine neue Warnung zu bringen. Ein neuer Alarm! *Eine neue Bedrohung!*

- *Achtung vor mit Sprengstoff beladenen Modellflugzeugen!* Das FBI Law Enforcement Bulletin, das Verlautbarungsorgan der amerikanischen Bundespolizei, berichtete, man habe eine »terroristische Bedrohung« durch eine »unkonventionelle Waffe« in Form von »Satin-Gas *[sic]*« abgewehrt. Nachdem der winzige Kanister bei einem Modellflugzeugbauer beschlagnahmt und von Gefahrstoffexperten in einem speziellen Militärflugzeug auf eine spezielle Militärbasis geflogen worden war, gab der Modellbauer zu, den leeren Modellkanister »zum Spaß« mit »Satin-Gas *[sic]*« beschriftet zu haben.

Nichtsdestotrotz gab die Regierung eine Warnung heraus, auf Modellflugzeuge zu achten, mit denen Terroristen Explosivstoffe in Gebäude fliegen könnten, woraufhin Mitte Juli 2003 in privaten Nachrichtensendern Experten vor der neuen und schweren Gefahr warnten.

- *Wer in der Nähe von Bahngleisen herumlungert, könnte Vorbereitungen treffen, Züge zum Entgleisen zu bringen!* Im Oktober 2002 warnte das FBI alle Polizeidienststellen in den USA vor einem möglichen Anschlag auf Transporteinrichtungen und insbesondere auf Eisenbahnen. »Geheimdienst«-Beamte sagten, ihnen seien Al Kaida-Aufnahmen von Lokomotiven und Bahnübergängen in die Hände gefallen. (Gott, ich hoffe nur, daß die meine Modelleisenbahn im Keller noch nicht gesehen haben.)

- *Obacht vor Schuhbomben!* Laut Angaben des FBI kann der Sprengstoff TAPT, den der Schuhbomber benutzte, von den gängigen Flughafenscannern noch nicht entdeckt werden. Zudem, warnen Sprengstoffexperten, kann TAPT von jedem mit einem Collegeabschluß in Chemie in einem Kellerlabor hergestellt werden. Das letzte Mal, als ich jemanden gesehen habe, der seine Schuhe in Brand gesteckt hat, war 1978 auf einem Konzert von ELO im IMA-Auditorium in Flint. Ein Typ, der zuviel getrunken hatte, reiherte auf seine Schuhe. In dem Moment zündete sich neben ihm jemand eine Zigarette an und ließ das Streichholz fallen, was die alkoholgetränkte Kotze des Typen mitsamt seinen Schlappen richtig cool in Brand steckte.

- *Haltet Ausschau nach verdächtigen Personen im Umfeld von Tankstellen.* Nun, das ist wirklich etwas, da wären wir selbst niemals draufgekommen. Aber ein aufmerksamer Tankwart in Oklahoma alarmierte die Polizei, als zwei verdächtige Lieferwagen und ein Lastwagen voller Ausrüstung bei ihm vorfuhren. Binnen weniger Minuten hatten Polizei und FBI mit gezogenen Waffen die Rockband *Godspeed You! Black Emperor* umstellt. Als die Musiker nach stundenlangem Verhör wieder freigelassen wurden, meinte der Sänger Efrim Menuck gegenüber der *Seattle Weekly:* »Gott sei Dank sind wir nette weiße Jungs aus Kanada.«

- *Al Kaida könnte Waldbrände in den westlichen Vereinigten Staaten legen.* Die Tageszeitung *Arizona Republic* brachte eine Meldung über ein Memo des FBI an die Polizeibehörden, in dem sie darauf aufmerksam gemacht wurden, daß Al Kaida Pläne entwickelt habe, in Colorado, Montana, Utah und Wyoming Waldbrände zu legen. Sobald, so das angebliche Kalkül der Terroristen, die amerikanische Öffentlichkeit erfährt, »daß die Feuer Terroranschläge sind, wird sie Druck auf die US-Regierung ausüben, ihre Politik zu ändern«.

- *Terroristen bringen gefälschte Markenprodukte wie nachgemachte Sony-Musikgeräte, Nike-Turnschuhe und Calvin-Klein-Jeans in Umlauf!* Vor nicht allzu langer Zeit schickte ein Al Kaida-Sympathisant eine Ladung gefälschter Parfüme, Shampoos und Rasierwasser von Dubai nach Dublin. Man wagt gar nicht daran zu denken, welche verheerenden Schäden gefälschtes Parfüm anrichten könnte. Der US-Kongreß hat das Konzept »nachgemachter Waren« auf »nachgemachte Medikamente« ausgedehnt und verfügt damit über ein sehr praktisches Instrument, um den Import billiger kanadischer Medikamente mit dem Hinweis auf die Gefahr zu unterbinden, daß Terroristen nachgemachte Medikamente in die USA importieren könnten.

- *Achtet besonders auf verdeckt arbeitende Al Kaida-Agenten mit tragbaren Lötlampen, die versuchen, die 21 736 Drähte zu durchtrennen, welche die Brooklyn Bridge zusammenhalten!* Das FBI nahm einen Lastwagenfahrer fest, der die Brücke ausgekundschaftet und die Drähte gezählt hatte. Laut Expertenschätzung bräuchte man rund eine Woche, um sämtliche Drähte zu durchtrennen, also seid auf der Hut!

- *Meldet jede verdächtig erscheinende pulverige Substanz!* Nachdem sie mit der Post eine verdächtige pulvrige Substanz erhalten hatte, alarmierte eine Frau in New Orleans die Behörden; kurz darauf standen Feuerwehr, Vertreter der Post, Polizisten und FBI-Agenten vor ihrer Tür, um die Substanz zu untersuchen. Wie sich zeigte, handelte es sich bei dem ominösen Pulver um eine kostenlose Waschmittelprobe. Aber das heißt nicht, daß es da draußen keine Terroristen gibt (selbst wenn die Behörden inzwischen davon ausgehen, daß hinter den Milzbrand-Anschlägen von 2001 jemand stand, der für die US-Regierung oder ein von ihr genehmigtes Programm arbeitete und dort Zugang zu den Sporen hatte).

Junge, Junge, diese Terroristen legen sich aber mächtig ins Zeug! Mit Sprengstoff vollgestopfte Modellflugzeuge! Satingas! Waldbrände! Tiger! Bären! Der schwarze Mann kommt euch holen!! RENNT UM EUER LEBEN!

Das einzige, was noch dämlicher ist als dieses billige Buuh!!-Spiel, ist die Bereitwilligkeit, mit der wir darauf hereinfallen. Was ist mit unserem gesunden Menschenverstand passiert? Ihr wißt schon, dieser Reflex in eurem Gehirn, der euch früher dazu brachte, *Scheiße!* zu rufen, wenn euch jemand einen so offensichtlichen Unsinn auftischte. Genau das passiert, wenn euer Angstradar einen kräftigen Schlag abbekommen hat. Ihr werdet so wirr im Kopf, daß ihr nicht mehr zwischen Wirklichkeit und Wahn unterscheiden könnt.

Warum will unsere Regierung uns mit so absurdem Aufwand einreden, unser Leben sei in Gefahr? Wegen nichts weniger, so die Antwort, als ihrem größenwahnsinnigen Wunsch, die Welt zu beherrschen, und zwar indem sie zuerst uns unter ihre Kontrolle bringt und uns dann auch noch dazu bewegt, ihren Feldzug zur Unterwerfung des restlichen Planeten zu unterstützen. Klingt verrückt, oder? Klingt eher wie ein Filmdrehbuch, stimmt's? Aber Bush/Cheney/Ashcroft/Wall Street/Fortune 500 betrachten dieses 11. September-Verschreckte-Amerika als *ihre Chance* – eine ihnen vom Schicksal durch den Irrwitz einer Handvoll Terroristen in den Schoß gelegte, einmalige Gelegenheit –, die Zügel an sich zu reißen und allen Leuten, die zu fragen wagen, wer die Nr. 1 auf der Welt ist, mit den Vereinigten Staaten das Maul zu stopfen. Wer *ist* die Nummer 1? **ICH HABE GE-FRAGT, WER IST DIE NUMMER 1??** Ganz richtig! Schreit es lauter! Schreit es für George und Dick und Johnny und Condi: **WIR SIND DIE NUMMER 1! USA! USA! USA!**

George und Dick und Johnny und Condi wissen, daß *echte* Amerikaner keine Lust haben, irgend jemanden zu beherrschen. Also müssen sie es uns in einer hübschen Verpackung verkaufen – und diese Verpackung ist die ANGST. Um uns so richtig Angst und Schrecken einzujagen, brauchen sie einen großen und richtig bösen Feind, aber nach dem Ende der Sowjetunion blieb Bush sr. keine Zeit, einen neuen Feind zu erfinden. Bevor er sich versah, hatte Clinton ihm einen Tritt verpaßt. Die Rechten standen drau-ßen vor der Tür und hatten acht lange Jahre Zeit, ihre Rückkehr an die Macht zu planen.

Ihnen zu Hilfe kam ein hochrangig besetzter politischer Think-Tank, das *Project for a New American Century,* kurz PNAC (»Projekt für ein Neues Amerikanisches Jahrhundert«), dessen Vordenker forderten, daß die Vereinigten Staaten nur ein einziges Ziel verfolgen sollten: die unumschränkte und militä-risch abgesicherte globale Hegemonie der USA.

Ihren ersten Schritt in diese Richtung unternahmen sie am 26. Januar 1998 mit einem offenen Brief an Präsident Clinton. In dem Brief warnten die PNAC-Neokonservativen Paul Wolfo-witz und William Kristol zusammen mit Donald Rumsfeld und Richard Perle, daß die amerikanische Eindämmungspolitik gegenüber dem Irak »gefährlich unangemessen« sei und es Ziel der amerikanischen Außenpolitik sein müsse, »Saddam Hussein und sein Regime von der Macht zu entfernen«.

Nach seiner Machtergreifung im Jahr 2000 spielte Bush jr. das Pentagon diesen rechtsradikalen Verrückten in die Hände. Nach dem 11. September forderten Rumsfeld, Wolfowitz (in der Zwi-schenzeit zu Rumsfelds Stellvertreter aufgestiegen) und die ganze Meute von Kriegstreibern unverzüglich einen Angriff auf den Irak als eine der ersten Aktionen im Rahmen des neuen permanenten Kriegs gegen den Terror. Ihr nächster Coup: Sie peitschten einen Verteidigungshaushalt in Höhe von 400 Milliarden Dollar, davon 70 Milliarden Dollar allein für neue Waffen, durch den Kongreß.

Dank dem 11. September hatten Wolfowitz und seine Falkenfreunde von rechts außen nun endlich einen Feind, den sie der Öffentlichkeit präsentieren konnten. In dieselbe Bresche hieb auch Clintons ehemaliger CIA-Direktor James Woolsey, als er verkündete, soeben habe der 4. Weltkrieg begonnen (der 3. Weltkrieg war der Kalte Krieg). Dieser Logik zufolge wird der »Krieg gegen den Terror« unilateral und unbegrenzt sein und ebenso lange dauern wie der Kalte Krieg (fünfzig Jahre), wenn nicht sogar noch länger oder bis in alle Ewigkeit. Wenn ihr mir nicht glaubt, dann glaubt ihr ja vielleicht Donald Rumsfeld: »[Dieser Krieg] wird zweifelsohne eher ein Kalter als ein Heißer Krieg sein«, sagte Rummy. »Denken Sie mal darüber nach; der Kalte Krieg dauerte fünfzig Jahre, plus oder minus. Er verlief ohne größere Schlachten. Vielmehr ging es um permanenten Druck ... Das erscheint mir eine angemessenere Art zu sein, das zu beschreiben, mit dem wir es hier zu tun haben.«

Wow – ein Krieg ohne Ende. Wenn man die Leute dazu bringt, einem das abzunehmen, dann werden sie einen alles tun lassen, solange es dem Schutz der Bürger der USA dient. Das ist die Bush-Variante der alten Mafia-Schutzgeldmasche. Da draußen sind Leute, die dir Böses wollen. Osama hat's getan! Saddam hat's getan! Diese verrückten Ajatollahs tun es vielleicht! Nordkorea, die könnten es tun! Und was ist mir der PLO? Wir schützen euch, gebt uns einfach euer ganzes Geld und verzichtet auf alle eure Rechte. Und ansonsten, haltet die Klappe!

Alles, was wir im kommenden Jahr, bis zu den Wahlen im November 2004, von Bush hören werden, ist, daß ein Krieg tobt, ein Krieg gegen den Terrorismus, ein Krieg zur Befreiung und zum Wiederaufbau des Irak, ein Krieg gegen die iranischen Ajatollahs, ein Krieg gegen die nordkoreanischen Atomspinner, ein Krieg gegen die kolumbianischen Drogenbosse, ein Krieg gegen Extremisten, ein Krieg gegen die Kommunisten auf Kuba, ein Krieg gegen die Hamas, ein Krieg gegen…

Damit sie einen grenzenlosen Krieg führen können, müssen sie grenzenlose Angst erzeugen, eine Angst, die sich nur dann auf beliebige Zeit hinaus ausdehnen läßt, wenn man uns unsere bürgerlichen Grundrechte wegnimmt.

Die Rechten müssen diesen Krieg, jenen Krieg, so lange fortführen wie nur möglich, weil er die Menschen von den eigentlichen Problemen ablenkt. Jeder – außer denen, die darin umkommen – liebt einen guten Krieg, vor allem einen, den man schnell gewinnen kann. Wir sind die Guten. Die sind die Bösen! Die Bösen sind tot! Wir siegen! Kameras habt acht, der siegreiche POTUS (*P*resident *O*f *T*he *U*nited *S*tates, A. d. Ü.) landet auf dem Flugzeugträger!

Genauso wird Bush den Wahlkampf zu seiner Wiederwahl führen. »Ich habe für euch einen Krieg gewonnen. Und ich habe für euch noch einen Krieg gewonnen. Aber es gibt noch mehr Kriege, und ihr braucht mich, um auch diese zu gewinnen!« Der gute alte Wahlspruch eben: »Mitten im Fluß wechselt man die Pferde nicht.«

Aber das hier ist kein Fluß, Leute. Das wird eine Springflut, die unsere Demokratie hinwegfegen könnte. Gebt diesen Typen noch vier Jahre! Glaubt ihr, sie würden danach ihre größenwahnsinnigen Machenschaften widerstandslos wieder aufgeben und einen vom Volk gewählten Demokraten oder Grünen ans Ruder lassen? Wie viele unserer Freiheiten oder die unserer Kinder sind wir bereit zu opfern, damit Bush und Konsorten ihre Taschen weiter mit dem Geld stopfen können, daß sie mit einer verängstigten Nation und einem permanenten Krieg verdienen?

**Nein, ihr werdet nicht von einem Terroristen ermordet werden.** Wir leiden unter einer ernsthaft verzerrten Wahrnehmung. Und die wird gegen uns verwendet – nicht von Terroristen, sondern von Führern, die uns terrorisieren wollen.

Ein großer amerikanischer Präsident sagte einmal, daß wir vor nichts Angst zu haben bräuchten außer vor unserer Angst. Dieser

Präsident inspirierte und förderte eine ganze Nation. Heute haben wir nichts zu fürchten außer George W. Bush. Es ist meine feste Überzeugung, daß Bush und seine Helfershelfer (allen voran Justizminister John Ashcroft) nur ein Ziel verfolgen: Uns eine solche Heidenangst einzujagen, daß wir, egal welches Gesetz sie bewilligt haben oder welche Vollmacht sie vom Kongreß gewährt bekommen möchten, ihnen freudestrahlend geben, wonach immer ihnen der Sinn steht.

Unmittelbar nach dem 11. September konnte Bush den »USA Patriot Act« durch den Kongreß bringen (ausgeschrieben heißt das Gesetz: »Uniting and Strengthening America by Providing Appropriate Tools Required to Intercept and Obstruct Terrorism Act of 2001« [»Gesetz zur Einigung und Stärkung Amerikas durch die Bereitstellung der geeigneten und erforderlichen Instrumente zur Abwehr und Verhinderung des Terrorismus«, A. d. Ü.]). Das Gesetz gewährt der Regierung unter weitgehender Mißachtung der bürgerlichen Rechte und des Rechts auf Privatsphäre in einem beispiellosen Maße Freiheiten bei der Informationsbeschaffung. Der Senat nahm das Gesetz mit 98 zu 1 Stimmen an. Der einzige aufrechte Patriot im Senat an diesem Tag war der demokratische Senator Russ Feingold aus Wisconsin. Nachdem Feingold die einzige Neinstimme abgegeben hatte, erhob er sich und hielt eine ebenso kurze wie brillante Rede:

Es gab Zeiten in der Geschichte unserer Nation, in der die bürgerlichen Freiheiten zurückstehen mußten hinter Forderungen, die damals als legitime Zwänge des Krieges erschienen. Unser nationales Bewußtsein ist noch immer getrübt und gezeichnet von diesen Ereignissen: Die Fremden- und Aufruhrgesetze von 1798, die Aufhebung der Habeas-Korpus-Akte während des Bürgerkriegs, die Internierung von Amerikanern japanischer, deutscher und italienischer Abstammung während des Zweiten Weltkriegs, die schwarzen Listen angeblicher kommunistischer Sympathisanten während der McCarthy-Ära und die Überwachung und

Schikanierung von Antikriegsdemonstranten, darunter auch Dr. Martin Luther King, während des Vietnamkriegs. Wir dürfen nicht zulassen, daß diese Ereignisse der Vergangenheit heute zu einem Prolog werden.

Erpicht darauf, den Republikanern zu einer einstimmigen Annahme des Gesetzes zu verhelfen, versuchten die demokratischen Parteispitzen mit allen Mitteln, Feingold »auf Kurs« zu bringen. Vergeblich. Feingold weigerte sich beharrlich, für das Gesetz zu stimmen, und mußte dafür im Senat den Zorn des Führers der Demokratischen Partei, Tom Daschle, über sich ergehen lassen. Gegenüber der Zeitschrift *Congressional Quarterly* erklärte Feingold später: »Ich weiß nicht, ob [mit Nein stimmen] gefährlich ist oder nicht, und offen gesagt, es ist mir auch egal … Falls sich das Schlimmste, was mir deshalb jemals passieren sollte, darauf beschränkt, aus dem Amt geworfen zu werden, kann ich mich noch ziemlich glücklich schätzen, wenn man bedenkt, gegen was wir hier antreten.«

In Wahrheit ist die Bezeichnung »USA Patriot Act« auf geradezu groteske Weise irreführend. Das Gesetz ist alles andere als patriotisch. Das angebliche »Patrioten«-Gesetz ist so unamerikanisch wie *Mein Kampf.* Der Name ist Bestandteil eines ausgeklügelten Plans, dessen Sinn und Zweck darin besteht, einen Mief zu überdecken, der noch schlimmer stinkt als die Brühe in einem Sumpf in Florida.

Ihr könnt das Gesetz natürlich selbst nachlesen, vorausgesetzt, ihr habt mehrere Tage Zeit und eine Schar Anwälte im Schlepptau. Dieses Gesetz ist nicht wie andere Gesetze, die in klarer, unmißverständlicher Sprache sagen, »Dies darfst du tun« oder »Dies darfst du nicht tun«. Der Patriot Act beschränkt sich größtenteils darauf, bereits bestehende Gesetze zu ergänzen oder abzuändern. Auf 342 Seiten erläutert der Gesetzestext mit keinem einzigen Satz, um was es eigentlich geht, sondern bezieht sich ausschließlich auf irgendwelche Absätze in irgendwelchen im Laufe der letzten einhundert Jahre erlassenen Gesetzen. Um den

Patriot Act lesen zu können, müßtet ihr alle im letzten Jahrhundert verabschiedeten Gesetze kennen, um nachprüfen zu können, welchen Satz oder welche Passage der Patriot Act ändert und was dies dann bedeutet. Um euch eine ungefähre Vorstellung zu geben, wovon ich spreche, hier der Abschnitt 220 des USA Patriot Act:

**Abschnitt 220. Landesweite Ausstellung von Durchsuchungsbefehlen für elektronische Beweise.**

(a) GENERELL – Kapitel 121 in Artikel 18, United States Code, wird wie folgt abgeändert –
(1) in Abschnitt 2703 durch die durchgängige Streichung von »unter der bundesstaatlichen Strafrechtsordnung« und Einfügung von »unter Anwendung der Vorschriften, festgelegt in der bundesstaatlichen Strafrechtsordnung durch ein Gericht mit Jurisdiktion über die Straftat, die Gegenstand der Ermittlung ist«, und
(2) in Abschnitt 2711 –
(A) in Paragraph (1) durch die Streichung von »und«;
(B) in Paragraph (2) durch die Streichung des Punktes und die Einfügung von »und«; und
(C) durch die Einfügung am Ende des folgenden Satzes:
(3) »der Begriff ›zuständiges Gericht‹ entspricht der in Abschnitt 3217 definierten Bedeutung und schließt ohne geographische Einschränkung jedes Bundesgericht ein, auf das diese Definition zutrifft.«
(b) ENTSPRECHENDE ABÄNDERUNG – Abschnitt 2703(d) in Artikel 18, United States Code, wird abgeändert durch die Streichung von »beschrieben in Abschnitt 3127 (2)(A)«.

Habt ihr's kapiert?
Aus diesem Grund raufen sich die Leute im Justizministerium jedesmal die Haare, wenn jemand wissen will, was das alles denn

nun genau zu bedeuten hat, und sie empfehlen den Bürgern regelmäßig, den »Gesetzestext selbst zu lesen«, um sich Klarheit zu verschaffen – eine in Anbetracht der verklausulierten Sprache des Gesetzes an Hohn grenzende Empfehlung.

Am 11. Oktober, gerade einmal einen Monat nach dem 11. September, stimmte der Senat einer Version des Gesetzes zu, die Bürgerrechtsexperten für noch weniger akzeptabel hielten als die dem Repräsentantenhaus vorgelegte Version, über die am nächsten Tag abgestimmt werden sollte.

Der Bush-Regierung mißfielen die in der Vorlage für das Repräsentantenhaus enthaltenen Einschränkungen, und so arbeitete das Justizministerium mit dem Sprecher des Repräsentantenhauses die ganze Nacht daran, sämtliche von den Ausschüssen des Hauses an die Vorlage angehängten bürgerrechtlichen Schutzklauseln wieder daraus zu entfernen. Die endgültige Version wurde am 12. Oktober um 3.45 Uhr eingereicht. Als die Repräsentanten ein paar Stunden später zur Abstimmung über das Gesetz im Kongreß schritten, dachten sie, nun würde über die Vorlage abgestimmt werden, auf die sie sich am Vortag geeinigt hatten. Statt dessen stimmten sie über ein Gesetz ab, dem Justizminister John Ashcroft über Nacht die letzten bürgerrechtlichen Zähne gezogen hatte. Nach Angaben der Bürgerrechtsgruppe American Civil Liberties Union hat kaum ein Kongreßabgeordneter vor der Abstimmung die endgültige Version des Gesetzes auch tatsächlich gelesen – der ungeheuerlichste und verantwortungsloseste Vorgang in der gesamten Geschichte des amerikanischen Kongresses.

Was das Gesetz tut? Es erlaubt der amerikanischen Regierung, all die zahllosen E-Mails, die ihr für vertraulich gehalten habt, »abzufangen und nachzuverfolgen«. Wenn das so weitergeht, könnt ihr das Wort »VERTRAULICH« getrost aus eurem Rechtschreibprogramm streichen. Gleichfalls zur Überprüfung freigeben: Bankaufzeichnungen, Schularchive, die Liste der Bücher, die ihr und eure Kinder dieses Jahr in der Stadtbücherei ausgeliehen habt (oder wie oft ihr euch in der Bibliothek ins Internet eingeloggt habt) und eure privaten Einkäufe. Glaubt ihr etwa, ich übertreibe? Das nächste Mal, wenn ihr im Wartezimmer eures Arztes sitzt oder in der Bank Schlange steht, müßt ihr unbedingt die neuen Vertraulichkeitsvorschriften lesen. Irgendwo in dem juristischen Kauderwelsch werdet ihr auf einen neuen Warnhinweis stoßen, demzufolge euer Recht auf den Schutz eurer Daten nach den Big-Brother-Bestimmungen unseres neuen Patriot Act geregelt ist.

Und das ist noch nicht alles. Dank der speziellen »Schnüffel und Spitzel«-Vorschriften des Patriot Act können Bundesagenten eure Häuser und Wohnungen durchsuchen, ohne – stellt euch das mal vor – euch jemals sagen zu müssen, daß sie dawaren!

Einer der wichtigsten Artikel der amerikanischen Bill of Rights ist der 4. Verfassungszusatz. Wir Amerikaner schätzen unser Recht auf Privatsphäre und lieben es, in einem Land zu leben, in dem der freie Meinungsaustausch gefördert wird. Aus diesem Grund verlangt die Verfassung der Vereinigten Staaten für eine Hausdurchsuchung einen Durchsuchungsbefehl, für dessen Ausstellung es eines verdammt guten Grundes bedarf. Doch jetzt gibt es die neue Anordnung von Ashcrofts Gnaden, die unser liebgewonnenes Verständnis von Heim und Herd kurzerhand außer Kraft setzt. Ashcrofts Gesetz ist kein patriotischer Akt. Weder meine Geschichtslehrerin in der 7. Klasse, Schwester Mary Raymond, noch unsere Gründungsväter (am allerwenigsten Jefferson) würden es mir verzeihen, wenn ich hier nicht auf eine schlichte Tatsache hinwiese: Wenn ihr den Herrschenden erlaubt, in eurem Leben herumzuschnüffeln und eure »Privatsphäre« zu verletzen, dann könnt ihr euch die Hoffnung abschminken, daß ihr in einer freien Gesellschaft lebt.

Statt vor einem ordentlichen Gericht einen hinreichenden Tatverdacht belegen zu müssen, erhalten Ashcrofts Agenten ihre geheimen Durchsuchungsbefehle von einem geheimen Gericht (dem 1978 gegründeten, »regierungseigenen« Foreign Intelligence Surveillance Court, kurz FISA). Dort reicht es, wenn die Feds auftauchen, die Zauberformel »aus geheimdienstlichen

Gründen« aussprechen, und schon bekommen sie von ihrem Geheimgericht jeden beliebigen Antrag abgestempelt. Dazu kommen noch die, laut Zeitungsberichten, über 170 im Jahr 2002 ausgestellten »Notfall«-Durchsuchungsbefehle (in den 23 Jahren davor wurden insgesamt nur 47 »Notfall«-Durchsuchungsbefehle ausgestellt). Diese »Notfall«-Durchsuchungsbefehle sind nichts weiter als ein vom Justizminister unterzeichnetes Stück Papier, das den FBI-Agenten ohne Überprüfung durch ein FISA-Gericht erlaubt, 72 Stunden lang Telefone abzuhören und Hausdurchsuchungen vorzunehmen.

Zu den Finessen des USA Patriot Act gehört auch eine Knebelanweisung. Wenn sich das FBI von eurer Bücherei die Liste eurer Ausleihungen hat aushändigen lassen, dürfen die Bibliothekare keinen Menschen über diesen Vorgang informieren – unter Androhung von Strafe versteht sich. (Aber vielleicht könnten Bibliotheken ohne Angst vor strafrechtlichen Konsequenzen einen wöchentlich aktualisierten Anschlag mit der Aufschrift aushängen: »Hallo Leute, letzte Woche haben keine FBI-Agenten hier herumspioniert.«) Bush/Cheney/Ashcroft und Konsorten müssen nun nicht mehr ernsthaft fürchten, daß ihnen jemand auf die Finger schaut, und können endlich nach Belieben in unserem Leben und in unseren Angelegenheiten herumschnüffeln.

Unter dem Patriot Act kann das Büro des Justizministeriums durch die bloße Ausstellung eines sogenannten »national security letter« von jedem Verdächtigen die Herausgabe aller gewünschten Informationen erzwingen. Seitdem hat Ashcrofts Ministerium solche Sicherheitsanweisungen mit einer Geschwindigkeit ausgestoßen, daß niemand – noch nicht einmal der Rechtsausschuß des Repräsentantenhauses – weiß, wie viele solcher Anweisungen bislang ausgestellt wurden. Als der Rechtsausschuß eben dies wissen wollte, wurde er von Ashcroft mit Hinweis auf seine neuen Kompetenzen abgewiesen. Die Ermittler brauchen jetzt nur noch eine dieser nationalen Sicherheitsanweisungen zu zücken, und voilà – ruck, zuck werden geschäftliche, Bildungs-, Internet-, Verbrauchs- und andere persönliche Daten herausgegeben, ohne daß ein begründeter Tatverdacht oder auch nur eine geheimdienstliche Notwendigkeit nachgewiesen werden müßten. Mit anderen Worten, das FBI kann jeden ausspionieren und überwachen, und zwar – Ashcroft weigert sich nämlich zu sagen, wen sie ausspionieren – ohne daß der Kongreß auch nur die Möglichkeit zur Überprüfung hätte.

Aber das ist noch nicht alles. Inzwischen haben wir so viele Leute ohne Gerichtsurteil in Geheimhaft gesteckt, daß so manche Bananenrepublik auf uns neidisch geworden sein dürfte. So wurden rund 5 000 junge Leute, größtenteils Studenten, vom FBI »interviewt«. Als Begründung reichte nun aus, daß ihre Staatsangehörigkeit ungeklärt war oder sie aus dem Nahen Osten stammten. Weitere 1 200 Personen wurden verhaftet und ohne Gerichtsverfahren und ohne Angabe der Haftdauer eingesperrt, und daß zumeist nur wegen geringfügiger Verstöße gegen die Einwanderungsbestimmungen, nach denen früher kein Hahn gekräht hätte. Von den aufgrund von Verstößen gegen die Einwanderungs- und Aufenthaltsbestimmungen Verhafteten saßen elf Prozent länger als sechs Monate hinter Gittern, bevor sie wieder freigelassen oder abgeschoben wurden. Etwa die Hälfte war über drei Monate in Haft.

In einem sehr kritischen Bericht monierte sogar der Generalinspektor des Justizministeriums, daß die in einem Bundesgefängnis in Brooklyn festgehaltenen Häftlinge »systematischem körperlichem und verbalem Druck« ausgesetzt waren und unter »übermäßig harten« Haftbedingungen litten, darunter 23-stündige Schließzeiten, rund um die Uhr beleuchtete Zellen, eine Kommunikationssperre und die übermäßige Verwendung von Handschellen, Fußeisen und schweren Ketten. Weiter wurde dem FBI in dem Bericht vorgeworfen, sich »kaum die Mühe einer Unterscheidung« zwischen Einwanderern mit möglichen Verbindungen zum Terrorismus und der großen Mehrheit derjenigen zu machen (viele waren zufällig ins Netz der Fahnder geraten), die offenkundig keine Verbindungen zum Terrorismus hatten.

Es ist unamerikanisch, eine große Gruppe von Menschen einzukerkern, solange es keinen triftigen Grund für die Annahme gibt, daß sie gefährlich sind.

Schlimmer noch, gegen einige der Inhaftierten wurden heimlich, still und leise Abschiebeverfahren in Gang gesetzt. Bereits kurz nach den Anschlägen vom 11. September leiteten Einwanderungsgerichte in den ganzen Vereinigten Staaten zahllose Geheimverfahren ein. Diese Vorgänge auch nur zu bestätigen war den Gerichtsangestellten verboten.

Nun sagen sich vielleicht einige meiner Leser, daß sie als gute US-Bürger mit einer Identitätskarte im Geldbeutel sicher sind vor Bushs Terror. Seid euch da mal nicht allzu sicher. Was ihre größeren Ziele angeht, hat sich die Bush-Administration bislang noch nie von Gesetzen behindern lassen. Bush ist der Ansicht, er habe als Oberbefehlshaber qua Amt die Macht – soll heißen, ohne Rücksicht auf die geltenden Gesetze des Landes –, *jede beliebige Person* als *»feindlichen Kämpfer«* zu definieren, hinter Gitter zu sperren, abzuschließen und dann den Schlüssel wegwerfen zu dürfen. Ein feindlicher Kämpfer ist laut dieser neuartigen Auffassung – die übrigens einen eklatanten Verstoß gegen das internationale Recht und gegen alles darstellt, wofür unser Land steht – eine Person ohne juristisch festgelegte Rechte.

Der USA Patriot Act und die Erfindung des »feindlichen Kämpfers« lassen erahnen, was Bush noch für uns in petto hat. Da wäre zum Beispiel das vom Pentagon entwickelte Konzept der »Total Information Awareness«. Als jemand Einwände gegen den beängstigenden Begriff »total« erhob, wurde das Konzept kurzerhand in »Terrorist Information Awareness« (TIA) umgetauft. Dieses anfangs von dem Iran-Contra-Mitverschwörer Admiral John Poindexter geleitete und der Defense Advanced Research Projects Agency (DARPA) unterstellte Programm soll später einmal in der Lage sein, die Aufzeichnungen aller von über zweihundert Millionen Amerikanern getätigten Transaktionen zu durchforsten. Jede von dem guten Admiral in das System eingegebene Anfrage – zum Beispiel »Gib mir die Namen aller Leute, die diese Woche eine optische Maus bei CompUSA gekauft haben« – läuft im Prinzip darauf hinaus, daß die US-Regierung jeder Person in den Vereinigten Staaten aufdringliche und nicht gerechtfertigte Fragen stellen kann. Aber diese Fragen werden euch nicht ins Gesicht hinein gestellt, sondern heimlich, wenn die Regierung Daten betrachtet, von denen ihr vielleicht gar nicht wißt, daß sie über euch gesammelt und gespeichert worden sind. Außerdem bekommt ihr keine Gelegenheit, die Fragen selbst zu beantworten und damit möglicherweise in den über euch gesammelten Daten enthaltene Fehler zu berichtigen oder mildernde Umstände anzuführen.

Ein weiteres geistiges Kind von Poindexter und der DARPA war der »Policy Analysis Market«, der von der Regierung auf eine Webseite im Internet gestellt werden sollte. Poindexter hatte sich überlegt, daß die Warenterminmärkte, die Bushs Kumpanen bei Enron so hervorragende Dienste leisteten, sich prinzipiell auch zur Vorhersage von Terroranschlägen eignen müßten. Dazu sollte Individuen die Möglichkeit gegeben werden, in hypothetische Termingeschäfte zu investieren, die auf der Wahrscheinlichkeit von Ereignissen wie »ein Mordanschlag auf Jassir Arafat« oder »der Sturz des jordanischen Königs Abdallah II.« basierten. Darüber hinaus waren auch Futures geplant, die sich auf die wirtschaftliche Entwicklung, die gesellschaftliche Stabilität und die Sicherheitslage in Ländern wie Ägypten, dem Iran, dem Irak, Israel, Jordanien, Saudi-Arabien, Syrien und der Türkei bezogen – alles Staaten, die fürs Geschäft mit dem Erdöl wichtig sind. Aber kaum hatte der Senat von Poindexters politischem Terminmarkt gehört, da war der Spuk auch schon wieder vorbei. Die Senatoren Wyden und Dorgan protestierten gegen die acht Millionen Dollar, die das Pentagon für das Projekt beantragt hatte. »Phantasiemärkte, an denen mögliche Ereignisse gehandelt werden, die einem Übelkeit verursachen, dürften nicht gerade ein sinnvoller nächster Schritt in dem vom Geld der Steuerzahler finanzierten Krieg gegen den Terror sein«, spottete Wyden. Der Aufruhr, den die Sache auslöste, führte dazu, daß Poindexter aufgefordert wurde, seinen Rücktritt einzureichen.

Amerika steht seit jeher für das Prinzip, daß die Regierung ihre Bürger nicht ausspionieren darf, es sei denn, es besteht hinreichender Grund zur Annahme, daß ein Bürger an gesetzeswidrigen Taten zumindest beteiligt ist. Selbst dann muß die Überwachung jedoch von einem Richter genehmigt werden. Und bei einer ordentlichen Vernehmung hatten wir bislang das verfassungsmäßig garantierte Recht darauf, die Aussage zu verweigern – Rechte, die mit einem Programm wie TIA der Vergangenheit angehören.

Terroristen hinterlassen in der Regel sehr wenige Spuren, sei es auf Papier oder in elektronischen Datenbanken. Terroristen bezahlen cash und halten den Ball flach. Aber wir hinterlassen Spuren, wo wir gehen und stehen – Kreditkarten, Mobiltelefone, Krankenakten, Internet. Wer wird hier eigentlich *wirklich* überwacht?

Abgesehen davon, wen juckt es schon, daß ausgerechnet die republikanische Partei wieder einmal eine neue Bürokratie erschaffen hat, obwohl sie den Großteil ihrer Zeit damit verbringt, gegen die Bundesregierung und die ganze Bürokratie zu wettern?

Vergessen wir nicht die Menschen, die in einer Art Vorhölle des Terrors schmoren: die Gefangenen von Guantánamo Bay. Ganz plötzlich waren wir hocherfreut, daß Kuba direkt vor unserer Haustür liegt – oder fällt euch etwa ein besserer Ort ein, an dem wir diese Übeltäter einlochen könnten, die wir in den letzten Jahren aus dem Verkehr gezogen haben? 680 Gefangene – darunter drei Jugendliche zwischen 13 und 16 Jahren – werden heute auf unbestimmte Zeit auf dem Stützpunkt festgehalten. Ohne Anklage, ohne Schuldspruch und Urteil, ohne Verteidiger, ohne alles. Kein Wunder, daß es in dem Camp bislang bereits 28 Selbstmordversuche gegeben hat.

Bis heute sind mindestens 34 Fälle dokumentiert, bei denen das FBI unter Berufung auf den Patriot Act gegen die bürgerlichen Freiheitsrechte verstoßen hat – und mindestens 966 weitere Fälle, in denen Betroffene bei den Gerichten Beschwerde wegen Amtsmißbrauchs eingelegt haben. Viele Betroffene kümmerten sich nur um ihre eigenen Angelegenheiten oder wollten sich in unserer freien und offenen Gesellschaft engagieren. Betrachten wir einmal ein paar Beispiele:

- John Clarke, ein Mitarbeiter der kanadischen Bürgerinitiative Ontario Coalition Against Poverty (OCAP), war auf dem Weg zur Michigan State University, wo er eine Rede halten sollte. Beim Grenzübertritt wurde er von Einwanderungsbeamten festgehalten und mußte warten, bis ein Agent des State Department aus Detroit zur Grenze herausgefahren kam. Der verhörte Clarke wegen seiner Teilnahme an Antiglobalisierungs-Demonstrationen, wollte von ihm wissen, ob er »ein Gegner der Ideologie der Vereinigten Staaten« sei und fragte ihn sogar nach dem Aufenthaltsort von Osama bin Laden. Der Agent legte Clarke eine vom State Department geführte Akte über die OCAP vor, die neben dem Namen eines Mannes, bei dem Clarke einmal in Chicago übernachtet hatte, auch Broschüren zu Clarkes bisherigen Redeauftritten in den Vereinigten Staaten enthielt.
- Als Anissa Khoder, eine US-Amerikanerin libanesischer Abstammung, in einer Vorstadt von New York wegen Falschparken vor Gericht erscheinen mußte, fragte sie der Richter, ob sie eine »Terroristin« sei.
- Im Mai 2002 wurden auf dem Los Angeles International Airport sechs französische Journalisten bei der Einreise herausgezogen, verhört und einer Leibesvisitation unterzogen. Die sechs Franzosen wurden über einen Tag festgehalten und anschließend des Landes verwiesen. Das Ziel ihrer Reise – eine Videospiel-Messe – erreichten sie nie.
- An einer High School in Vermont tauchte um 1.30 Uhr mittags ein uniformierter Polizeibeamter im Klassenzimmer des Lehrers Tom Treece auf. Der Polizist machte Aufnahmen eines

Kunstwerks von Schülern, auf dem »Präsident Bush mit Klebeband über dem Mund« über der Bildunterschrift »Setz' dein Klebeband sinnvoll ein. Schließ' deine Klappe« zu sehen war. Treece wurde als Lehrer für das Unterrichtsfach »Tagesgeschehen« dispensiert.

- In North Carolina erhielt die Collegestudentin A. J. Brown Besuch von zwei Beamten des Secret Service, die ihr Fragen nach sich in ihrem Besitz befindlichem »antiamerikanischem« Material stellten. Ohne die Agenten hereinzubitten, zeigte Brown ihnen, weswegen die beiden ihrer Ansicht nach gekommen waren: ein Poster gegen die Todesstrafe mit Bush und mehreren Gehängten und der Bildunterschrift »We Hang on Your Every Word«.

- Ebenfalls in North Carolina wurde das Grünen-Mitglied Doug Stuber festgenommen, verhört und schließlich davon in Kenntnis gesetzt, daß – Stuber wollte nach Prag fliegen – an diesem Tag Grüne nicht fliegen dürften. Die verhörenden Beamten des Secret Service zeigten ihm ein Schreiben des Justizministeriums, demzufolge Grüne im Verdacht standen, Terroristen zu sein, bevor sie ihn nach einer erkennungsdienstlichen Behandlung wieder nach Hause schickten.

Doch gibt es auch Zwischenfälle, die zwar nicht das Werk der Feds waren, aber dennoch aufzeigen, welche verstörenden Auswirkungen die jüngsten Entwicklungen auf unsere Gesellschaft haben. Hier zwei Beispiele:

- CBS feuerte einen Produzenten von *Hitler: The Rise of Evil,* nachdem er die Stimmung in Amerika mit der in Deutschland bei Hitlers Machtergreifung verglichen hatte.
- In Lynn, Massachusetts, wurde der Lehrerin einer zwölften Klasse an der English High School verboten, im Unterricht weiterhin meinen Film *Bowling for Columbine* zu zeigen, weil dieser, so der Schuldirektor, »kriegsfeindliche Aussagen« enthalte.

Wie ihr seht, reichen die Folgen von Bushs Handlungen weit über
rein auf den Terrorismus bezogene Bereiche hinaus. Sie haben
eine Atmosphäre erzeugt, in der die Leute gut beraten sind,
darauf zu achten, was sie sagen oder tun, und zwar jeden Tag.
(Tatsächlich hat kein Geringerer als der Sprecher des Weißen
Hauses, Ari Fleischer, die Kritiker der Bush-Regierung – und
insbesondere den Komiker Bill Maher – gewarnt, sie sollten
»darauf achten, was sie sagen, und darauf achten, was sie tun«.)

Aber was mich wirklich nervt, ist die Art und Weise, wie diese
Bande von Betrügern den 11. September als Entschuldigung für
*alles* mißbraucht. Der 11. September muß nicht mehr nur zur
Rechtfertigung von Maßnahmen zu unserem Schutz vor einer
»terroristischen Bedrohung« herhalten. Der 11. September ist
inzwischen *die Antwort schlechthin*. Er ist das himmlische
Manna, um das die Rechten so lange gebetet haben. Ein neues
Waffensystem? Wir brauchen es unbedingt! Warum? Äh,
weil…9/11! Die Umweltschutzvorschriften lockern? Das muß
sein! Warum? 9/11! Abtreibungen verbieten? Absolut! Warum?
9/11! Was hat 9/11 mit der Abtreibungsfrage zu tun? Hey, was
fällt euch ein, hier die Regierung zu kritisieren? Kann mal jemand das FBI rufen?

Für den Rest der Welt sieht es so aus, als seien wir durchge-
dreht. In anderen Ländern leben die Menschen seit Jahren, zum
Teil schon seit Jahrzehnten, mit dem Terrorismus. Und was tun
sie? Nun, sie drehen nicht durch vor Angst. Der durchschnittliche Deutsche hortet kein extrafestes Klebeband oder hört auf,
die U-Bahn zu benutzen. Sie lernen einfach, damit zu leben.
Shit happens.

Aber was tun wir? Wir erfinden farbkodierte Gefahrendia-
gramme. Wir filzen Neunzigjährige, die im Rollstuhl sitzen.
Wir zerpflücken unsere Verfassung. Das wird ihnen eine Lehre
sein, diesen Terroristen! Demontieren wir doch unseren American Way of Life selbst, dann können sie ihn nicht mehr in die
Luft jagen.

Das ist Schwachsinn.

Selbstverständlich bin auch ich dafür, daß eine Reihe von vernünftigen Vorkehrungen zur Vermeidung der wenigen Terrorakte ergriffen werden sollte, die immer wieder begangen werden könnten.

Vielleicht hätte George W. Bush eben doch mehr Zeit darauf verwenden sollen, die Berichte zu lesen, die ihm die CIA geschickt hat. Laut *Washington Post* erhielt Bush am 6. August 2001, also nur ein paar Wochen vor dem 11. September, einen mit dem Aufdruck »DRINGEND« versehenen Bericht, in dem davor gewarnt wurde, daß Al Kaida einen größeren Anschlag in den Vereinigten Staaten plane. (Der volle Inhalt des Memos ist unbekannt, da Bush sich weigert, es zu veröffentlichen, obwohl Condoleezza Rice wiederholt erklärt hat, es enthalte keine konkreten Hinweise. Wenn das Memo keine konkreten Hinweise enthält, warum rückt ihr es dann nicht heraus?) Schlimmer noch, bereits 1999 war in einem Bericht davor gewarnt worden, daß Al Kaida mit dem Gedanken spiele, Flugzeuge als Bomben zu mißbrauchen und damit Anschläge auf Regierungsgebäude zu verüben.

Bush hatte also ein Geheimdienstmemo in der Hand, in dem vor unmittelbar bevorstehenden Anschlägen gewarnt wurde, und von der Regierung Clinton weitergegebene Berichte über Flugzeuge als Bomben in den Akten. Warum hat er nicht sofort die Nation alarmiert? War er gerade zu sehr damit beschäftigt, einen Monat lang Urlaub in Crawford, Virginia, zu machen? Bush hat seinen Job nicht gemacht, und dafür mußten möglicherweise 3000 Menschen mit ihrem Leben bezahlen. Das allein sollte genügen, ihn vor einen Amtsenthebungsausschuß zu zerren. Daß Clinton in seiner Amtszeit über sein Sexualleben Lügen verbreitete, hat, zumindest soviel ich weiß, keinen Menschen das Leben gekostet.

Was zum Beispiel wäre passiert, wenn die Republikaner Ende der neunziger Jahre das FBI seinen eigentlichen Job hätten machen lassen – nämlich das Leben der amerikanischen Bürger zu schützen? Statt dessen haben die Bundesagenten zahllose Stunden mit der Überprüfung von Clintons sexuellen Gepflogenheiten und seiner popeligen Immobiliendeals vergeudet. Eine Zeitlang waren 200 FBI-Agenten gleichzeitig an der Hexenjagd auf die Clintons beteiligt. 200 Agenten, die Anrufe von Fluglehrern aus Texas hätten beantworten können, die sich Sorgen wegen seltsamer Typen machten, die zwar fliegen lernen wollten, nicht aber, wie man startet oder landet. 200 Agenten, die hätten überprüfen können, warum Leute, die sich später als Terroristen entpuppten, im Land bleiben konnten, obwohl ihre Visa längst abgelaufen waren. 200 FBI-Agenten, die in Flugsicherung hätten ausgebildet werden können.

200 FBI-Agenten, die ALLES andere hätten tun sollen, außer sich ihre Zeit von rachsüchtigen, sexbesessenen, rechtslastigen Republikanern stehlen zu lassen, die ums Verrecken für 50 Millionen Dollar einen Pornoschmöker darüber schreiben wollten, wo der Präsident der Vereinigten Staaten seine Zigarren aufbewahrt.

Es ist viel darüber spekuliert worden, was Bush in dem Monat vor dem 11. September hätte tun können, um die Anschläge zu verhindern. Aber niemand spricht über eine Maßnahme *14 Jahre vor dem 11. September,* die die Tragödie so gut wie sicher verhindert hätte – und zwar zu einem Preis von 50 Cent mehr pro Flugticket. 1987 arbeitete ich einige Zeit in Ralph Naders Büro in Washington D.C. Und an was für einem Projekt arbeiteten Naders Leute damals? Richtig, sie setzten sich bei der Regierung dafür ein, die Flugsicherheit zu erhöhen, und drängten alle Airlines, neue, vom Passagierraum aus nicht zu öffnende Cockpittüren in ihre Flugzeuge einzubauen. Die Luftfahrtgesellschaften erhoben ein Protestgeschrei und weigerten sich, auch nur einen Cent extra locker zu machen. Ob die 19 Luftpiraten, hätten die Airline-Bosse damals auf Nader gehört, die Flugzeuge in ihre Gewalt hätten bringen können? Ich bin mir ziemlich sicher, daß die 3 000 Menschen, die an diesem fatalen Septembertag im Jahr 2001 starben, heute noch leben würden, wenn sich Naders Gruppe vor 14 Jahren mit ihrem Vorstoß hätte durchsetzen können.

Wenn wir über Terroristen reden, müssen wir wissen und

akzeptieren, daß die meisten Terrorakte Taten von Amerikanern und die meisten Terroristen auf unserem eigenen Mist gewachsen sind. Wir dürfen nicht dem Irrglauben verfallen, daß es der Ausländer ist, der Fremde, der darauf erpicht ist, uns Schaden zuzufügen. Das ist fast nie der Fall. Wir wissen heutzutage sehr viel mehr darüber als früher. Wir wissen, daß bei den meisten Morden das Opfer den Täter kannte. Kinder werden eben meist nicht von ominösen Fremden in Trenchcoats mißbraucht, sondern viel eher von Verwandten, Nachbarn oder einem freundlichen Geistlichen. Brandstifter sind in sehr vielen Fällen ehemalige Feuerwehrmänner, und Einbrecher sind häufig Leute, die schon einmal in eurem Haus waren oder dort zu tun hatten. Die ganzen Sicherheitsvorkehrungen, die Terroristen der 9/11-Variante von der City Hall in New York fernhalten sollten, haben dem Stadtrat wenig geholfen, der mit Duldung der Polizei seinen eigenen Mörder um die Metalldetektoren herumgeführt hat. Und was das Entführen und Umfunktionieren von Flugzeugen angeht, bei den einzigen zwei Fällen vor dem 11. September waren die Täter Insider – Angestellte der Fluggesellschaft –, und nicht irgendwelche durchgeknallten Außenstehenden. Die beiden einzigen Massenmord-Flugzeugentführungen vor dem 11. September 2001 gingen auf das Konto von Airline-Mitarbeitern. (Im Dezember 1987 schmuggelte ein verbitterter Mitarbeiter der USAir, der nicht durch die Sicherheitskontrollen gehen mußte, eine Pistole an Bord und brachte die Maschine in Kalifornien zum Absturz, und am 1. November 1999 brachte ein Angestellter einer ägyptischen Fluggesellschaft eine Maschine unter seine Kontrolle und über dem Atlantik zum Absturz.) Wir müssen aufhören, uns »Terroristen« als maskierte und anonyme Ausländer vorzustellen. Viel wahrscheinlicher ist es jemand, den ihr persönlich kennt. Vielleicht trinkt ihr ja gerade ein Bier mit ihm.

Ich fand es von Anfang an interessant, daß hinter dem Massenmord vom 11. September ein Multimillionär stecken soll. Die

Anschläge waren, heißt es immer, das Werk eines »Terroristen«, eines »islamischen Fundamentalisten« oder von mir aus auch eines »Arabers«. Niemals aber definieren wir Osama bin Laden nach seinem rechtmäßigen Titel: Multimillionär. Warum haben wir nicht einmal die Schlagzeile »Multimillionär 3 000-facher Mörder!« gelesen? Die Schlagzeile wäre genauso wahr, stimmt's? Osama bin Ladens Vermögen beläuft sich auf mindestens 30 Millionen Dollar; er ist also ein Multimillionär. Warum sehen wir ihn dann nicht als das, was er ist? Als einen reichen Schurken, der Menschen umbringt? Warum wird die Eigenschaft »Multimillionär« nicht als ein zentrales Element bei der Erstellung von Profilen potentieller Terroristen herangezogen? Statt haufenweise uns suspekte Araber zusammenzutreiben und einzusperren, sollten wir sagen: »Oh mein Gott, ein Multimillionär hat 3 000 Menschen umgebracht! Treibt alle Multimillionäre zusammen! Werft sie ins Gefängnis! Keine Anklagen! Keine Verhandlungen! Deportiert alle Millionäre!!«

Wir brauchen Schutz vor unseren eigenen Multimillionären, den Konzernterroristen, vor den Schurken, die unsere Pensionskassen plündern, die Umwelt zerstören, im Namen des Profits Raubbau betreiben an kostbaren fossilen Brennstoffen, die uns das Recht auf allgemeine Gesundheitsversorgung verweigern und Leuten ihre Jobs wegnehmen, wenn ihnen gerade danach ist. Was sagt ihr zu dem 19-prozentigen Anstieg der Zahl der Wohnsitzlosen und Unterernährten von 2001 bis 2002? Sind das etwa keine terroristischen Aktionen? Kosten die niemanden das Leben? Ist das nicht alles Teil eines ausgeklügelten Plans, die Armen und Arbeiter noch ein bißchen mehr auszuquetschen, damit ein paar reiche Männer noch reicher werden?

Wir haben unsere eigenen »Terroristen«, denen wir das Handwerk legen müssen. Ihnen müssen wir unsere ganze Aufmerksamkeit widmen, wenn wir eines Tages wieder in einem Land leben wollen, in dem das Volk den Präsidenten wählt, in einem Land, in dem die Reichen lernen, daß auch sie für ihre Taten bezahlen müssen. Ein freies Land, ein sicheres Land, ein friedliches Land, das die weniger Glücklichen auf dieser Welt wirklich an seinen Reichtümern teilhaben läßt, ein Land, das daran glaubt, daß jeder einen fairen Anteil bekommen sollte, und in dem Angst das einzige ist, wovor wir wirklich Angst haben müssen.

# FIVE

# Wie stoppt man den Terrorismus? Laßt einfach selbst ab vom Terrorismus!

**Willkommen bei Mikes** einfacher Schnellanleitung: »Wie verhindert man künftige Terroranschläge?«

Ja, genau, es *wird* auch in Zukunft Terroranschläge geben. Wieso ich das weiß? Weil sie uns genau das an jedem gottverdammten Tag erzählen!

Ich weiß, daß ich gerade behauptet habe, es gebe gar keine Terrorgefahr, aber falls ich mich getäuscht haben sollte, ist es vielleicht eine ziemlich gute Idee, sich irgendwie auf künftige Anschläge vorzubereiten.

Ich habe diese ganze Angelegenheit wirklich gründlich recherchiert, und weil ich einen guten Teil meiner Zeit auf der Insel Manhattan verbringe, immerhin dem Hauptziel der internationalen Übeltäter, war diese Studie auch für mich ziemlich wichtig. Du willst wissen warum? Ganz einfach: Weil ich am Leben bleiben will! Entschuldigung, wenn das ein wenig selbstbezogen klingen sollte, aber ich muß noch einen Film drehen, ich bekomme bald mein neues Hybridauto und ich habe gerade fünfzig Pfund abgespeckt und möchte verdammt noch mal noch so lange leben, bis ich mir die restlichen fünfzig Pfund abgehungert habe!

Bushs Heimatschutzprogramm bietet uns nun aber überhaupt keinen Schutz. Wenn du wirklich an mehr Sicherheit interessiert bist, solltest du über meine Vorschläge nachdenken, die aus Amerika tatsächlich ein sichereres Land machen würden:

**1. Fangt Osama bin Laden.** Wow, das ist aber mal eine originelle Idee! Ich vermute, jemand hat dies bisher jedoch irgendwie verschlampt. Schließlich hat man uns erzählt, Osama sei der geniale Kopf hinter den ganzen Ereignissen vom 11. September, stimmt's? Dann wäre er also ein Massenmörder! Wie viele vortreffliche Hilfsmittel stehen uns zur Verfügung ... Zum Beispiel kann so ein Spionagesatellit sogar aus dem Weltraum jedes Autokennzeichen erkennen. Wieso hat man dann diesen Mann immer noch nicht gefaßt? Wer plant eigentlich Osamas Reisen? Meine Theorie: Er ist wieder daheim in Saudi-Arabien und wird von denen beschützt, die ihn schon vorher finanziert und die medizinische Versorgung organisiert haben, die er für seine schwer geschädigten Nieren braucht. Oder er ist in Newark. Oder ... er steht genau in diesem Moment hinter dir!! Schnell, lauf weg! Lauf um dein Leben!!!

**2. Wenn ihr einen Staatsstreich anzettelt, um den demokratisch gewählten Führer eines anderen Landes zu stürzen, dann macht es richtig.** Zwingt die Leute in diesen Ländern nicht, in einer von den USA gestützten Diktatur zu leben, so wie wir es in Chile, Indonesien und Guatemala gemacht haben. Diese Regime wurden hauptsächlich deshalb eingesetzt, damit die amerikanischen Multis auf die Interessen der einheimischen Bevölkerung pfeifen konnten. Diese Art der Behandlung führt nun aber dazu, daß einige Aufsässige in diesen Ländern uns allmählich wie die Pest hassen. Ich weiß, ich weiß, das sind eh nur ein paar verwirrte jugendliche Rabauken. Aber trotzdem sind es wir, die diesen Haß am Ende oft ausbaden müssen. Vielleicht könnten wir zur Verbreitung der Demokratie am besten beitragen, indem wir die von den Völkern in anderen Staaten gefällten demokratischen Entscheidungen respektieren, statt sie zu mißachten.

**3. Wenn wir Diktatoren unterstützen, die bereits an der Macht sind, macht uns das bei den Menschen nicht gerade beliebt, die unter der Knute dieser Diktatoren leben müssen.** Wie oft in unserer Geschichte haben wir schon auf den falschen Kerl gesetzt. Wir haben mehr Versager hochgepäppelt als jeder Fernsehgewaltige. Saddam und die saudi-arabische Königsfamilie sind nur die erlauchtesten Namen auf einer langen Liste. Aber wem der Stiefel dieser Despoten im Nacken sitzt, der weiß ganz genau, daß *wir* für seine Leiden verantwortlich sind.

**4. Beim Versuch, einen lateinamerikanischen Diktator an der Macht zu halten, sollten wir nicht zu viele Nonnen oder Erzbischöfe umbringen.** Das kommt bei den Einheimischen, die oft sehr religiös sind, überhaupt nicht gut an. Einige von ihnen könnten danach vielleicht den verrückten Wunsch verspüren, ihrerseits ein paar von uns ins Jenseits zu befördern.

**5. Beim Versuch, den Präsidenten von Kuba zu ermorden, sollte man sicherstellen, daß man auch die richtige Art von explosiven Zigarren benutzt.** Schaffen wir es nämlich nicht, ihn auf diese Weise endgültig aus dem Verkehr zu ziehen, nachdem wir jahrzehntelang seine korrupten Vorgänger unterstützt haben, dann stärkt dies nicht gerade die Glaubwürdigkeit der amerikanischen Außenpolitik.

**6. Es wäre vielleicht ganz gut, einmal darüber nachzudenken, warum hunderte Millionen Menschen auf drei Kontinenten, von Marokko am Atlantik bis zu den Philippinen im Pazifik, stocksauer auf Israel sind.** Nein, ich meine natürlich nicht die ganz gewöhnlichen Alltagsantisemiten, die man auf allen sieben Kontinenten findet, selbst in der Antarktis. Nein, ich spreche von der oft geäußerten Ansicht, wir Amerikaner würden Israel bei der Unterdrückung des palästinensischen Volkes unterstützen. Nun, wie kamen diese Araber nur auf eine solche Idee? Vielleicht in dem Moment, als jenes Palästinenserkind auf-

schaute und gerade noch mitbekam, wie ein amerikanischer Apache-Hubschrauber eine Rakete in das Schlafzimmer seiner kleinen Schwester abfeuerte, bevor es selbst in tausend Stücke gerissen wurde. Eine ganz schön heikle Angelegenheit! Einige Leute
regen sich wirklich ganz gewaltig darüber auf! Aber ist das ein
Grund, auf den Straßen zu tanzen, wenn das World Trade Center
einstürzt?

Natürlich sind auch eine Menge israelischer Kinder durch die
Hand von Palästinensern umgekommen. Man könnte deshalb
vermuten, daß alle Israelis die ganze arabische Welt auslöschen
möchten. Aber die durchschnittlichen Israelis denken gar nicht
so. Warum? Weil sie tief in ihrem Herzen wissen, daß sie im Unrecht sind und daß sie genauso handeln würden wie die Palästinenser, wenn sie in deren Lage wären.

Hey, hier wäre ein Weg, die Selbstmordattentate zu stoppen:
Gebt einfach auch den Palästinensern ein paar raketenbestückte
Apache-Hubschrauber, und dann sollen sie und die Israelis einfach aufeinander losgehen. Vier Milliarden Dollar im Jahr für
Israel und vier Milliarden Dollar im Jahr für die Palästinenser –
dann können beide Seiten sich einfach gegenseitig in die Luft
jagen, und sie würden uns und dem Rest der Welt verdammt
noch mal künftig mit ihren Querelen nicht mehr auf die Nerven
gehen.

**7. Fünf Prozent der Weltbevölkerung (nämlich wir Amerikaner) verbrauchen 25 Prozent der Energieressourcen der
gesamten Welt.** Und die wohlhabenden 16 Prozent der Weltbevölkerung, hauptsächlich die USA, Europa und Japan, nutzen 80
Prozent aller Güter unseres Erdballs. Es gibt tatsächlich Menschen, denen das ein bißchen zu habgierig erscheint, und sie
sind der Ansicht, dies müsse sich ändern. Denn wenn eines Tages
nicht mehr genug für die anderen übrigbleibt, weil wir alles rücksichtslos an uns reißen, könnten ein paar Leute vielleicht ganz
schön sauer werden. Sie könnten sich beispielsweise fragen:
»Hmmm, wie kommt's, daß wir von einem Dollar am Tag leben

müssen, und die nicht?« Es ist ja nicht so, daß wir *wollten,* daß
sie von einem Dollar am Tag leben müssen, und wir würden
ihnen sicherlich auch zusätzlich 50 Cent in der Woche geben,
aber Gott hat nun einmal *Amerika* auserwählt und gesegnet, und
dagegen können wir einfach gar nichts machen.

**8. Wir sollten der Welt ein Glas Wasser anbieten.** Genau in
diesem Moment haben 1,3 Milliarden Menschen nicht einmal
ein Glas sauberes Wasser zur Verfügung. 1,3 MILLIARDEN?
Das sind aber eine ganze Menge durstiger Leute. Ich würde
sagen, gebt ihnen doch einfach so einen verdammten Drink!
Wenn das alles ist, was sie davon abhält, mal hier rüberzukom-
men und mich abzumurksen, scheint mir das ein halbwegs
akzeptabler Preis zu sein.

Betrachtet man nämlich unseren Wohlstand und den Stand
unserer Technologie, dann gibt es absolut keine Ausrede dafür,
nicht dafür zu sorgen, daß jeder Bewohner dieses Planeten in
sicheren, sauberen und einigermaßen gesunden Verhältnissen
lebt. Wie wäre es, wenn wir uns verpflichteten, innerhalb der
nächsten fünf Jahre jeden auf der Erde mit sauberem Trinkwasser
zu versorgen? Und stellt euch nur mal vor, wir würden das dann
auch tatsächlich tun! Wie würde man dann über uns denken? Wer
würde uns dann noch umbringen wollen? Eine Tasse sauberes
Wasser, und dann schenken wir ihnen noch ein bißchen Kabelfernsehen und ein oder zwei kleine Computer, und bevor sie
sich versehen, lieben sie uns, sie lieben uns wirklich!! (Aber
eins muß klar sein: Wir unterstützen diesmal nicht Nestlé oder
Bechtel in diesen Ländern dabei, das ganze Wasser aufzukaufen
und es dann wieder teuer an die Menschen zurückzuverkaufen,
wie sie es heute schon vielerorts tun.)

**9. Die Leute sollten die Produkte auch kaufen können, die sie
herstellen.** Heutzutage ist es doch so, daß Manuel in Monterey,
der gerade deinen neuen Ford montiert hat, nie imstande sein
wird, sich diesen Ford auch selbst zu kaufen. Das könnte nun

dazu führen, daß Manuel ein bißchen gereizt auf uns reagiert. Und wie ist es mit jener Arbeiterin in El Salvador, die 24 Cent für jedes NBA-Basketballtrikot bekommt, das sie zusammennäht und das dann bei uns für 140 Dollar verkauft wird? Oder mit den Fabrikarbeitern in China, die für das Herstellen dieser putzigen Disney-Spielzeuge ganze 12 Cent pro Stunde verdienen, oder mit den Arbeitern, die für The Gap in Bangladesch Kleidung produzieren und die regelmäßig wegen irgendwelcher Produktionsfehler mißhandelt und verprügelt werden? So werden dort übrigens auch schwangere Frauen behandelt.

Amerika wurde wohlhabend, als seine Arbeiter genug Geld verdienten, um sich genau die Häuser und Autos und Stereoanlagen zu kaufen, die sie mit ihren eigenen Händen gebaut hatten. Das machte sie glücklich und zufrieden, und sie dachten künftig nicht mehr an solche Dinge wie Revolution oder Terrorismus. Das wirkliche Genie Henry Fords zeigte sich nicht nur in dessen Erfindung des Fließbands; es war seine Idee, daß jedermann fünf Dollar am Tag verdienen sollte (damals wirklich ein ganz hübsches Sümmchen). Und wenn Ford dann noch den Preis seiner Autos niedrig hielt, dann konnten sich alle seine Arbeiter auch ein T-Modell leisten.

Warum vergessen die amerikanischen Unternehmen diese Lektion und gehen einfach ins Ausland? Dies wird ihr Untergang sein! Angeblich zahlen sie ihren Arbeitern in Übersee nur deswegen nahezu nichts, damit der Preis für den amerikanischen Verbraucher niedrig gehalten werden kann. Aber in Wirklichkeit haben sie diese Fabriken ins Ausland verlegt, damit sie einen höheren Profit einstreichen können. Sie hatten eigentlich auch schon ein gutes Auskommen, als sie ihre Waren noch in den Vereinigten Staaten produzierten – Henry Ford und andere Unternehmer seiner Zeit waren allesamt reiche Leute. Aber die neuen Reichen sind auch mit großem Wohlstand noch nicht zufrieden – sie sind von unersättlicher Gier erfüllt, so viel zu verdienen, wie nur irgend unmenschmöglich. Genug ist für sie niemals genug. Diese Geldgeilheit wird dazu führen, daß noch mehr von uns den

Taten zorniger Terroristen aus der Dritten Welt zum Opfer fallen werden. Wir sollten also dafür sorgen, daß diese Geldsäcke ihren Reichtum mit denen teilen müssen, die Produkte für sie in Übersee produzieren. Das wäre ein guter Weg, das Leben für den Rest von uns sicherer zu machen.

**10. Kein Kind darf mehr Sklavenarbeit leisten.** Du weißt ja, wie Eltern sind: Sie wollen, daß ihre Kinder in die Schule gehen, und nicht in einen Sweatshop, so einen üblen Ausbeuterbetrieb. Während du dein Kind mit einer Banane in seiner Vesperbox in die Schule schickst, sind Zehnjährige in Ecuador auf dem Weg zur nächsten Bananenplantage, wo sie ihren Eltern bei der Arbeit helfen müssen und dabei NICHTS verdienen! Wenn sich mal jemand darüber beschwert, feuern die Unternehmer die Kinder und erwarten dann, daß die Eltern deren bisherige Arbeitsleistung zusätzlich übernehmen. Wer, glaubst du, muß später einmal dafür büßen, wenn dieses Kind ein zorniger Erwachsener geworden ist?

**11. Wenn wir Zivilisten töten, sollten wir das nicht »Kollateralschaden« nennen.** Denn wenn *sie* Zivilisten töten, nennen wir das Terrorismus. Aber wir sind es, die Bomben auf den Irak werfen. Über 6 000 irakische Zivilisten sind dadurch elend umgekommen. Und dann entschuldigen wir uns für den aus der technokratischen Sprache übernommenen »Spill-over-Effekt«. Al Kaida bombardiert das World Trade Center und das Pentagon, 3 000 Leute sterben, und das ist dann Terrorismus. Aber was gab uns eigentlich das Recht, Bomben auf die Zivilbevölkerung im Irak zu werfen? Stellten diese Zivilisten etwa eine Bedrohung für unser Leben dar? Ich dachte immer, die einzige Berechtigung, jemandem das Leben zu nehmen, sei, wenn derjenige einem auch an die Gurgel will? Habe ich da was nicht ganz kapiert?

Natürlich fällt es schwer, keine Zivilisten zu töten, wenn selbst deine »smart bombs«, deine »intelligenten Bomben«, sich plötz-

lich saudumm anstellen: Im Irak kam jede zehnte vom eigentlichen Kurs ab und sprengte Wohnhäuser, Märkte und Bäckereien
in die Luft anstelle der anvisierten Flugabwehrstellungen. Und
noch verrückter: Einige dieser »intelligenten« Bomben oder
Raketen trafen nicht einmal den IRAK – sie schlugen im Iran,
in der Türkei und in Saudi-Arabien ein. Entschuldigung, tut uns
leid!

**12. Bevor ihr verkündet: »AUFTRAG AUSGEFÜHRT«, ver-
gewissert euch erstmal, ob das auch wirklich stimmt.** Sonst
habt ihr am Ende sehr viel mehr tote Soldaten zu beklagen. Kennedy, Johnson und Nixon behaupteten alle irgendwann einmal,
die vietnamesischen Kommunisten seien auf der Flucht, besiegt
oder sogar restlos vernichtet – und immer gab es auch ein »Licht
am Ende des Tunnels«. Etwa 58 000 tote Amerikaner später –
ganz abgesehen von den vier Millionen getöteten Vietnamesen,
Kambodschanern und Laoten – wurde uns endlich klar, daß wir
unseren »Auftrag« nur dadurch »ausführen« konnten, daß wir so
schnell wie möglich das Land verließen. Wir haben uns dort
immer noch nicht für dieses Massaker entschuldigt. Ich habe
das ungute Gefühl, daß die Armen dieser Welt diesen »Auftrag«
noch nicht vergessen haben.

**13. Ein ganz sicherer Weg, WIRKLICH für unsere Sicher-
heit zu sorgen, wäre die Vernichtung aller Massenvernichtungswaffen, die sich immer noch im Besitz der Nation befinden, die mit ihnen mehr Menschen getötet hat als alle
anderen Nuklearmächte zusammen.** Jawohl, laßt uns *unsere*
Massenvernichtungswaffen zerstören, hier auf dem Boden der
Vereinigten Staaten. Und dann rufen wir Hans Blix. Der Mann
soll nachprüfen, ob wir diese Aufgabe auch wirklich korrekt erledigt haben. Erst wenn wir jede einzelne Atombombe in Pflugscharen aus abgereichertem Uran umgewandelt haben, dürfen
wir das Recht für uns beanspruchen, Nordkorea, Indien, Pakistan, Israel und allen anderen vorzuschreiben, daß auch SIE

keine solchen Waffen mehr besitzen dürfen. Wir gehen also nicht nur mit gutem Beispiel voran, sondern wir sparen auch noch einen Haufen Geld. Und außerdem verfügen wir auch danach noch über so viel High-Tech-Feuerkraft, daß wir jedes Volk ausrotten können, das frech wird. Keine Bange, wir können auch in Zukunft jeden Schurkenstaat in Schach halten.

**14. Stoppt Bushs Präventivkriegs-Politik sofort.** Diese verrückte Büchse der Pandora, die Bush und Cheney geöffnet haben, müssen wir wieder schließen. Die Vorstellung, es sei ethisch vertretbar, Leute einfach nur deshalb zu töten, weil sie uns vielleicht einmal angreifen *könnten,* ist nicht gerade der ideale Weg, Menschen in aller Welt ruhiger werden zu lassen, wenn sie die US-Flagge sehen.

**15. Hört auf, wie ein Dieb zu handeln, der sagt: »Hände hoch, gib mir zuerst deine Waffen und dann dein Öl.«** Holt euch ganz einfach das Öl, und laßt bloß den ganzen Quatsch von Nationbuilding oder Demokratie weg. Klar wär das falsch, aber es wäre billiger und irgendwie auch ehrlicher – und wir bräuchten dabei weniger Zivilisten zu pulverisieren, die uns zufällig im Weg rumstehen.

**16. Hört auf, unsere eigenen Bürger mit dem sogenannten »Patriot Act« zu terrorisieren.** Und wenn ihr schon dabei seid, lest noch einmal *1984* von George Orwell und hört auf, Dinge auf eine Weise zu benennen, die uns an totalitäre Diktatoren erinnert. Wenn ihr keine Zeit habt, das ganze Buch zu lesen, hier meine Lieblingspassagen, die könnt ihr euch an den Kühlschrank kleben:

»Es sind die beiden Ziele der Partei, die ganze Erdoberfläche zu erobern und ein für allemal die Möglichkeit unabhängigen Denkens auszutilgen.«

»Alles was man von ihnen verlangte, war ein primitiver Patriotismus, an den man appellieren konnte, wenn sie sich mit einer verlängerten Arbeitszeit oder einer Kürzung ihrer Rationen abfinden mußten.«

»Man konnte sie leicht dazu bringen, die schlimmsten Verzerrungen der Realität hinzunehmen, da sie nie die Ungeheuerlichkeit dessen begriffen, was man von ihnen verlangte, und sie auch nicht genügend an politischen Angelegenheiten interessiert waren, um mitzubekommen, was sich tatsächlich abspielte.«

»Den Kapitalisten gehörte alles auf der Welt, und alle anderen Menschen waren ihre Sklaven. Sie besaßen das ganze Land, alle Häuser, alle Fabriken und alles Geld. Wenn ihnen jemand nicht gehorchte, konnten sie ihn ins Gefängnis werfen oder ihm seine Arbeit wegnehmen, so daß er verhungern mußte. Wenn ein gewöhnlicher Mensch mit einem Kapitalisten sprach, mußte er katzbuckeln und sich vor diesem verbeugen, seine Mütze abnehmen und ihn mit ›Sir‹ anreden.«

**17. Fangt endlich an, Leute mit WEISSER Haut zu bombardieren.** Bisher sieht es doch so aus, als hätten wir irgendwelche Vorurteile, weil wir nur Länder mit einer dunkelhäutigen, nichtchristlichen Bevölkerung angreifen. Als uns neulich Frankreich und Deutschland so unverschämt abblitzen ließen, hätten wir sie sofort bombardieren sollen!

**18. Und zum guten Schluß: Wir sollten vorbildlich sein!** Erinnerst du dich noch an den Spruch, man solle andere Leute so behandeln, wie man selbst behandelt werden möchte? Das klappt immer noch! Wenn wir andere Menschen gut behandeln, werden diese uns in 99,9 Prozent der Fälle auch gut behandeln. Wie wäre es, wenn wir dieses neuartige Konzept zur Grundlage unserer ganzen Außenpolitik machen würden? Wie wäre es, wenn wir als das Land bekannt würden, das erst einmal den Leuten zu helfen versucht, anstatt vor allem ihre Arbeitskraft auszubeuten und ihnen dann ihre natürlichen Reichtümer auch noch abzuluchsen? Wie wäre es, wenn wir als das Land bekannt würden, das seinen unglaublichen Wohlstand mit anderen teilt – auch wenn dies bedeuten würde, auf einen Teil des Luxus zu verzichten, an den wir uns so sehr gewöhnt haben? Wie würden dann die Armen und Verzweifelten dieser Welt über uns denken? Würde dies nicht auch die Gefahr verringern, daß wir Opfer von Terroranschlägen werden könnten? Würden wir dann nicht alle in einer viel besseren Welt leben? Ist dies für uns nicht der einzig *richtige* Weg?

Tatsächlich ist die Zahl der Leute unendlich gering, die willens sind, sich selbst in die Luft zu sprengen, um ausgerechnet *dich* zu töten. Sicher, jeder, der bereit ist, für seine Sache zu sterben, könnte schließlich irgendwann die Bombe hochgehen lassen, aber solche Leute gibt es überall – und es hat sie auch schon immer gegeben. Der »Krieg gegen den Terror« sollte deswegen kein Krieg gegen Afghanistan oder den Irak oder Nordkorea oder Syrien oder den Iran oder irgendeinen anderen Staat sein, in den wir dann irgendwann einmarschieren. Es sollte ein Krieg gegen unsere eigenen, dunklen Triebkräfte sein.

Wir alle sollten erst einmal tief durchatmen und uns ein paar Gedanken machen. Was könnte denn *dich* dazu bringen, daß du einen Menschen umbringen willst? Und dann sogar 3000 Menschen? Oder vier Millionen? Richtig: Es müßte etwas ganz Schreckliches sein, das deinen Geist völlig verwirrt hätte. Also wenn dir klar ist, wie ein Mensch zu einem Terroristen wird, und du erkennst, daß wir, du und ich, es sind, die ihn zum Terroristen werden lassen, wäre es dann nicht ein Beweis gesunden Menschenverstands, unser bisheriges Verhalten zu ändern?

Ich sage ja gar nicht, daß Osama, oder wer auch immer, unbehelligt einfach so weitermachen darf. Du wirst dich erinnern: Das war der erste Punkt auf meiner Agenda: *Fangt diesen Bastard!* Aber was soll ein Krieg nützen, der die Al Kaida-Mitglieder einfach über den ganzen Globus zerstreut? Und welche Botschaft vermitteln wir Muslimen, die lange unter diktatorischen Regimen leben mußten, denen *wir* lange geholfen haben, an der Macht zu bleiben?

Ja, es ist Frühling im Terrorland, und wir sorgen dafür, daß dieser Terrorismus in einer ganzen Region besonders gut wächst und gedeiht. Ist das der richtige Weg, die Welt sicherer zu machen?

Die einzig wahre Sicherheit entsteht nur dann, wenn wir es schaffen, daß alle Menschen hier und auf dem ganzen Erdball ihre Grundbedürfnisse befriedigen und von einem besseren Leben träumen können. Vor allem aber sollten wir ihnen verdammt noch mal eines klarmachen: Wir sind es nicht, die ihnen diesen Traum rauben wollen.

# SIX

# Jesus W. Christ

**HIER SPRICHT GOTT.**

Es macht euch hoffentlich nichts aus, wenn ich Mikes lichtvolle Ausführungen mit ein paar Anmerkungen von mir, eurem allmächtigen Schöpfer, unterbreche, aber hey, ich bin schließlich Gott – wer will sich mir widersetzen?

Ihr habt sicher bemerkt, daß mein Name in letzter Zeit ziemlich oft gebraucht wurde, und wenn es etwas gibt, was mich wirklich nervt, dann ist es das. Ständig wird mein Name überall herumposaunt. Und es gibt noch etwas, was mich in böse, alttestamentarische Stimmung versetzt: Leute, die meinen Namen mißbrauchen. Es gibt da einen Menschen, der sich bei jeder Gelegenheit auf mich beruft. Er gibt sich euch gegenüber als mein Sprachrohr aus. Denkt dran, ich sehe und höre *alles,* und von diesem Typen habe ich schon eine Menge gehört:

*»Ich könnte nicht Gouverneur sein, wenn ich nicht an einen göttlichen Plan glauben würde, der alle menschlichen Pläne übertrifft.«*

*»Ich glaube, Gott will, daß ich Präsident werde.«*

*»Es gibt mir Trost und Stärke zu wissen, daß buchstäblich Millionen Amerikaner, die ich nie alle kennenlernen werde, jeden Tag meinen Namen dem Allmächtigen nennen und ihn bitten, mir zu helfen … Mein Freund Jiang Zemin in China hat etwa eineinhalb*

*Milliarden Landsleute, aber ich glaube nicht, daß er das von sich
behaupten kann. Und mein Freund Wladimir Putin, den ich wirklich mag, kann das auch nicht von sich sagen.«*

Ist das noch zu fassen? So ein Schwachkopf! Tatsächlich mag ich
Putin und Jiang sehr. Meint ihr, ich würde so viele Chinesen und
Russen erschaffen, wenn ich sie nicht mögen würde?

Ich muß euch etwas beichten: Manchmal baue ich auch Mist.
Nicht all meine Schöpfungen sind vollkommen. Und dieser
Mensch, den ihr als George W. Bush kennt, nun ja, das ist wirk-
lich einer, der ist mir gründlich mißlungen.

Ich weiß ehrlich gesagt nicht recht, wie mir das passieren
konnte. Ich habe eigentlich einen strengen Auswahlprozeß, daher
ist es selten, daß etwas, was ich geschaffen habe, so mißrät. Aber
wenn ich Mist baue, dann gleich richtig. Nehmen wir zum Beispiel Pompeji – ich weiß immer noch nicht, was da passiert ist.
Ich habe ein bißchen mit Schwefel und Dioxyd und zuckerfreier
Cola herumexperimentiert, und eh ich wußte, wie mir geschah –
BUMM! Aber zumindest ist es gut für den Tourismus (im Gegensatz zu Atlantis, das war wirklich *peinlich*). Und dann ist da noch
Bangladesch. Ich habe versucht, Land und Meer auf das gleiche
Niveau zu bringen, mich aber verrechnet und es vermasselt. Wißt
ihr, das ist wie beim Bettenmachen, da hat man alles zurecht-
gezogen und geglättet, und dann ist da immer noch eine Stelle,
die man einfach nicht glattkriegt, die stopft man dann unter die
Matratze. So ist es mit Bangladesch. Das ganze verdammte
Land liegt unter dem Meeresspiegel. Diese Überschwemmungen
waren keineswegs Absicht, von wegen Zorn Gottes und so.

Und ja, natürlich wünschte ich, ich hätte euch allen Augen am
Hinterkopf gegeben. Ihr seid eine ziemliche Fehlkonstruktion.
Und ihr habt recht: Der Tag hat NICHT genügend Stunden. Als
ich Himmel und Erde schuf, hätte ich die Achse ein bißchen
anders einrichten und euch mindestens fünf Stunden mehr Tages-
licht geben sollen, damit ihr alles erledigen könnt *und* trotzdem
noch rechtzeitig zur Grillparty daheim seid. Und wer könnte

nicht zwei Stunden mehr Schlaf pro Nacht vertragen? Es gibt noch mehr, was ich heute anders machen würde: Ich würde keinem von euch genug Hirn für die Erfindung des Kunstrasens geben. Ich würde Clear Channel (der größte Betreiber von lokalen Radiostationen in den USA, A.d.Ü.) mit einem ehrfurchtgebietenden Blitzschlag vernichten. Ich würde Tony Blair ein bißchen gesunden Menschenverstand eintrichtern. Und ich würde die ganze AFL zerschmettern, die Liga für American Football in der Halle.

Glaubt mir, wenn ich nochmal von vorne anfange (nachdem ihr die Welt in die Luft gejagt habt), mache ich es richtig.

Aber was mache ich jetzt mit diesem Bush? Ständig höre ich, wie er behauptet, er »handle« in Meinem Namen. Ich möchte nur mal klarstellen: Der Typ spricht weder für mich noch im Auftrag eines anderen hier oben. Ich spreche schon für mich selbst. Wenn ich müde bin, schicke ich einen Propheten oder auch zwei, die das Jammern für mich übernehmen. Einmal schickte ich meinen Sohn, aber das hat einen Mordswirbel verursacht, der sich immer noch nicht gelegt hat. Für ihn lief es nicht allzu gut, und ganz offen gesagt ist unser Verhältnis seitdem ein bißchen gespannt. Er hat mir klipp und klar gesagt, daß er *nie* wieder auf die Erde zurückkehrt, Wiederkunft Christi hin oder her. »Schick doch Gabriel«, sagt er nur, wenn ich das Thema anschneide.

Ich selbst möchte auch nicht runterkommen und den Schlammassel in Ordnung bringen, wie würde das denn aussehen! Aber George W. Bush wurde nicht von mir gesandt, in welcher Mission auch immer. Er wurde nicht gesandt, um Satan zu vertreiben, er wurde nicht gesandt, um eine Achse des Bösen zu bekämpfen und er sollte auch nicht Präsident werden. Ich habe keine Ahnung, wie das passieren konnte. Zuerst reagierte ich auf eure Gebete und habe seinen Vater aus dem Amt entfernt. Als sein Sohn dann acht Jahre später aufkreuzte, habe ich wieder auf eure Gebete reagiert und dafür gesorgt, daß dieser Gore die meisten Stimmen bekam. Wie ihr habe ich nicht damit gerechnet, daß da höhere Mächte oder ein Oberstes Bundesgericht mitmischen. Es gab da auch noch das kleine Problem, daß Luzifer sein häßliches Haupt in Gestalt einer Person erhob, die sich »Katherine Harris« nannte. Wie oft habe ich euch schon gesagt, daß der Beelzebub viele Gesichter hat (Jim Baker, Antonin Scalia) und mit fiesen Tricks und Täuschungsmanövern arbeitet? (K. Harris: Innenministerin in Florida, J. Baker: Republikanischer Ex-Außenminister, A. Scalia: US-Verfassungsrichter. Alle drei spielten eine wichtige Rolle bei der Präsidentenwahl 2000. A. d. Ü.)

Anfangs machte ich mir um diesen jungen Bush keine Sorgen, denn nach meinem göttlichen Plan schuf ich ihn als einen reichen Partylöwen und Tunichtgut. In der großen Vielfalt des Universums lasse ich alle möglichen Spielarten des Menschseins zu – und ich erschaffe zwischen 200 und 300 Nichtsnutze am Tag (beim Spring Break, diesem Massenbesäufnis an den Stränden von Florida, sind es sogar noch mehr). Man braucht sie genauso wie die Raketentechniker und Cellisten, die ich euch gesandt habe. Diese Jungs sind notwendig, damit die Party weitergeht – sie bringen die Leute zum Lachen, sie singen in Musikbands, sie kaufen den Alkohol für Minderjährige. Und *nach* der Party müssen sie manchmal jemanden über den Haufen fahren, weil ich hier regelmäßig Nachschub an Seelen brauche. So funktioniert das, und der kleine Georgie machte das hervorragend, bis dieses Zwölf-Punkte-Programm zum Alkoholentzug ihn aus der Spur warf.

Mann, ich hasse diese »anonymen« Gruppen (Anonyme Alkoholiker, Anonyme Drogenabhängige, Anonyme Eßsüchtige, Anonyme Spieler), alle berufen sich auf mich und behaupten, man müsse nüchtern werden, aufhören zu essen oder nicht mehr spielen. Da gäbe es ja auf einen Schlag keine Sünder mehr! So funktioniert das NICHT. Ich brauche Sünder, die sündhaft leben, dann bereuen und dann wieder sündigen. Dadurch habe ich sie in der Hand, nur deshalb tun sie Buße und verrichten gute Werke. Wenn sie aufhören zu sündigen und sich einer »höheren Macht ergeben«, dann sind meine Drohungen mit Fegefeuer und ewiger

Verdammnis, dank der sie machen, was ich will, völlig wirkungslos.

Tja, so war das mit diesem reichen Nichtsnutz. Bevor ich eine Heuschreckenplage senden konnte, hatte sich George W. der göttlichen Vorsehung entzogen. Ich tat mein Bestes, sein Leben so elend wie möglich zu gestalten. Ich sorgte dafür, daß all seine geschäftlichen Unternehmungen scheiterten. Ich ließ seine Baseballmannschaft völlig versagen. Ich erschien ihm sogar eines Nachts im Traum und überzeugte ihn, Sammy Sosa (US-Baseballstar, A. d. Ü.) zu verkaufen. Und dann streute ich so richtig Salz in die Wunde und machte Sosa in seinem neuen Team zum König der Homeruns.

Aber nichts konnte George W. beeindrucken. Also brachte ich seinen Vater ins Weiße Haus, weil ich dachte, darüber würde der kleine Georgie nie hinwegkommen. Es trieb seinen Bruder Neil in den Savings & Loan-Skandal, und Bruder Marvin ist prompt abgetaucht.

Aber George hat das nicht im geringsten entmutigt, er fand sogar Wege, die Position seines Vaters zu seinem Vorteil zu nutzen. Ehe ich mich versah, war er Gouverneur von Texas und entschied darüber, wann Leute sterben. DAS IST MEIN JOB! Ich weiß auch nicht, vielleicht werde ich langsam alt und lasse nach, aber alles, was ich probiert habe (ich sorgte doch auch dafür, daß er die Wahl verlor!), schlug fehl.

Schon bald war *er* sehr mächtig und regierte die Welt. Viele von euch wandten sich von mir ab. Sie beteten nicht mehr, sondern fluchten nur noch. Oh ja, auch ich habe Gefühle. Und so etwas schmerzt. Wirklich. An wen kann ich mich wenden in der Stunde der Not? An den Heiligen Geist? Der Typ ist mir keine Hilfe, er ist nie da, er hinterläßt nie eine feste Adresse.

Den wenigen, die noch an ihrem Glauben an mich festhalten, möchte ich folgendes versichern:

1. Ich bin der Herr, dein Gott, und er ist nur der Sohn von George, nicht der Sohn Gottes. Sobald ich ihn in die Finger kriege,

wird er bis in alle Ewigkeit als Parkwächter auf dem Promi-
parkplatz der Hölle herumlungern.

2. Ich habe Bush nicht befohlen, andere Länder zu überfallen. Es
ist nach wie vor falsch, seine Mitmenschen zu töten, es sei
denn, sie setzen dir ein großes Messer an die Kehle und alles
Flehen um Gnade und ein Warnschuß haben nichts genützt.
Menschen töten ist meine Aufgabe, und Mann oh Mann, ich
liebe es. Ihr nervt mich alle dermaßen, vielleicht werde ich
heute Nacht noch ein paar Zehntausend niedermähen!

3. Ich will nicht, daß Schüler im Klassenzimmer zu mir beten.
Hebt euch die Pflichtgebete für die Kirche und die Zeit vor
dem Schlafengehen auf – das reicht den kleinen Rackern.
Wenn ihr sie zwingt, zu mir zu beten, hassen sie mich. Hört
auf damit!

4. Ein Embryo ist ein Embryo, ein Fötus ein Fötus und ein Baby
ein Baby. So habe ich das eingerichtet. Wenn es ein Baby ist,
wird es ein Mensch. Ihr Menschen seid schwierig genug, ich
brauche nicht noch mehr von euch früher als nötig. Und
wenn wir schon beim Thema sind: Euer Sexualleben ist mir
*völlig schnurz,* solange ihr alt genug seid und alles freiwillig
passiert. Behaltet das bitte für euch, o. k.?

5. Noch eins zum Thema Schöpfung: Ich möchte euch ein für
alle Mal sagen, daß ich den »Kreationismus« nicht erfunden
habe und nicht gutheiße. Das ist ein vollkommen dämliches
Konzept, genauso wie die Vorwahlen in New Hampshire, die
angeblich ein Meinungsbild für die tatsächliche Präsidentschaftswahl abgeben, oder alkoholfreies Bier. Ich bin ein Vertreter der Evolution, auch wenn die Neanderthaler in meinem
Namen etwas anderes behaupten. Was glaubt ihr, wer die Wis-
senschaften erschaffen hat? Nur eine höhere Macht kann sich
etwas so Komplexes und Wunderbares ausdenken.

6. Ich mag keine Tafeln und Denkmäler mit den Zehn Geboten und anderen religiösen Kram in öffentlichen Gebäuden. Mein kaum bekanntes elftes Gebot? Du sollst deine religiösen Überzeugungen für dich behalten.

7. Was die anderen Religionen betrifft, zwei Punkte zur Klärung. Erstens: Es gibt hier oben keine 72 Jungfrauen, die auf euch warten. Wir hatten seit der Mutter Jesu keine Jungfrau mehr hier oben, und in deren Nähe kommt ihr erst gar nicht. Spart euch also das Dynamit und die zerfetzten Körper, ihr werdet kein Gemach in meinem Etablissement bekommen. Und zweitens: Es gibt kein »Gelobtes Land«. Die Riesenladung Sand, die ich auf diesem elenden kleinen Streifen zwischen Mittelmeer und Jordan abgeladen habe? NIEMAND sollte je dort leben und schon gar nicht so erbittert darum kämpfen, daß deswegen womöglich noch die ganze Welt untergeht. Ich habe das Land nicht den Israeliten gegeben, ich habe es nicht Mohammed gegeben, und wenn mich weiterhin alle als Hausherrn für sich in Anspruch nehmen, dann werde ich die Händel ein für alle Mal beenden, also hört lieber auf damit.

8. Und zu guter Letzt: Schluß mit diesem Mist von wegen »Gott schütze Amerika«. Warum glaubt ihr, ihr wärt das auserwählte Volk? Ich habe keine Lieblinge. In Dschibuti sagt niemand »Gott schütze Dschibuti«. Und ich habe auch noch nie jemanden sagen hören: »Gott schütze Botswana«. Die wissen, wie's läuft. Eins wollen wir klarstellen: Gott schützt nicht Amerika, Gott segnet niemanden, Gott hat eine Verabredung zum Golfspielen und hat keine Zeit für diesen patriotischen Humbug. Schützt euch doch selbst und hört auf, meinen Namen zu mißbrauchen und damit euren Hochmut zu rechtfertigen. Ihr seid nicht besser als andere. In Wirklichkeit gehört ihr zu den dümmsten Leuten der Welt. Das glaubt ihr nicht? Dann nennt mir doch mal den mexikanischen Präsidenten. Seht ihr? Ihr könnt jeden anderen auf der Welt nach dem Staatschef seines

Nachbarlandes fragen, und er weiß es. Gott schütze Amerika?
Eher: Gott pfeift auf Amerika.

Schaut, ihr müßt mir ein bißchen helfen. Ich weiß, ich hätte diesem Wahnsinn schon wenige Tage nach dem 11. September ein Ende machen sollen, als George W. am Altar der National Cathedral in Washington sagte, es sei seine Mission, die »Welt vom Bösen zu befreien«. Die Leute fingen an zu glauben, er würde das tun. Tja, man kann aber die Welt nicht vom »Bösen« befreien, weil man das Böse braucht, um das Gute zu definieren. Wenn es das Böse nicht gäbe, gäbe es mich auch nicht. Das Böse ist wichtig für euch Menschen, es ist ein Mittel für mich, euch zu prüfen, herauszufordern und euch die Chance zu geben, euch mit eurem freiem Willen für das Gute oder das Böse zu entscheiden.

Ihr wollt das Böse bekämpfen? Warum fangt ihr nicht mit dem Bösen an, das *ihr* geschaffen habt? Es ist böse, wenn man die Leute ohne Obdach auf der Straße leben läßt. Es ist böse, Millionen Kinder hungern zu lassen. Endlos Reality-Fernsehen zu glotzen, wenn ihr statt dessen heißen Sex haben könntet mit einem Menschen, den ihr liebt, *das* ist böse.

Ihr wollt einen Bösewicht bekämpfen? Dann ohrfeigt euch doch eine Stunde lang. Und dann ziehet aus und bekämpft den Teufel im großen Weißen Haus.

Das ist eure Mission. Wenn ihr mich im Stich laßt, seid ihr erledigt.

Das wär's. Gott hat gesprochen.

*Und nun zurück zum Buch …*

# SEVEN

# Horatio Alger muß sterben

**Der vielleicht größte Erfolg** im Krieg gegen den Terror bestand darin, daß er das Land vom Krieg der Konzerne gegen uns ablenkte. In den beiden Jahren nach den Angriffen des 11. September ist die amerikanische Geschäftswelt Amok gelaufen. Sie hat Millionen normaler amerikanischer Familien um ihre Ersparnisse gebracht, ihre Altersversorgung geplündert und ihre Hoffnungen auf eine gesicherte Zukunft beeinträchtigt oder zerstört. Die Verbrecher in den Konzernetagen (und ihre Komplizen in der Regierung) haben unsere Wirtschaft ruiniert und wollen dafür den Terroristen, Bill Clinton oder uns die Schuld geben.

Tatsächlich ist jedoch die radikale Zerstörung unserer wirtschaftlichen Potenzen einzig und allein auf die Raffgier der Mudschaheddin aus den Führungsetagen der Konzerne zurückzuführen. Die Damen und Herren dort gehen nämlich planmäßig vor! Jedes Unternehmen hat seinen eigenen Plan, meine Freunde! Und je eher ihr das glaubt und keine Angst mehr davor habt, daß ihr dann mit den Spinnern identifiziert werdet, die von Verschwörungstheorien leben, desto eher haben wir eine Chance, diese Terroristen aufzuhalten. Sie haben nämlich nur das einzige Ziel, unser Leben so unter ihre Kontrolle zu bringen, daß wir am Ende nicht einer Flagge oder altbackenen Vorstellungen von Freiheit und Demokratie die Treue schwören, sondern den Diktaten von Citigroup, Exxon, Nike, GE, GM, P & G und Philip Morris. Ihre Vorstände bestimmen heutzutage, was läuft. Ihr könnt wählen und protestieren und das Finanzamt bescheißen, soviel ihr wollt, um euch an ihnen zu rächen, aber schaut den Tatsachen ins Gesicht: *Ihr* seid nicht mehr an der Macht. Ihr wißt es, und sie wissen es, und es fehlt nur noch, daß dieser Zustand auf einem Blatt Papier schriftlich fixiert wird, und zwar in der Erklärung der Konzerngelenkten Vereinigten Staaten von Amerika:

»Folgende Wahrheiten erachten wir als selbstverständlich: Daß alle Männer und Frauen und minderjährigen Kinder gleich geschaffen sind, damit sie ihre Arbeitskraft ohne kritische Fragen dem Konzern zur Verfügung stellen, damit sie klaglos jede Art von Entlohnung akzeptieren und damit sie, ohne nachzudenken, alle seine Produkte konsumieren. Als Gegenleistung sorgt der Konzern für das Gemeinwohl, sichert die Verteidigung des Landes und erhält dafür den Löwenanteil der Steuern, die das Volk bezahlt...«

Das hört sich schon heute gar nicht mehr so absurd an, stimmt's? Die Machtübernahme wurde unter unseren Augen bereits vollzogen. Man hat uns mit ein paar sehr starken »Drogen« vollgepumpt, die uns ruhigstellen sollen, während wir von dieser Bande gesetzloser Konzernchefs ausgeraubt werden. Eine dieser Drogen heißt Furcht, die andere heißt Horatio Alger.

Die Droge Furcht funktioniert folgendermaßen: Man sagt euch immer wieder, daß euch böse, furchteinflößende Menschen töten wollen. Deshalb sollt ihr euer ganzes Vertrauen in die Konzernherrn setzen, und sie werden euch beschützen. Weil sie wissen, was das Beste für euch ist, sollt ihr sie nicht kritisieren, wenn sie eure Gesundheitsversorgung zusammenstreichen oder die Preise für Wohnungen drastisch erhöhen. Und wenn ihr nicht den Mund haltet und brav an eurem Arbeitsplatz erscheint und euch den Arsch für sie aufreißt, dann entlassen sie euch. Und dann könnt ihr lange suchen, bis ihr in *dieser* Wirtschaft wieder einen Arbeitsplatz gefunden habt, ihr Taugenichtse!

Diese Scheiße macht so Angst, daß wir natürlich tun, was uns gesagt wird, bei unserer öden Arbeit niemals anecken und mit unseren kleinen amerikanischen Flaggen wedeln, damit der Boß weiß, daß wir an seinen Krieg gegen den Terror *glauben*.

Die andere Droge ist angenehmer. Sie ist ein Märchen und wird uns schon in der Kindheit zum ersten Mal eingelöffelt. Und sie ist ein Märchen, das wahr werden kann! Es ist der von Horatio Alger geschaffene Mythos. Alger war Ende des 19. Jahrhunderts einer der beliebtesten amerikanischen Schriftsteller (eines seiner ersten Bücher für Jungen hieß *Ragged Dick*). Er schilderte, wie Menschen aus ärmlichen Verhältnissen durch Schneid, Entschlossenheit und harte Arbeit in diesem Land der unbegrenzten Möglichkeiten enorm erfolgreiche Karrieren machten. Seine Botschaft lautete, daß es in Amerika jeder zu etwas bringen und ganz groß herauskommen kann.

In meinem Land ist man süchtig nach solchen Vom-Tellerwäscher-zum-Millionär-Märchen. In anderen industrialisierten Demokratien sind die Leute zufrieden, wenn sie genug verdienen, um ihre Rechnungen zu zahlen und ihrer Familie ein ordentliches Leben zu ermöglichen. Nur wenige wollen um jeden Preis reich werden. Sie sind schon ganz glücklich, wenn sie nach sieben oder acht Stunden Feierabend haben und jedes Jahr die üblichen vier bis sechs Wochen bezahlten Urlaub bekommen. Und mit ihren Regierungen, die für eine ordentliche Gesundheitsversorgung, für gute kostenlose Schulen und für eine ausreichende Rente im Alter sorgen, sind sie sogar noch zufriedener.

Natürlich träumen ein paar von ihnen auch davon, eines Tages Millionen zu verdienen, aber die meisten Menschen außerhalb der USA gründen ihr Leben nicht auf Märchen. Sie leben in der Realität, und da gibt es nur wenige Reiche und man wird nicht so leicht einer von ihnen. Also gewöhnt man sich an ein bescheidenes Leben.

Natürlich sind die Reichen in diesen Ländern sorgfältig darauf bedacht, die Dinge nicht aus dem Gleichgewicht zu bringen. Es gibt zwar auch habgierige Schurken in ihren Reihen, aber ihnen werden gewisse Grenzen gesetzt. In der Fertigungsindustrie zum Beispiel verdienen britische Konzernchefs 24mal soviel wie ein durchschnittlicher Arbeiter in ihrer Branche. Das ist in Europa der größte Einkommensunterschied. Deutsche Konzernchefs verdienen nur 15mal soviel wie ihre Arbeiter und schwedische nur 13mal soviel. Hier in den USA jedoch verdient der durchschnittliche Konzernchef 411mal soviel wie seine Arbeiter in der Produktion. Reiche Europäer zahlen bis zu 65 Prozent Steuern, und sie hüten sich, allzu laut darüber zu klagen, weil sie das Volk sonst womöglich noch mehr bluten läßt.

In den USA haben wir Angst, es ihnen zu zeigen. Wir stecken unsere Konzernchefs gar nicht gern ins Gefängnis, wenn sie das Gesetz brechen. Aber wir senken gern ihre Steuern, selbst wenn unsere eigenen dann steigen!

Warum eigentlich? Weil wir die Droge geschluckt haben. Wir vertrauen auf die Lüge, daß auch wir eines Tages reich sein werden. Deshalb wollen wir auf keinen Fall etwas tun, das uns schaden könnte, wenn *wir erst selbst* Millionäre sind. Dieser typisch amerikanische Köder wird uns das ganze Leben lang vor die Nase gehalten, und wir schnappen unentwegt danach wie der Esel nach der Karotte an der Angel.

Wir glauben an das Märchen, weil wir *gesehen haben,* wie es wahr wurde. Ein Niemand kann es wirklich zu großem Reichtum bringen. Es gibt heute mehr Millionäre als je zuvor. Und diese Zunahme der Millionäre hat für die Reichen sehr erfreuliche Auswirkungen. Sie bedeutet nämlich, daß in jeder Gemeinde mindestens eine Person wie ein wandelndes Werbeplakat für den Tellerwäscher-zum-Millionär-Mythos herumläuft und die gar nicht so subtile Botschaft vermittelt: »SCHAUT HER! ICH HABE ES GESCHAFFT. IHR KÖNNT ES AUCH SCHAFFEN!!«

Dieser Mythos hat so viele Millionen normale Arbeitnehmer in den neunziger Jahren dazu verführt, Aktien zu kaufen. Sie sahen, wie reich die Reichen in den achtziger Jahren geworden waren, und dachten nun, Mensch, mich könnte es doch auch mal treffen!

Die Reichen taten ihr möglichstes, um diese Haltung zu fördern. Ihr müßt wissen, daß 1980 erst 20 Prozent der Amerikaner Aktien besaßen. Die Wall Street war ein Spiel für reiche Leute, das für Durchschnittsamerikaner verboten war. Und das mit gutem Grund: Normale Menschen betrachteten die Börse ganz realistisch als riskantes Spiel, und wer jeden Dollar spart, um seine Kinder aufs College schicken zu können, spekuliert nicht mit seinem sauer verdienten Geld.

Gegen Ende der achtziger Jahre jedoch schrumpften die ehemals riesigen Profite der Reichen dramatisch, und die guten Leute wußten nicht recht, wie ihre Märkte weiterwachsen sollten. Ich weiß nicht, ob irgendein Genie bei einer Maklerfirma draufkam oder ob es eine leise Verschwörung aller Gutbetuchten war, jedenfalls hieß es plötzlich: »Hey, überreden wir doch den Mittelstand, daß er uns *sein* Geld gibt und *wir* noch ein bißchen reicher werden.«

Plötzlich fuhren alle meine Bekannten auf Aktien ab und steckten ihr Geld in offene Investmentfonds oder in einen 401 K-Pensionsplan (auf Aktien basierender, von den Kursen abhängiger Pensionsplan, A. d. Ü.). Außerdem sorgten sie dafür, daß ihre Gewerkschaften das ganze Geld für ihre Altersversorgung in Aktien investierten. In den Medien kam ein Bericht nach dem anderen, daß normale Lohnempfänger praktisch als Millionäre in den Ruhestand gehen könnten! Es war wie ein Fieber, das alle ansteckte. Niemand wollte seine Chance verpassen. Arbeiter riefen am Zahltag ihren Makler an und beauftragten ihn, weitere Aktien zu kaufen. Ihren Makler! Oh, es war ja so ein tolles Gefühl ... Selbst wenn du dir die ganze Woche lang bei einem elenden Drecksjob den Arsch aufgerissen hast, kommst du dir vor, als wärest du den anderen einen Schritt voraus und einen Kopf größer als sie, *weil du deinen eigenen persönlichen Börsenmakler hast!* Genau wie die Reichen, Mann!

Bald schon wolltest du dich nicht mal mehr mit Geld bezahlen lassen: Bezahlen Sie mich in Aktien! Investieren Sie es in meinen 401 K! Rufen Sie meinen Makler an!

Jeden Abend hast du eifrig die Aktienkurse in der Zeitung studiert, während im Hintergrund so ein Sender lief, der pausenlos Finanznachrichten bringt. Du kauftest Computerprogramme, um eine Strategie zu entwickeln. Es ging auf und ab, aber meistens ging es aufwärts, massiv aufwärts, und du hörtest dich Sätze sagen wie: »Meine Aktien sind um 120 Prozent gestiegen!« oder: »Mein Einsatz hat sich verdreifacht!« Die tägliche Tretmühle wurde durch die Vorstellung von der Ruhestandsvilla erträglicher, die du dir eines Tages kaufen wolltest, oder von dem Sportwagen, den du dir gleich hättest kaufen können, wenn du sofort ausgestiegen wärst… Nein, nicht aussteigen! Die Kurse steigen immer weiter! Durchhalten und drinbleiben! Schloßallee, ich komme!

Aber es war alles Betrug. Es war nur eine List, die sich die wirklich mächtigen Konzernherrn ausgedacht hatten. Sie hatten nie auch nur die geringste Absicht, dich in ihren Club zu lassen. Sie brauchten nur dein Geld, um die nächste Stufe des Reichtums zu erreichen, auf der sie für ihren Lebensunterhalt überhaupt nicht mehr *arbeiten* mußten. Sie wußten, daß der große Boom der neunziger Jahre nicht von Dauer sein würde, also brauchten sie euer Geld, um den Wert ihrer Unternehmen künstlich aufzublähen. Auf diese Weise erreichten die Kurse ihrer Aktien so phantastische Höhen, daß sie nach dem Verkauf endgültig ausgesorgt hatten, gleichgültig wie schlecht die Wirtschaftslage wurde.

Und so geschah es. Während der normale Kleinaktionär noch auf die ganzen Schreihälse bei CNBC hörte und immer mehr Aktien kaufte, zogen sich die Ultrareichen still und heimlich aus dem Markt zurück, wobei sie die Aktien ihrer eigenen Unternehmen zuerst verkauften. Während die Konzernherrn der Öffentlichkeit – und ihren eigenen loyalen Angestellten – noch rieten, mehr in ihre Unternehmen zu investieren, weil die Analysten weiteres Wachstum voraussagten, verkauften sie bereits ihre eigenen Aktien, so schnell sie nur konnten.

Im September 2002 veröffentlichte die Zeitschrift *Fortune* eine eindrucksvolle Liste krimineller Konzernherrn, die sich wie Diebe davongeschlichen hatten, als die Aktienkurse ihrer Unternehmen zwischen 1999 und 2002 um 75 oder mehr Prozent abstürzten. Sie wußten, daß der Absturz kommen würde, also verkauften sie heimlich ihre Bestände, während ihre eigenen Angestellten und normale Kleinaktionäre entweder mehr Aktien kauften (»Kuck mal, Liebling, wir können GM jetzt wirklich ganz billig kriegen!) oder in der Hoffnung auf eine erneute Wende ihre dramatisch an Wert verlierenden Aktien behielten. (»Sie müssen einfach wieder steigen! So ist es doch immer gewesen! Sie sagen, man muß auf langfristige Gewinne setzen.«)

Ganz oben auf der Liste der Übeltäter stand Qwest Communications. Auf dem Höhepunkt wurden die Aktien von Qwest für vierzig Dollar gehandelt. Drei Jahre später waren sie nur noch einen Dollar wert. Innerhalb dieses Zeitraums verdufteten der Direktor von Qwest Phil Anschutz, sein ehemaliger CEO Joe Nacchio und die anderen Vorstandsmitglieder des Unternehmens mit 2,26 Milliarden Dollar, einfach indem sie verkauften, bevor die Kurse ganz im Keller waren. Meine eigenen Oberbosse bei AOL Time Warner

## Die komplett verrückte Welt der Wirtschaft

Wenn Konzernchefs, deren Verhalten auf kriminelle Veranlagungen schließen läßt, nicht in der Geschäftswelt tätig wären, würden sie als Psychopathen gelten, behauptet ein Psychoanalytiker.

»Als Einzelpersonen analysiert, könnten sie leicht als Soziopathen eingestuft werden«, sagte Kenneth Eisold, Präsident der International Society for the Psychoanalytic Study of Organizations, in einer Rede vor Psychiatern über führende Industrielle wie Kenneth Lay von Enron und Dennis Kozlowski von Tyco. »Innerhalb einer Gruppe, die sie nie in Frage stellt, wird ihr unethisches Verhalten jedoch zur Norm, und sie haben keinen inneren Konflikt.«

Da während des Wirtschaftsbooms der neunziger Jahre, als viele Amerikaner vom Aktienmarkt profitierten, die Bereitschaft bestand, ethische Probleme zu ignorieren, bekamen wir laut Eisold »die Vorstandsvorsitzenden, die wir verdienten«.

füllten sich die Taschen mit 1,79 Milliarden. Bill Joy und Ed Zander und ihre Freunde bei Sun Microsystems machten 1,03 Milliarden. Charles Schwab von, nun ja, Charles Schwab, kassierte ganz allein für sich 350 Millionen Dollar. Die Liste ist noch sehr lang und erstreckt sich auf alle Branchen der Wirtschaft.

Als die Diebe mit Bush ihren Mann im Weißen Haus sitzen hatten und der Boom zu bröckeln begann, brachen die Aktienkurse ein. Zunächst wurden sie noch von der alten Behauptung gestützt, daß »der Markt zyklisch funktioniert. Also zieht euer Geld nicht ab, Jungs. Es geht bestimmt wieder aufwärts, ganz wie immer.« Und der durchschnittliche Investor hörte auf all die faulen Ratschläge und blieb bei der Stange. Doch die Kurse fielen immer weiter, so tief, daß es völlig verrückt erschien, an diesem Punkt auszusteigen. Die Talsohle MUSSTE jetzt einfach erreicht sein, man durfte nur nicht die Nerven verlieren. Doch dann fielen die Kurse einfach immer weiter, und im Handumdrehen hatten viele ihre ganzen Ersparnisse verloren.

Über vier Billionen Dollar

Eines aber ist uns geblieben: die Reichen. Sie sind immer noch unter uns, und es geht ihnen besser als je zuvor. Sie lachten auf dem ganzen Weg zu ihrem Schweizer Bankkonto über den Coup des Jahrtausends. Sie hatten ihn größtenteils legal durchgezogen, und wenn sie hin und wieder das Gesetz ein bißchen großzügig auslegen mußten, war das kein Problem. Kaum eine Handvoll von ihnen sitzt hinter Gittern, während ich dies schreibe. Die anderen sitzen an einem gut gepflegten Privatstrand.

Dazu habe ich eine Frage: Die Reichen haben die amerikanische Bevölkerung gerupft und für die meisten arbeitenden Menschen den Amerikanischen Traum zerstört. Warum werden sie dafür nicht gestreckt und geviertelt und im Morgengrauen vor den Stadttoren aufgehängt? Warum bekommen sie auch noch einen dicken, nassen Kuß vom Kongreß in Form einer Steuersenkung? Und kein Mensch empört sich darüber? Wie ist das möglich?

Ich glaube, es liegt daran, daß wir immer noch von Horatio Algers halluzinogener Droge abhängig sind. Trotz des gewaltigen Schadens und all den Beweisen für das Gegenteil will der Durchschnittsamerikaner immer noch daran glauben, daß er oder sie (aber meistens er) vielleicht, nur vielleicht, doch noch ganz groß rauskommen könnte. Also greift die Reichen nicht an, *denn eines Tages könnte ich einer von ihnen sein!*

Hört mal zu Freunde, ihr müßt den Tatsachen ins Auge sehen: **Ihr werdet niemals reich.** Die Chancen, daß das passiert, stehen etwa eins zu einer Million. Ihr werdet nicht nur nicht reich, sondern ihr müßt den Rest eures Lebens malochen, damit ihr die Fernsehgebühren und für eure Kinder den Musik- und Malunterricht in der staatlichen Schule bezahlen könnt, wo diese Fächer früher umsonst waren.

Und es kommt ganz bestimmt noch schlimmer. Alle Sozialleistungen, die ihr jetzt noch kriegt, werden allmählich auf Null gekürzt. Vergeßt eure Rente, vergeßt eure soziale Sicherheit und rechnet ja nicht damit, daß eure Kinder für euch sorgen, wenn ihr alt werdet. Sie werden nämlich kaum genug Geld haben, um selbst über die Runden zu kommen. Und denkt ja nicht daran, Urlaub zu nehmen, sonst kann es leicht sein, daß euer Job weg ist, wenn ihr zurückkommt. Ihr seid ersetzbar, ihr habt keine Rechte und übrigens: »Was ist eine Gewerkschaft?«

Ich weiß, viele von euch glauben nicht, daß es so düster aussieht. Klar, die Zeiten sind hart, aber du glaubst trotzdem, daß du überlebst. Du bist die eine Person, die dem ganzen Irrsinn irgendwie entrinnt. Du gibst den Traum nicht auf, daß du eines Tages dein Stück vom Kuchen bekommst. Manche von deinen Kumpels glauben sogar, daß sie eines Tages den ganzen Kuchen kriegen.

Da muß ich dir leider ein Licht aufstecken: Du darfst nicht mal am Teller lecken. Das System ist zugunsten der wenigen getürkt, und du gehörst nicht zu ihnen, weder heute noch sonst irgendwann. Es ist so gut getürkt, daß viele sonst ganz anständige, vernünftige, hart arbeitende Leute glauben, es funktioniere auch zu ihren Gunsten. Der Köder wird ihnen so dicht unter die Nase gehalten, daß sie ihn riechen können. Weil das System verheißt, daß die Verbraucher und Steuerzahler den Köder eines Tages essen dürfen, rekrutiert es eine ganze Armee von Dummköpfen, die mit Vergnügen und *Leidenschaft* für die Rechte der Reichen kämpfen. Sie setzen sich auch dann noch für milliardenschwere Steuererleichterungen ein, wenn die Schulen ihrer Kinder verfallen oder wenn ihre Kinder in Kriege geschickt werden, in denen sie für das Öl der Reichen sterben. Ja, es stimmt: Die Arbeiter und Verbraucher opfern sogar ihr eigenes Fleisch und Blut, wenn sie die Reichen dadurch fett und glücklich machen können, denn die Reichen haben ihnen versprochen, *daß sie eines Tages bei ihnen am Tisch sitzen dürfen!*

Dieser Tag wird nie kommen, aber bis ein Arbeiter das herausgefunden hat, sitzt er im Altersheim und schimpft auf den Staat und läßt seine Wut an dem Pfleger aus, der gerade seine vollgeschissene Bettpfanne leeren muß. Er hätte seine alten Tage vielleicht menschenwürdiger verbringen können, aber mit dem dafür nötigen Geld hat er damals diese phantastischen Aktien von AOL Time Warner und WordCom gekauft, und den Rest hat die Regierung für diese Weltraumwaffen ausgegeben, die nie richtig funktioniert haben.

Wer immer noch fest daran glaubt, daß nicht alle amerikanischen Großunternehmer so schlimm sind, sollte mal die folgenden drei Beispiele für die jüngsten Machenschaften unserer lieben Industriekapitäne zur Kenntnis nehmen:

Erstens: Ist dir klar, daß dein Unternehmen vielleicht eine Lebensversicherung für dich abgeschlossen hat? Das ist aber nett von ihm, sagst du? Oh ja, wirklich nett:

In den vergangenen 20 Jahren haben verschiedene Unternehmen, darunter Disney, Nestlé, Procter & Gamble, JP Morgan Chase und Wal-Mart, heimlich Lebensversicherungen für ihre gering- und mittelmäßig verdienenden Mitarbeiter abgeschlossen *und sich selbst – den Konzern – als Begünstigte eingetragen!* Ja genau: Wenn du stirbst, kassiert das Unternehmen und nicht deine

Angehörigen. Wenn du bei der Arbeit stirbst, um so besser, weil die meisten Lebensversicherungen mehr ausbezahlen, wenn jemand jung stirbt. Und wenn du ein hohes Alter erreichst, kassiert der Konzern bei deinem Ableben ebenfalls, selbst wenn du ihn schon viele Jahre zuvor verlassen hast. Das Geld wird nicht etwa an deine trauernden Hinterbliebenen ausbezahlt oder für deine Bestattung und die Begräbnisfeier verwendet, nein, es geht an die Vorstandsmitglieder deines Konzerns. Und ganz gleich, wann du abkratzt, der Konzern kann die Lebensversicherung beleihen und die Zinsen von der Körperschaftssteuer absetzen.

Viele der oben genannten Konzerne haben es so eingerichtet, daß das Geld aus den Versicherungen für die Bonusse, Autos, Häuser und Karibikreisen ihrer Vorstandsmitglieder verwendet werden kann. Dein Tod wird deinen Chef sehr glücklich machen, weil er dann länger in seinem Jacuzzi (Unterwassermassagebekken, A. d. Ü.) auf St. Barts sitzen kann. Und wie nennen die amerikanischen Wirtschaftsführer diese spezielle Form der Lebensversicherung, wenn sie unter sich sind?

Tote-Bauern-Versicherung.

Stimmt genau: »Tote Bauern.« Das seid ihr nämlich für sie, Bauern. Und manchmal seid ihr für sie tot wertvoller als lebendig. (Manchmal wird die Versicherung auch »Tote-Hausmeister-Versicherung« genannt.)

Als ich letztes Jahr im *Wall Street Journal* einen Bericht über diese Art von Versicherungen las, dachte ich, ich hätte versehentlich eine der vielen Parodien dieser Zeitung in die Finger bekommen. Aber nein, es war das Original, und die Autoren des Artikels, Ellen Schultz und Theo Francis, erzählten einige herzzerreißende Geschichten über Angestellte, die starben und deren Familien das Geld hätten brauchen können.

Sie berichteten von einem Mann, der mit 29 Jahren an AIDS starb und keine eigene Lebensversicherung hatte. Seine Familie bekam bei seinem Tod keine Sozialleistungen, aber CM Holdings, die Muttergesellschaft des Musikgeschäfts, wo er gearbeitet hatte, kassierte 339 302 Dollar nach seinem Ableben.

Eine andere Lebensversicherung wurde ebenfalls von CM Holdings für eine Verwaltungsassistentin abgeschlossen, die 21 000 Dollar im Jahr verdiente. Sie starb an Amyotropher Lateralsklerose (auch Lou-Gehrig-Krankheit genannt). Wie das *Wall Street Journal* berichtete, hatte CM Holdings es abgelehnt, 5 000 Dollar für einen Rollstuhl zu zahlen, damit die erwachsenen Kinder, die die kranke Frau pflegten, mit ihrer Mutter in die Kirche gehen konnten. Als die Frau 1998 starb, erhielt der Konzern 180 000 Dollar.

Einige der genannten Unternehmen, darunter Wal-Mart, verzichten inzwischen auf diese Art von Geschäft. Auch haben einige amerikanische Bundesstaaten »Tote-Bauern-Versicherungen« gesetzlich verboten, und einige weitere ziehen ein Verbot in Erwägung. Zudem haben die Angehörigen verstorbener Arbeitskräfte zahlreiche Klagen eingereicht, um als Begünstigte der Lebensversicherungen eingesetzt zu werden. Trotzdem ist das Verfahren bei vielen Unternehmen immer noch an der Tagesordnung. Vielleicht gehört deine Firma auch dazu? Du solltest das wirklich mal überprüfen. Es ist doch gut zu wissen, daß dein Tod dem Chef deines Unternehmens zum Beispiel einen neuen Porsche einbringen könnte.

Glaubt ihr noch immer nicht, daß sich die Reichen einen feuchten Kehricht um euch scheren? Okay, hier ein zweites Beispiel, wie wenig ihr euren Bossen bedeutet, wenn sie nur eure Wählerstimme und euren Gehorsam haben. Im Kongreß wird ein Gesetz diskutiert, das es Unternehmen ermöglichen soll, weniger in die Rentenfonds ihrer Fabrikarbeiter einzuzahlen. Die Begründung lautet, daß die Arbeiter angesichts ihrer gesundheitsschädlichen Arbeitsbedingungen (die die Unternehmen zu verantworten haben) nicht lange genug leben, um längere Zeit in den Genuß einer Rente zu kommen. Die Unternehmen brauchen also nicht damit zu rechnen, daß sie dir deine Rente zahlen müssen, weil du gar nicht mehr da bist, um sie zu kriegen. Du wirst tot sein, weil sie keine ordentliche Entlüftung installiert haben oder dich so hart arbeiten ließen, daß du von Glück sagen kannst, wenn du nicht schon mit 58 Blut hustest. Warum also sollten sie überhaupt das ganze Geld für deine Rente zurücklegen?

Noch schlimmer an diesem Gesetzesvorschlag ist, daß er von Gewerkschaften wie den United Auto Workers (UAW) unterstützt wird. Sie wollen, daß die Ruhestandsgelder in Form von Lohnerhöhungen an ihre Mitglieder ausgeschüttet werden. Doch das rechnet sich nicht: Fabrikarbeiter, die in der Gewerkschaft sind, leben nämlich länger als nicht organisierte Industriearbeiter. Sie werden besser bezahlt und haben eine gute Gesundheitsversorgung. Wer jedoch mehr Geld und eine gute Gesundheitsversorgung hat, lebt in der Regel auch länger, und deshalb brauchen gerade Gewerkschaftsmitglieder mehr und nicht weniger Rente für ihren langen Ruhestand.

Das dritte Beispiel dafür, wie entbehrlich ihr für die Bosse seid, liefern unsere guten Freunde in der Umweltbehörde (EPA) der Regierung Bush. Sie haben den »Tote-Senioren-Rabatt« ausgeheckt. Die Umweltverschmutzer in der Industrie beschweren sich schon seit langem darüber, wie die Regierung die Zahl der Menschen berechnet, die der Verschmutzung von Luft und Wasser zum Opfer fallen. Die EPA stützt ihre Vorschriften – und ihre Strafgebühren – nämlich zum Teil auf Berechnungen, wie viele Menschen durch die Umweltverschmutzung umkommen werden. Auf diese Weise konnten sie sogar den »Wert« eines Menschenlebens ermitteln. Er lag bei 3,7 Millionen Dollar. (Du bist also doch Millionen wert, siehst du?)

Doch die Wirtschaftsvertreter beschwerten sich. Sie sagten: »Diese armseligen Gestalten sind doch nie im Leben fast vier Millionen Dollar wert.« Also kam ihnen Bushs EPA durch einen hübschen kleinen mathematischen Trick entgegen. Sie sagte: Okay, um eure Kosten und eure Anstrengungen im Kampf gegen die von euch verursachte Umweltverschmutzung zu reduzieren, legen wir fest, daß Menschen über 70 nur noch 2,3 Millionen Dollar wert sind. Sie sind ohnehin schon fast tot, und sie stellen nichts mehr für euch her, also ist ihr Leben eben auch weniger wert.

Diese Politik der EPA wurde von ihren Kritikern als »Toter-Senioren-Rabatt« bezeichnet. Ältere Amerikaner protestierten, und Christie Whitman, die Direktorin der EPA, versprach, die Behörde werde künftig anders rechnen. Doch dann trat Christie Whitman zurück.

Ihr habt also euer ganzes Leben lang malocht, Überstunden gemacht und alles gegeben, damit euer Unternehmen Rekordgewinne erzielen konnte. In der Wahlkabine habt ihr für die republikanischen (oder demokratischen) Kandidaten der Konzernherrn gestimmt, wie man es euch gesagt hat. Und jetzt, wo ihr im Ruhestand seid, ist das der Dank. Ein Senioren-Rabatt – nicht im Kino oder bei McDonald's, sondern auf euer eigenes Leben.

Glaubt mir, ich weiß einfach nicht, wie ich es netter sagen soll. Aber diese Schweinehunde, die unser Land regieren, sind einfach ein Haufen betrügerischer, diebischer, selbstgefälliger Arschlöcher. Sie müssen dringend gestürzt und aus ihren Ämtern entfernt und das System muß durch ein ganz neues System ersetzt werden, in dem wir das Sagen haben. Darum geht es doch in der Demokratie – daß wir, das Volk, *die verdammte Macht* haben. Was ist mit uns passiert? Vielleicht waren wir in Wirklichkeit gar nie an der Macht, und an diesem glühendheißen Tag im Jahr 1776 in der Independence Hall wurden einfach nur schöne Worte gemacht. Vielleicht hätten die Gründungsväter keinen solchen Schwachsinn geschrieben, wenn sie eine Klimaanlage und einen Firmenjet gehabt hätten. Aber sie haben es getan, und ihre Worte sind das einzige, was wir noch in der Hand haben.

Wie kommt es eigentlich, daß wir die falschen Leute haben gewinnen lassen, Leute, die George III. (englischer König zur Zeit der amerikanischen Unabhängigkeit, A. d. Ü.) damals gern den Schwanz gelutscht hätten, wenn er sie nur gelassen hätte? Wann bringen wir dieses Land und seine Wirtschaft endlich in *unsere Hände* und wählen Abgeordnete, die den Kuchen anständig mit uns teilen und darauf achten, daß *keiner* mehr bekommt, als ihm von Rechts wegen zusteht?

Leider müssen wir uns bis heute mit traurigen Realitäten wie der folgenden herumschlagen: George W. Bush (Konzernherr von Amerika) und Kenneth Lay (Chairman von Enron, dem siebtgrößten Konzern der USA) sind Busenfreunde. Bevor der in Houston beheimatete Enron-Konzern zusammenbrach, machte er monströse 100 Milliarden Dollar Umsatz, vor allem indem er rund um den Erdball mit Öl, Gas und Strom handelte. Der immer stärker deregulierte Energiemarkt war eine Goldmine für den Konzern, der für seine aggressiven Vertragsverhandlungen bekannt war.

Lay, den Bush liebevoll »Kenny Boy« nannte, hatte nie Hemmungen, seine Freundschaft zu George W. öffentlich zu zeigen. Seit 1993 hatte Bush 736 800 Dollar von Enron erhalten. Zwischen 1999 und 2001 sammelte Chairman Lay 100 000 Dollar Spenden für seinen Kumpel Bush und spendete weitere 283 000 Dollar aus seiner eigenen Tasche an das Republican National Committee, die Parteizentrale der Republikaner in Washington. Lay war auch so großzügig, Bush während des Präsidentschaftswahlkampfs den Firmenjet von Enron zur Verfügung zu stellen, damit er mit seiner Familie im Land umherfliegen und von seinem Plan sprechen konnte, »die Würde des Weißen Hauses wiederherzustellen«.

Die Freundschaft beruhte wirklich auf Gegenseitigkeit. Bush unterbrach im April 2000 eine wichtige Wahlkampfreise. Er flog zurück nach Houston und schaute zu, wie Lay beim Eröffnungsspiel der Astros auf dem neuen Enron-Feld den ersten Wurf machte. Wer sagt, daß Männer nicht sentimental sind?

Nachdem Bush Präsident geworden war, lud er Lay nach Washington ein, damit er persönlich vor hohen Regierungsvertretern sprechen konnte. Insbesondere sprach er mit hochrangigen Mitarbeitern des Energieministeriums – ausgerechnet des Ministeriums, das für die Aufsicht über Enron zuständig ist.

Harvey Pitt – der damalige Vorsitzende der Börsenaufsichts-behörde – war früher Anwalt bei Arthur Andersen gewesen, aus-gerechnet bei dem Wirtschaftsprüfungsunternehmen, das Enron die Bilanzen frisiert hat. Lay und Andersens Mannschaft arbeite-ten damals auch daran, daß zahlreiche Vorschriften für Wirt-schaftsprüfungsunternehmen nicht durchgesetzt wurden und sie für irgendwelche »seltsamen Buchführungspraktiken« nicht ver-antwortlich gemacht werden konnten – Vorkehrungen, die sich später als nützlich erweisen sollten.

Den Rest seiner Zeit in Washington verbrachte Lay Tür an Tür mit seinem alten Kumpel Vizepräsident Dick Cheney. Die beiden bildeten eine Energie Task Force, die für die USA eine neue »Energiepolitik« formulierte, die auf alle Geschäftsfelder von Enron Auswirkungen haben konnte. Cheney und/oder seine Be-rater trafen sich damals mindestens sechsmal mit leitenden An-gestellten von Enron, aber niemand weiß genau, was damals be-sprochen wurde, weil Cheney sich weigerte, der Öffentlichkeit alle Protokolle zugänglich zu machen. Unterdessen machten die Geschäftemacher bei Enron Pläne, wie sie die Energiekrise in Kalifornien ausnutzen und dadurch Millionen Dollar in ihre eigenen Taschen stecken könnten.

Na, fällt jetzt endlich der Groschen? Enron ist wegen der span-nenden militärischen Unterhaltung ein bißchen aus dem Faden-kreuz gewandert, und ihr habt vielleicht vergessen, daß der Konzern einen der größten Skandale in der amerikanischen Wirt-schaftsgeschichte produziert hat. Und der Skandal wurde von einem der engsten Freunde des »Präsidenten« verschuldet. Ich bin sicher, Bush dankt Gott jede Nacht für den Krieg gegen den Terror, den 11. September, Afghanistan, den Irak und die Achse des Bösen, weil all diese Ereignisse und Schlagworte dafür gesorgt haben, daß Enron fast völlig aus den Nachrichten und aus den Köpfen der Wähler verschwunden ist. Eigentlich hätte der Enron-Skandal schon sehr früh ein Amtsenthebungsverfah-ren gegen Bush und damit seine Entfernung aus unserem Weißen Haus zur Folge haben müssen. Doch das Schicksal ist ihm leider häufig hold und sorgt dafür, daß er die Konsequenzen seiner Taten nicht tragen muß. Wie ich schon sagte, man muß schon ein großer Glückspilz sein, wenn man wie Bush dreimal mit dem Gesetz in Konflikt geraten ist und trotzdem nicht eine einzige Nacht im Gefängnis verbracht hat. Obendrein bleibt das Glück Leuten wie ihm meistens treu.

Ich jedenfalls vergesse Enron nicht, und ihr solltet es auch nicht vergessen. Denn beim Enron-Skandal ging es nicht um ganz gewöhnliche Missetaten eines Konzerns, sondern um eine konzertierte Aktion zur Zerstörung unserer Wirtschaft und zur Wahl politischer Marionetten, die dem Konzern dabei helfen sollten, Amerika von innen anzugreifen.

Als es Enron noch gutging, ging es ihm wirklich sehr, sehr gut. Lay und andere hochrangige Bosse kassierten horrende Gehälter, verfügten über großzügige Spesenkonten und bekamen riesige Prämien. Dank des süßen Lebens bei Enron konnten sie die richtigen Politiker in beiden Parteien mit fetten Spenden versorgen, und diese Politiker sorgten dafür, daß die verabschiedeten Regulierungen den Interessen von Enron sehr, sehr weit entgegenkamen. Dem unabhängigen Forschungsinstitut Center for Responsive Politics zufolge hatte Enron ab 1989 über 6 Millionen Dollar an Republikaner und Demokraten gespendet, wobei 74 Prozent an die Republikaner gingen. Dies hatte zur Folge, daß 212 der 248 Mitglieder des Repräsentantenhauses und des Senats, die in den zuständigen Ausschüssen saßen, als der Kongreß Anfang 2002 eine Untersuchung gegen Enron einleitete, Wahlkampfspenden von Enron oder seinem kriminellen Buchprüfungsunternehmen Arthur Andersen angenommen hatten.

Selbst die weniger ranghohen Mitarbeiter von Enron schienen es zunächst gut getroffen zu haben. Sie sahen entspannt zu, wie der Wert ihrer Altersvorsorge, die zu einem guten Teil aus Enron-Aktien bestand, immer weiter und weiter stieg.

Doch der phänomenale Erfolg des Unternehmens war nicht von Dauer … Und er beruhte auf Betrug. Ein Großteil der Gewinne des Konzerns wurde durch die Gründung von Briefkastenfirmen erzielt und durch zweifelhafte (und vielleicht kriminelle) Buchführungspraktiken vorgetäuscht. Es ist unklar, wieviel von der ganzen Geschichte je herauskommen wird, da wichtige Dokumente vernichtet wurden, bevor die Ermittler sie einsehen konnten.

Jedenfalls stürzte die Pyramide namens Enron im Herbst 2001 in sich zusammen. Und während sich die USA wegen des 11. Septembers im Schockzustand befanden, betrieben die Vorstandsmitglieder von Enron eifrig Schadensbegrenzung, verkauften Aktien und vernichteten Akten.

Auch hielt sie die nationale Krise nach den Anschlägen nicht davon ab, bei ihren Kameraden in der Regierung Bush Hilfe zu suchen. Vorstandsmitglieder von Enron riefen beim Handelsminister Don Evans und beim damaligen Finanzminister Paul O'Neill an und baten um Hilfe, weil der Konzern am Rand des Zusammenbruchs stand.

Evans und O'Neill sagten, sie hätten nichts tun können, als ihnen die Konzernleitung von den Gaunerstückchen mit den Briefkastenfirmen und dem bevorstehenden Zusammenbruch berichtete, und Bush wertete dieses Verhalten später stolz als Beweis dafür, daß die Regierung einem der wichtigsten Wahlkampfspender des Präsidenten keine Sondervergünstigungen eingeräumt hatte.

Das ist richtig. Die Regierung war stolz darauf, daß sie *nichts* tat, als Millionen von Amerikanern um ihr Geld betrogen wurden. Und daß diese Amerikaner gerupft werden konnten, war größtenteils dem Umstand zu verdanken, daß die Regierung Bush dem Amoklauf des Konzerns tatenlos zusah.

Als sich George W. Bush schließlich der Presse stellen mußte, versuchte er, zu seinem alten Freund auf Distanz zu gehen, und sagte im wesentlichen: »Ken wer?« Er erklärte der Öffentlichkeit, daß sein guter Kumpel kein *wirklich* guter Kumpel gewesen sei, sondern nur einer von vielen Geschäftsleuten aus Texas. »Er [Kenny Boy] unterstützte Ann Richards (Gouverneurin von Texas, A. d. Ü.), als ich 1994 [für das Amt des Gouverneurs] kandidierte!«, sagte Bush. (In Wirklichkeit hatte Lay fast viermal

### Schnipp und Schnapp

Sind Sie CEO? Und wollen Sie Unterlagen vernichten, um in den nächsten zehn Jahren diversen Gefängnisstrafen zu entgehen? Dann rate ich Ihnen – als besonderen Service: Investieren Sie in diese schweren, leistungsfähigen Schönheiten und geben Sie Ihren belastenden Unterlagen einen Abschiedskuss.

#### *Destroylt Crosscut 5009*

Zu seinen Produkteigenschaften gehören ein Sammelbehälter mit einem Volumen von 52 Gallonen (197 Liter), ein Förderband, eine Vernichtungskapazität von 500 Blättern pro Zufuhr und ein Ausstoß von 7000 Pounds/3175 kg pro Stunde.
Preis: 26999 Dollar
www.destroyit-shredders.com

#### *Ameri-Shred Corp AMS 10000*

Mit einer Geschwindigkeit von 176 feet (53,64 Meter) pro Minute, einem Ausstoß von 10000 pounds/4536 kg pro Stunde kann er bis zu 1100 Blätter auf einmal aufnehmen.

Zerkleinert außerdem Mylar, Mikrofilme, Microfiche, Büro- und Heftklammern.

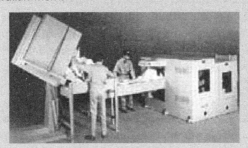

Preis: 88066 Dollar
www.machinerunner.com/industrial-Pater-Shredders-Strip-Cut-2502000-Sheet/Ameri-Shred-Corps-AMS-10000.html

soviel für Bushs Gouverneurswahlkampf gespendet wie für Ann
Richards.)

Als Enron im Dezember 2001 offiziell bankrott ging, waren
Börsengurus und Investoren im ganzen Land schockiert.

Aber »bankrott« hatte für die Führungskräfte von Enron eine
andere Bedeutung als für uns normale Sterbliche. In dem 2001
eingereichten Konkursantrag des Konzerns sind 144 Führungskräfte ausgewiesen, die insgesamt 310 Millionen Dollar als Entschädigung und weitere 435 Millionen Dollar in Form von Aktien
erhielten. Das waren durchschnittlich 2 Millionen Dollar Entschädigung pro Kopf plus weitere 3 Millionen Dollar in Aktien.

Und während die großen Tiere ihre Millionen zählten, verloren Tausende von Enron-Arbeitern ihren Job und den größten
Teil ihrer Ersparnisse. Enron hatte drei Sparpläne für seine Beschäftigten aufgelegt, und zum Zeitpunkt des Bankrotts gab es
20 000 Sparer. Die Pensionsfonds bestanden zu 60 Prozent aus
Enron-Aktien. Als die Aktien nach einem Höchststand von 90
Dollar im August 2000 an Wert verloren, bis sie nur noch ein
paar Cent wert waren, blieb den Enron-Beschäftigten fast nichts.
Die Verluste bei den 401K-Pensionsfonds beliefen sich insgesamt auf über eine Milliarde Dollar.

Die riesigen Verluste aufgrund des Zusammenbruchs von
Enron betrafen jedoch keineswegs nur die Beschäftigten des
Konzerns, auch Tausende andere Amerikaner hatten Enron-
Aktien in ihren Pensionsfonds und verloren laut einem Bericht
der *New York Times* mindestens 1,5 Milliarden Dollar.

Zusätzlich zu diesen Verlusten löste der Zusammenbruch von
Enron auf dem gesamten Aktienmarkt eine Baisse aus, deren
negative Nachwirkungen bis heute zu spüren sind.

Trotzdem sind im Frühjahr 2003, während ich dies schreibe,
weniger als zwei Dutzend Menschen wegen Verbrechen im Zusammenhang mit dem Enron-Konzern angeklagt. Fünf Ange-
klagte befinden sich in Vergleichsverhandlungen und müssen
mit einer Strafe rechnen, und fünfzehn weitere warten auf ihren
Prozeß.

Gegen den früheren Chairman Ken Lay und den CEO Jeff Skilling wurden keine Klagen erhoben.

Und was machen wir jetzt?

Der einzige wirkliche Wert, den euer Leben für die Reichen hat, besteht darin, daß sie an jedem Wahltag eure Stimmen brauchen, damit die von ihnen finanzierten Politiker ihre Ämter antreten können. Das Wählen können die Reichen nämlich noch nicht selbst besorgen. Dieses verdammte System, nach dem das Land durch den Willen des Volkes regiert werden soll, ist sehr betrüblich für sie, weil sie nur ein Prozent »des Volkes« stellen. Man kann keine Steuersenkungen für die Reichen beschließen, wenn man nicht genügend Stimmen hat, um die Sache durchzuziehen. Deshalb ist den Reichen die Demokratie in Wirklichkeit verhaßt. Der entscheidende Nachteil der Demokratie für sie ist nämlich, daß sie nur eine winzige Minderheit sind. Deshalb müssen sie irgendwie die 50 Prozent der Wähler hereinlegen oder bestechen, die sie brauchen, um den Laden unter ihrer Kontrolle zu halten. Das ist keine leichte Aufgabe. Am leichtesten ist es, Politiker zu kaufen, zuerst mit Wahlkampfspenden, dann, wenn sie im Amt sind, mit besonderen Vergünstigungen und Prämien, und schließlich, wenn sie nicht mehr im Amt sind, mit einem gutbezahlten Beraterjob. Damit immer die richtigen Politiker von ihnen abhängig sind, geben sie stets beiden Parteien und Kandidaten Geld, und genau das machen auch fast alle Politischen Aktionskomitees (PACs) der Konzerne.

Viel schwieriger ist es, eine Mehrheit der *Wähler* so zu verarschen, daß sie für den Kandidaten (oder die Kandidaten) der Reichen stimmen. Doch die Reichen haben bewiesen, daß sogar das möglich ist. Eine ihrer Methoden ist es, die Medien so zu beeinflussen, daß sie den Reichen kaum Fragen stellen und ständig wiederholen, was die Reichen sagen, als ob es die reine Wahrheit wäre. Wie wir gesehen haben, funktioniert es auch gut, wenn man den Leuten Angst macht, und Religion ist ebenfalls nützlich. Die Reichen verfügen also über eine stramme Armee von Konservativen, Rechtsextremen und Typen von der Christian

Coalition, die sie als Fußvolk einsetzen können. Dieses Bündnis ist irgendwie ein bißchen seltsam, weil die Reichen im allgemeinen eigentlich weder konservativ noch liberal und weder rechts noch links sind und auch mit fanatischem Christen- oder Judentum nichts am Hut haben. Ihre wirkliche politische Partei heißt Habgier, und ihre Religion ist der Kapitalismus. Aber sie freuen sich trotzdem diebisch, wenn Millionen arme Weiße und sogar Millionen Menschen aus dem Mittelstand in den Wahlkabinen für Kandidaten stimmen, die diese weißen Armen und Mittelständler nur noch aufs Kreuz legen, sobald sie im Amt sind.

Unsere Aufgabe, unsere Mission ist es, diese Millionen von arbeitenden Menschen zu erreichen und ihnen zu zeigen, daß sie radikal gegen ihre eigenen Interessen wählen. Enron mußte erst bankrott gehen, bevor Tausende seiner konservativen Beschäftigten aufwachten. Viele von ihnen hatten sich stolz dazu bekannt, Bush und die Republikaner gewählt zu haben. Aber wie viele werden wohl bei den nächsten Wahlen noch für Ken Lays besten Freund George W. Bush stimmen? Doch das ist ein dornenvoller Weg zum Aufbau einer Oppositionspartei. Diese sonst sehr anständigen Leute sollten eigentlich nicht dafür bestraft werden, daß sie glaubten, der rechte Radiomoderator Rush Limbaugh oder der republikanische Mehrheitsführer im Repräsentantenhaus Tom DeLay würden für sie sorgen. Sie wurden betrogen und benutzt. Ich glaube wirklich, daß sie sich besinnen und sehr, sehr zornig werden, wenn sie von Tricks wie der Tote-Bauern-Versicherung und dem Tote-Senioren-Rabatt hören und wenn sie erfahren, was die letzte Steuersenkung sie an öffentlichen Dienstleistungen und lokalen Steuererhöhungen gekostet hat. Und wenn sie erkennen, daß sie nie Horatio Alger heißen werden und daß Märchen etwas für Kinder sind, dann werden sie erwachsen – und sie werden sich erheben –, und zwar sehr schnell.

## EIGHT

# Juhu! Ich bekam eine Steuersenkung!

An
George W. Bush
Bush Ranch
Crawford, Texas

*Lieber George,*
ich muß zugeben, als ich zum ersten Mal von Deinen neuen
Steuersenkungen in Höhe von 350 Milliarden Dollar hörte,
dachte ich wie viele Amerikaner: »Tja, da hilft er mal wieder
seinen reichen Kumpels.«

Aber dann ging ich eines Tages zum Briefkasten und fand dort
neben der üblichen Reklame einen Scheck von meinem Verlag
für all die Bücher, die ich letztes Jahr verkaufte. George, ich saß
einfach da und starrte auf die Zahl auf diesem Scheck, und dann
holte ich meinen Taschenrechner und rechnete Deine neue
Steuersenkung aus und ...

Oh ... mein ... Gott ... George! ICH HAB'S GESCHAFFT!
Hallelujah! Danke! Danke! DANKE!

Mann, ich hab Dich *völlig* falsch beurteilt. Ich dachte, Du
hättest diese Steuersenkung für Cheney, Kenny Lay und Dich
selbst gemacht. Schließlich verdienst Du mit dieser Steuersenkung dieses Jahr etwa 33 000 Dollar, und Dick Cheney wird
prächtige 85 924 Dollar einsacken. (Cheney wird 2004 mit
171 850 Dollar dann so richtig kräftig absahnen.)

Aber hierfür, fürchte ich, wird Dir niemand danken: Du hast das nicht nur für Deine Freunde getan, sondern eigentlich für MICH! Da hockst Du also seit eineinhalb Jahren im Weißen Haus und jede Woche hat jemand die schlechten Nachrichten für Dich zusammengefaßt: »Tja, Sir, die Arbeitslosigkeit liegt bei über 6 Prozent, wir haben schon wieder 2 Millionen Jobs verloren, jetzt hassen uns offiziell 13 weitere Länder, die Texas Rangers halten den Negativrekord in der American League West, *diese* Woche wurden keine Verwandten von Ihnen verhaftet – und äh, der Bestseller des Jahres ist immer noch äh … *Stupid White Men,* bei dem es größtenteils äh, um Sie geht, Sir. Es wurde von diesem Typen geschrieben, der Sie, unseren Präsidenten, bei der Oscarverleihung auf der Bühne beleidigt hat.« Junge, tut mir das arme Schwein leid, das Dir *solche* Nachrichten überbringen muß!

Mann, Du hättest allen Grund, die Jungs von der C I A zu rufen und mich beseitigen zu lassen, ähnlich wie Clinton diese 47 Personen auf mysteriöse Weise verschwinden ließ! Es wäre Dein gutes Recht, mir das Leben zur Hölle zu machen, mich pro Jahr zweimal von Steuerprüfern verhören, das Haus durchsuchen und mich jedes Mal einer gründlichen Leibesvisitation unterziehen zu lassen – einschließlich aller Körperöffnungen. Du hättest all das (und mehr) tun können, aber Du hast es nicht getan.

Statt dessen sagtest Du zu Deinen Wirtschaftsberatern: »Wir hätten diese große Steuersenkung schon letztes Jahr durchdrücken können, aber damals war Mike pleite, der arme Kerl hätte gar nichts von der Steuersenkung gehabt. Vielleicht könnten wir bis nächstes Jahr warten, dann hätten wir genug Zeit, so viele böse Gerüchte über ihn auf Fox-MSNBC in Umlauf zu bringen, daß niemand mehr je ein Buch oder eine Eintrittskarte für einen Film von ihm kauft. Aber Jungs, ich denke, es würde von christlicher Nächstenliebe zeugen, wenn wir die Steuererleichterung *dieses* Jahr bringen, wenn Mike mehr als ich UND Cheney verdient. Halten wir einfach die andere Wange hin und geben dem Mistkerl den dicksten Scheck, den er je gesehen hat!«

George, ich weiß nicht, was ich sagen soll. Du bist nicht der

Mann, für den ich Dich gehalten habe. Anstatt mich zu bestrafen, hast DU mir Dein Herz (und das Scheckbuch der Regierung) geöffnet. FÜR MICH!

Das für Haushaltsangelegenheiten zuständige Congressional Budget Office hat alles zusammengerechnet und erwartet, daß das Staatsdefizit 2003 über 401 Milliarden Dollar liegen wird. Nicht schlecht, George – Du wirst den bisherigen Rekord von 290 Milliarden Dollar brechen, den Dein Daddy 1992 aufgestellt hat. USA! USA! Und Anfang des Jahres 2003 errechnete das Finanzministerium sogar noch *höhere* Defizite für die kommenden Jahre, insgesamt über 44 *Billionen* Dollar. Aber Ihr Jungs im Weißen Haus habt beschlossen, die Zahlen erst zu veröffentlichen, nachdem die Steuersenkung verabschiedet worden war. Wie clever!

Da die Bilanzen der Regierung förmlich triefen vor roter Farbe, könntet Ihr die Dollars von mir gut gebrauchen. Aber *Du* wolltest sie nicht, *Du* konntest sie nicht annehmen. Als ob Du sagen wolltest: »Schon gut Mike, behalt dein Geld und gib es aus. Uns geht es gut, mach dir keine Sorgen. Die nächste Generation wird einen Weg aus der Schuldenmisere finden, schau also einem geschenkten Gaul nicht ins Maul.« Mann, was bist Du für ein guter Kumpel!

Diese neue Steuersenkung – die MIKE MOORE-STEUER-SENKUNG! – war unglaublich. Du hast nicht nur den Steuersatz, den ein Typ wie ich bei der Einkommenssteuer zahlen muß, von 39 Prozent auf 35 Prozent gesenkt, sondern es auch geschafft, absolut nichts für die Leute mit niedrigerem Einkommen zu tun! Du hast nicht gelogen, als Du sagtest: »Mit meinem Plan für Arbeit und Wachstum werden die Steuern für jeden gesenkt, der Einkommenssteuer bezahlt.« Du hast nur nicht die Wahrheit gesagt. Wer früher 10 Prozent bis 15 Prozent bezahlt hat, zahlt immer noch 10 Prozent bis 15 Prozent. Ja, Du hast 8,1 Millionen Menschen bei Deinen »Steuererleichterungen« ausgelassen. Und warum nicht? Schließlich ist das dann mehr Geld für Typen wie Dich und mich! Während den armen Deppen auf der unteren

Stufe der Einkommensskala etwa 100 Dollar im Jahr bleiben, können die reichsten 5 Prozent der Bevölkerung fette 50 Prozent Deiner Steuersenkung einstreichen.

Klar, ich verstehe, daß viele Leute darunter leiden, aber hey, so ist das nun mal, jemand muß Abstriche machen, und warum sollst das ausgerechnet Du sein – oder ich? Wen juckt's, wenn die Steuersenkung die einzelnen Bundesstaaten in den kommenden beiden Jahren etwa 3 Milliarden Dollar und 16 Milliarden Dollar in den kommenden zehn Jahren kosten wird! Das ist schließlich ein großes Land!

Nehmen wir doch mal die Kinder in Oregon, deren Schulen Anfang des Jahres geschlossen wurden, weil Steuergelder fehlten. Ich kann Dir garantieren, daß wir damit viele Schüler glücklich gemacht haben, weil sie ganz lange Ferien hatten! Und bestimmt hast Du von der neuen Bibliothek in Hawaii gehört, die nicht einmal öffnen kann, weil die Steuergelder versiegten? Aber warum zum Teufel haben die ausgerechnet auf *Hawaii* eine Bibliothek gebaut? Man reist nach Hawaii, weil man Sonne, Strand und Palmen genießen will, aber nicht, um dort im stillen Kämmerlein zu hocken und ein Buch zu lesen! Das weiß doch jeder!

Du hast sicher auch davon gehört, daß man in Missouri angeordnet hat, in Regierungsgebäuden jede dritte Glühbirne herauszudrehen, weil man nach den Steuersenkungen Geld sparen muß. Jede dritte Glühbirne? Was haben diese Jammerlappen bloß? Die haben doch immer noch die anderen zwei Birnen! Solche Heulsusen machen mich krank.

Schau, es gibt viele traurige Versagerschicksale. Gott weiß, daß ich vor gar nicht allzu langer Zeit selbst betroffen war. Damals hat das niemanden groß gekümmert, aber schau mich jetzt an! Leute wie mich zu ignorieren, die schlimme Zeiten durchmachen, ist also gar nicht so schlecht. Früher oder später haben die Armen die Schnauze voll, ignoriert zu werden, und beschließen, selbst reich zu werden! Ich bin mir sicher, daß Dein leitender politischer Stratege Karl Rove daran dachte, als er sagte, Du seist ein »Populist«, dessen Steuersenkungen auf den »kleinen Mann« zielten.

Das Geniale an Deiner jüngsten Steuersenkung ist wahrscheinlich der Grizzlybär, den Du den Amerikanern aufgebunden hast: »Wir helfen Familien mit Kindern, sie werden sofort davon profitieren.« Das Problem war nur, daß Du und die Republikaner dafür sorgten, daß von der Steuersenkung 12 Millionen Kinder ausgeschlossen sind, deren Eltern zwischen 10 000 Dollar und 26 000 Dollar im Jahr verdienen – einschließlich einer Million Kinder in Familien von Angehörigen der Streitkräfte. Wer das Geld am nötigsten brauchte, ging leer aus. Aber die Leute mit niedrigem Einkommen haben bestimmt nicht viel für Deinen Wahlkampf gespendet, stimmt's? Die Moral von der Geschicht': Wer nehmen will, muß geben.

Aber hey, ICH ICH ICH habe eine Steuersenkung bekommen! Tja, was mache ich jetzt mit dem Geld? Deiner Ansicht nach, lieber George, werde ich es freiwillig wieder in unsere Wirtschaft investieren, und irgendwann wird das Geld bei den weniger Glücklichen ankommen, weil es mehr Arbeitsplätze und bessere Jobs schaffen wird.

Und genau das werde ich tun. Ich werde mein ganzes Geld vom Finanzamt dort investieren, wo diejenigen, die trotz harter Arbeit benachteiligt sind, und diejenigen, die von uns in den Krieg geschickt werden und darin umkommen, von dem Geld profitieren. Ich habe eine Idee, die meiner Meinung nach irgendwann einmal aus Amerika ein besseres Land machen, unseren Kindern eine bessere Zukunft bescheren und dafür sorgen wird, daß unsere Erde eine faire Chance bekommt, bis ins 22. Jahrhundert bewohnbar zu bleiben.

Was werde ich mit meinem Geld machen?

**Wenn so viele Millionäre dank George W. so viele Millionen zurückerstattet bekommen, hat das Finanzamt natürlich extra ein Formular dafür ... (s. nächste Seite)**

| Formular **8302**<br>(Dez. 2001)<br>Finanzministerium<br>Amerikanische Finanzbehörde | **Antrag auf Steuerrückerstattung per Direktüberweisung in Höhe von 1 Million Dollar und mehr**<br>▶ Anlage zur Einkommensteuererklärung (außer Formular 1040, 1120, 1120-A oder 1120S), Formular 1045 oder Formular 1139 | OMB Nr. 1545-1763 |
| --- | --- | --- |
| Name der steuerpflichtigen Person | | **Steuernummer**<br><br>Telefonnummer (Angabe freiwillig)<br>( ) |

**1. Bankleitzahl (neunstellig). Die ersten beiden Zahlen müssen 01 und 12 oder 21 bis 32 lauten.**

☐☐☐☐☐☐☐☐☐

**2. Kontonummer (einschließlich Bindestrichen, aber ohne Leerstellen oder besondere Symbole):**

☐☐☐☐☐☐☐☐☐☐☐☐☐☐☐☐☐

**3. Art des Kontos (bitte ein Feld ankreuzen):**

☐ Girokonto ☐ Sparkonto

## Allgemeine Erläuterungen

### Zweck des Formulars

Formular 8302 dient als Antrag, nach dem das Finanzamt Steuerrückerstattungen in Höhe von 1 Million Dollar und mehr direkt auf ein Konto einer US-Bank oder eines anderen Finanzinstituts (z. B. bei einer Investmentgesellschaft über Genossenschaftsbank) überweisen kann, das direkte Geldeinlagen akzeptiert.

Als Vorteile einer direkten Überweisung sind eine schnellere Erstattung, die zusätzliche Sicherheit einer bargeldlosen Überweisung und die Einsparung von Steuergeldern aufgrund reduzierter Transaktionskosten zu nennen.

### Antragsteller

Formular 8302 kann bei jeder Steuerrückerstattung verwendet werden (außer Formular 1040, 1120, 1120-A

- Das Finanzinstitut lehnt die Überweisung aufgrund einer falschen Bankleitzahl oder Kontonummer ab.
- Die Art des Kontos (d. h. Girokonto oder Sparkonto) wurde auf dem Formular nicht angegeben.
- Es bestehen Verbindlichkeiten gegenüber dem Finanzamt, nach denen der Abzug die Rückerstattung weniger als 1 Million Dollar beträgt.

### Antragstellung

Reichen Sie Formular 8302 als Anlage zu Ihrer Steuererklärung ein. Damit Ihre Erklärung richtig bearbeitet wird, sollten Sie die **Erläuterungen zur Steuererklärung** durchlesen, die Ihrer Steuererklärung beiliegen.

## Besondere Hinweise

**Steuernummer:** Nennen Sie Ihre Steuernummer für Arbeitgeber oder der Sozialversicherungsnummer, die Sie auf Ihrer Steuererklärung angegeben haben, mit der Sie Formular 8302 als Anlage einreichen.

Privacy Act und die entsprechenden Vorschriften, die Sie dazu verpflichten, zu jeder Steuer, zu deren Zahlung Sie verpflichtet sind, eine Erklärung abzugeben. Ihre Auskunft ist daher nach diesen Bestimmungen obligatorisch. Abschnitt 6109 schreibt vor, daß Sie Ihre Sozialversicherungsnummer oder Steuernummer auf den Erklärungen nennen müssen. Dadurch wissen wir, wer Sie sind, und können Ihre Erklärung und andere Papiere bearbeiten. Sie müssen alle Abschnitte des für Sie gültigen Steuerformulars ausfüllen.

Sie sind nicht verpflichtet, die auf einem Formular erbetenen Informationen zu liefern, wenn das Formular dem Gesetz zur Verminderung von Schreibarbeit unterliegt, es sei denn, das Formular trägt eine gültige OMB-Kontrollnummer. Bücher oder Tonträger, die zu einem Formular oder den darauf enthaltenen Anweisungen gehören, müssen aufbewahrt werden, solange Ihr Inhalt als Grundlage für die Anwendung eines Steuergesetzes dient. Allgemein sind Steuerbeträge und Informationen und 1120S), wenn es sich um die direkte Zahlung von mehr Steuerrückerstattung von 1 Million Dollar oder mehr handelt. Eine direkte Rückerstattung ist nicht möglich, wenn:

- es sich bei dem angegebenen Finanzinstitut um eine ausländische Bank oder die Niederlassung einer amerikanischen Bank im Ausland handelt.
- Sie eine Steuernummer für Arbeitgeber beantragt haben, Ihren Antrag auf Rückerstattung aber stellen, bevor Sie eine Rückerstattung erhalten.

Wenn Formular 8302 als Anlage zu **Formular 1045** (Antrag auf vorläufige Rückerstattung) oder **Formular 1139** (Antrag für Unternehmen auf vorläufige Rückerstattung) eingereicht wird, die beide einen Meldezeitraum von über einem Jahr vorsehen, ist eine direkte Rückerstattung nur für den Zeitraum von einem Jahr möglich, für das der Erstattungsbetrag mindestens 1 Million Dollar lautet.

**Hinweis:** Antragsteller mit Formular 1040 beantragen eine Rückerstattung mit Direktüberweisung, indem sie die Kontoinformationen auf diesem Formular vervollständigen. Antragsteller mit Formular 1120, 1120-A oder 1120S benötigen für einen Antrag auf Rückerstattung mit Direktüberweisung das **Formular 8050** (Direktüberweisung von Steuerrückerstattungen für Unternehmen). Dieses enthält den Antrag für eine Rückerstattung in Höhe von 1 Million Dollar und mehr.

## Voraussetzungen für eine Rückerstattung per Scheck

Wenn wir den Antrag für eine Direktüberweisung nicht bearbeiten können, wird der Betrag per Scheck erstattet. Gründe für die Nichtbearbeitung sind:

- Der Name des Empfängers der Rückerstattung stimmt nicht mit dem Namen des Kontoinhabers überein.

**Erste Zeile:** Tragen Sie die Bankleitzahl Ihres Finanzinstituts ein und überprüfen Sie, ob das Institut eine direkte Geldeinlage akzeptiert.

Bei Konten, deren Überweisungen von einem anderen Finanzinstitut abgewickelt werden als dem Finanzinstitut, bei dem sich das Konto befindet, fragen Sie bitte bei Ihrem Finanzinstitut nach der korrekten Bankleitzahl. Nehmen Sie **nicht** Ihren Kontoauszug als Vorlage für die Bankleitzahl.

**Zweite Zeile:** Tragen Sie hier die Kontonummer des Steuerpflichtigen ein. Tragen Sie die Nummer von links nach rechts ein und lassen Sie nicht genutzte Kästchen frei.

## Hinweise zum Datenschutz und zur Vermeidung von Schreibarbeit

Die Informationen auf diesem Formular werden zur Umsetzung der Steuergesetze der Vereinigten Staaten von Amerika verwendet. Sie sind verpflichtet, uns die Informationen zu nennen. Dadurch leisten Sie Ihrer gesetzlichen Verpflichtung Folge und ermöglichen es uns, die richtige Steuersumme zu ermitteln und einzuziehen.

Laut dem Gesetz zum Datenschutz (Privacy Act), müssen wir Sie, wenn wir Sie um Informationen bitten, zunächst benachrichtigen, daß wir das Recht haben, Sie um diese Informationen zu bitten, und Ihnen dann mitteilen, zu welchem Zweck wir die Informationen benötigen und wie diese verwendet werden. Außerdem müssen wir Sie informieren, was passieren könnte, wenn wir die Informationen nicht erhalten, ob Ihre Angaben freiwillig sind, ob sie für eine Erstattung notwendig sind oder ob Sie vom Gesetz dazu verpflichtet sind. Unser Vorrecht, Informationen einzuholen, bezieht sich auf die Abschnitte 6001, 6011 und 6012(a) des

darüber vertraulich, wie es laut Abschnitt 6103 vorschreibt. Allerdings ist es laut Abschnitt 6103 dem Finanzamt erlaubt oder vorgeschrieben, die Informationen auf Ihrer Steuererklärung an andere weiterzuleiten. Beispielsweise dürfen wir Informationen über Ihre Steuer an das Justizministerium weiterleiten, um Steuergesetze zivil- und strafrechtlich zur Anwendung zu bringen, ebenso an Städte, Bundesstaaten, den District of Columbia, Commonwealth [offizielle Bezeichnung für die Bundesstaaten Kentucky, Massachusetts, Pennsylvania und Virginia] und bestimmte ausländische Regierungen zur Ausführung von deren Steuergesetzen. Wir dürfen diese Informationen auch an staatliche, bundesstaatliche oder lokale Behörden weiterleiten, die terroristische Akte oder Drohungen untersuchen oder darauf reagieren oder an nachrichtendienstlichen Ermittlungen in Bezug auf Terroristen beteiligt sind.

Bitte bewahren Sie diese Information bei Ihren Unterlagen auf. Sie kann Ihnen dienlich sein, wenn wir Sie um andere Auskünfte bitten. Sollten Sie Fragen zum Formular oder zur Auskunftspflicht haben, können Sie jederzeit beim Finanzamt anrufen oder persönlich vorbeikommen.

Der Zeitaufwand für das Ausfüllen dieses Formulars hängt von den individuellen Umständen ab. Die geschätzte Zeit beträgt im Durchschnitt: **Vervollständigung der Unterlagen und Formulare:** 1 Stunde 25 Minuten, **Durchlesen des Formulars und der Rechtsbehelfsbelehrung:** 30 Minuten, **Vorbereiten, Kopieren, Zusammenstellen der Unterlagen und Absenden des Formulars an das Finanzamt:** 33 Minuten.

Kommentare zum geschätzten Zeitaufwand und Vorschläge zur Vereinfachung des Formulars werden von uns gern entgegengenommen. Schreiben Sie dem Finanzamt unter der Adresse, die bei den Hinweisen zum Ausfüllen Ihrer Steuererklärung genannt wird.

George, ich gebe es dafür aus, Dich loszuwerden!

Genau. Jeder Cent aus meinem gesparten Steuergeld wird irgendwann auf Deine kleine Denkerstirn herabtropfen in der Hoffnung, daß Du nach der Wahl zu den Arbeitslosen gehören und zurück auf die Ranch geschickt wirst. Ich werde dem Kandidaten spenden, der die größte Chance hat, Dich zu schlagen, so viel spenden, wie gesetzlich erlaubt ist. Ich werde jedem Kandidaten für den Kongreß die höchstmögliche Summe spenden, der dazu beitragen kann, den Republikanern die Mehrheit im Repräsentantenhaus oder Senat wieder abzujagen. Ich werde einen Scheck nach dem anderen ausstellen, bis kein Geld von meiner Steuersenkung mehr übrig ist. Ich werde die Leser dieses Buchs bitten, mir ihre Ideen zu schicken, wie man das Geld am besten einsetzt und welche Kandidaten in ihrem Wahlbezirk Unterstützung verdienen. Ich habe eine Website eingerichtet, www.SpendMikesTaxCut.com, und ich fordere die Leute auf, sie zu besuchen und mir zu helfen, die Tausende Dollar, die Du mir geschenkt hast, für Deine Wahlniederlage zu verwenden. Ich werde andere fragen, die ein bißchen Geld übrig haben, damit unser Land nicht mehr länger in den Händen derjenigen ist, die alle Ideale und Werte verraten, für die wir immer standen.

Das ist nicht persönlich gemeint, George. Ich hoffe, Du verstehst das, und ich bin Dir immer noch dankbar für Dein Geschenk. Ich werde das Geld gut anlegen.

Dein

*Michael Moore*

## NINE

# Ein liberales Paradies

**Es gibt da ein Land,** von dem ich euch unbedingt erzählen möchte. So ein Land gibt es auf dem ganzen Planeten kein zweites Mal. Ich bin ganz sicher, viele von euch würden mit Handkuß dort leben wollen.

Es ist ein sehr, sehr liberales, freizügiges und freiheitlich denkendes Land.

Seine Einwohner hassen es, in den Krieg zu ziehen. Die Mehrzahl seiner Männer hat nie in einer militärischen Einheit gedient und reißt sich auch nicht darum, dies jetzt zu ändern. Sie verabscheuen Gewehre und Pistolen und unterstützen alle Initiativen, den privaten Besitz von Schußwaffen einzuschränken.

Seine Bürger sind überzeugte Anhänger von Gewerkschaften und Arbeitnehmerrechten. Sie sind der Ansicht, daß Großunternehmen nichts Gutes im Schilde führen und man ihnen deshalb nicht über den Weg trauen sollte.

Die meisten seiner Bewohner glauben fest an die Gleichberechtigung der Frau und sind strikt gegen jeden Versuch des Staates oder religiöser Vereinigungen, eine Kontrolle über die Geschlechtsorgane der Frauen auszuüben.

Die Leute in diesem Land, von dem ich spreche, glauben in ihrer überwiegenden Mehrheit, daß Schwule und Lesben dieselben Lebenschancen haben sollten wie Heteros und daß man sie in keinster Weise diskriminieren dürfe.

In diesem Land ist fast jeder für die strengstmöglichen Schutzmaßnahmen, die nötig sind, um eine saubere Umwelt zu erhalten.

Und man betrachtet es als persönliche Pflicht, sich jeden einzelnen Tag so zu verhalten, daß Luftverschmutzung und Abfälle nicht zunehmen.

Dieses Land ist so weit links, daß 80 Prozent seiner Einwohner an eine allgemeine Gesundheitsversorgung für jedermann und eine gemeinsame Universitätserziehung für alle Rassen glauben.

Das Land, das ich meine, ist so hippy-dippy-freie Liebe, Fun und all das Zeugs, daß nur ein Viertel der Leute, die dort wohnen, der Ansicht sind, daß man Leute in den Knast stecken sollte, die Drogen nehmen – dies vielleicht deshalb, weil 41 Prozent seiner Bürger dem Beispiel ihres Präsidenten gefolgt sind und zugegeben haben, daß sie schon einmal verbotene Drogen genommen hatten! Und was die Frage der heiligen Ehe angeht: Die Anzahl der Menschen, die unverheiratet zusammenleben, ist im letzten Jahrzehnt um 72 Prozent gestiegen, und 43 Prozent dieser Paare haben auch Kinder.

Ich kann euch wirklich sagen, dieses Land ist so ausgeflippt-radikalo-kommunistisch angehaucht, daß seine konservative Partei nie mehr als 25 Prozent der Wähler an den Urnen dazu bringt, für sie ihre Stimme abzugeben, während die allermeisten Bürger dieses Landes sich selbst entweder als Anhänger der liberalen Partei verstehen, oder, noch schlimmer, als Ungebundene oder Anarchisten (wobei letztere sich einfach weigern, überhaupt jemals zur Wahl zu gehen!).

Jetzt aber, wo ist denn nun dieses Utopia, über das ich da schreibe, dieses Land voller linksliberaler, friedensbewegter Bäumestreichler (und wann können wir alle endlich dorthin ziehen)?

Ist es Schweden?

Tibet?

Der Mond?

Nein! Du brauchst nicht auf den Mond reisen … **Du bist bereits dort!** Bei diesem linken Traumland, über das ich hier spreche, handelt es sich um kein anderes als … *die Vereinigten Staaten von Amerika!*

Verblüfft? Das glaubst du nicht? Überzeugt, daß bei mir jetzt auch noch die letzte Schraube locker ist? Ich kann es euch nicht verübeln. Es ist wirklich schwer, unsere USA nicht für ein Land zu halten, das von einer konservativen Mehrheit regiert wird, eine Nation, deren allgemeine Moralvorstellungen anscheinend von christlichen Fundamentalisten bestimmt werden, oder für ein Volk, das anscheinend aus dem Holz seiner puritanischen Ahnen geschnitzt wurde. Man braucht schließlich ja nur zu schauen, wer da im Weißen Haus das Sagen hat! Und dann auf die Höhe der Zustimmungsraten, die der Kerl bei Meinungsumfragen bekommt!

Aber es ist die kalte und bittere Wahrheit – und das bestgehütete politische Geheimnis unserer Zeit –, daß die Amerikaner *viel liberaler* sind als jemals zuvor, sowohl was ihren persönlichen Lebensstil als auch ihre Ansichten über die entscheidenden sozialen und politischen Gegenwartsfragen angeht. Und ihr müßt gar nicht glauben, was ich euch da erzähle – ihr könnt all das in den Meinungsumfragen nachlesen: Es handelt sich dabei ganz einfach um nackte Tatsachen!

Jetzt erzählen wir mal all das einem Liberalen, und er wird nur anfangen zu kichern (Liberale haben schon vor langer Zeit aufgehört zu lachen, was Teil ihres Problems ist), er wird den Kopf schütteln und das Sprüchlein wiederholen, das er aus den Medien kennt, die ihm einzureden versuchen, er sei jeden einzelnen Tag seines Lebens auf der Seite der Verlierer: *»Amerika ist konservativ geworden!«* Fordert einfach mal einen eher liberal eingestellten Amerikaner auf, sein Land zu beschreiben, und er wird zu schimpfen anfangen, er lebe in einem Land der Pick-up-Trucks, Gewehrhalter und an allen Ecken und Enden wehenden Nationalflaggen. Dann wird er im Ton tiefster Resignation davon sprechen, daß es noch viel schlimmer kommen werde und daß man sich vier weitere Jahre mit dem Mist abzufinden habe, den man schon die vergangenen vier (oder vierzehn oder vierzig) Jahre habe erdulden müssen.

Jedesmal, wenn die Rechten diesen Defätismus zu hören bekommen, müssen sie einfach in Jubel ausbrechen – und mit all ihren Mitteln und Hebeln dafür sorgen, daß sich an dieser Untergangsstimmung bei ihren Gegnern nur ja nichts ändert. Jawohl, Amerika steht voll hinter dem Krieg! Jawohl, Amerika liebt seine Führer! Jawohl, ganz Amerika hat gestern abend die letzte Folge der Reality-Kuppel-Show *The Bachelorette* angeschaut! Und wenn *du* nicht Teil dieser großen amerikanischen Gemeinschaft sein solltest, dann halte wenigstens verdammt noch mal das Maul und quetsche dich zusammen mit diesem Noam Chomsky-Fanclub in die nächste Telefonzelle, du armseliger Loser!

Der Grund, warum die Rechte auf diese aggressive Weise alle und jede abweichende Meinung im Keim zu ersticken versucht, ist ganz einfach: Sie kennt nämlich das kleine schmutzige Geheimnis, das der Linken entgangen ist: **Mehr Amerikaner stimmen mit der *Linken* überein als mit der Rechten.** Die Rechte weiß das, denn sie schaut auf die Zahlen, sie liest die Untersuchungen, und sie lebt in der wirklichen Welt, die ungefähr im letzten Jahrzehnt tatsächlich immer liberaler geworden ist. Und das hassen sie natürlich wie die Pest. Und deshalb machen sie es wie alle Propagandisten vor ihnen: Sie fangen an zu lügen. Sie fabrizieren einfach eine Gegenwahrheit: AMERIKA IST KONSERVATIV. Und dann verbreiten und wiederholen sie diese absolut falsche Behauptung so häufig und so massiv, daß selbst ihre politischen Gegner schließlich glauben, sie sei wahr.

Ich hätte gern, daß jeder Leser dieses Buchs endlich damit aufhört, diese große Lüge zu wiederholen. Und um euch dabei zu helfen, mit dieser Gewohnheit zu brechen, werde ich euch jetzt die einfachen, unbestreitbaren Fakten liefern. Die Informationen, die ich nun mit euch teilen werde, stammen nicht aus liberalen Denkfabriken, der chinesischen englischsprachigen Regierungszeitung *People's Daily* oder gar von meinen kubanischen Agentenführern (denen ich stündlich Berichte abliefern muß). Sie stammen aus Quellen, die so unverdächtig und Mainstream sind wie das Meinungsforschungsinstitut Gallup und so uramerikanisch wie die Mitglieder der National Rifle Association, der Lobby-Organisation der amerikanischen Waffenbesitzer. Die Meinungsumfragen wurden von Organisationen beauftragt und durchgeführt wie Harris Poll, *The Washington Post, The Wall Street Journal, USA Today,* der Universität Harvard, dem National Opinion Research Center (dem Nationalen Meinungsforschungsinstitut), der *NewsHour with Jim Lehrer* des öffentlich-rechtlichen Senders PBS, *The Los Angeles Times,* ABC News und ja sogar den eher rechts eingestellten Fox News des Mr. Murdoch (die komplette Liste der entsprechenden Quellen findet ihr in den Anmerkungen zu diesem Kapitel).

Bitte, erlaubt mir nun, euch den **amerikanischen Bürger** vorzustellen:

**57 Prozent der amerikanischen Öffentlichkeit sind der Ansicht, daß Abtreibung in allen oder zumindest den meisten Fällen erlaubt und legal sein sollte.** 59 Prozent denken, daß die Entscheidung über eine Abtreibung von der schwangeren Frau zusammen mit ihrem Arzt getroffen werden sollte, während 62 Prozent gegen eine Revision des *Roe versus Wade*-Urteils des Obersten US-Gerichts, des Supreme Courts, sind, in dem dieses im Jahre 1973 feststellte, daß Gesetze von Einzelstaaten der USA gegen die Abtreibung verfassungswidrig seien. Tatsächlich hält eine solide Mehrheit von 53 Prozent die Legalisierung der Abtreibung für eine GUTE SACHE für das Land (im Vergleich zu nur 30 Prozent, die dies für schlecht halten), und volle 56 Prozent aller Amerikaner möchten, daß der Zugang einer Frau zu einer Abtreibung zumindest so bleibt, wie er jetzt ist, oder – ihr werdet's nicht für möglich halten – *sogar noch erleichtert werden sollte!*

Kein Wunder, daß die Rechte ausgerastet ist: *DIE AMERIKANER SIND IN IHRER MEHRHEIT BABYKILLER!*

Seit der Legalisierung im Jahre 1973 hat es in den Vereinigten Staaten 40 Millionen Abtreibungen gegeben. Jede dritte Frau wird bis zu ihrem 45. Lebensjahr wenigstens eine Abtreibung hinter sich haben, fast die Hälfte davon sogar mehr als eine.

Was bedeutet dies für die Konservativen? Es bedeutet, daß *die Frauen* entscheiden, ob neues menschliches Leben auf diesem Planeten entsteht. *Frauen* haben die absolute Kontrolle über diese Entscheidung. Das ist wahrlich eine ganz bittere Pille, die die Konservativen da schlucken müssen. Schließlich ist es ja gerade erst 83 Jahre her, daß die Frauen in den USA überhaupt wählen dürfen. Und ihnen dann jetzt die Macht zu geben, ganz allein zu entscheiden, wer von uns geboren werden wird – Wow! Das bedeutet doch, daß ein künftiger rechtsradikaler Talkshowgastgeber wie Sean Hannity gerade in diesem Moment in einen medizinischen Abfalleimer gespült werden könnte! Stellt euch nur mal vor, wie hilflos sich Männer vom rechten Flügel bei einer solchen Vorstellung fühlen müssen. Wir Schwängern euch, aber ihr habt Dabei Nichts zu Melden. So war es schon immer, bis vor ein paar Jahren. Es braucht wohl seine Zeit, bis man sich an eine solche Jahrtausendveränderung gewöhnt hat.

**Eine große Mehrheit von 86 Prozent der amerikanischen Öffentlichkeit sagt, sie *unterstütze* die Ziele der Bürgerrechtsbewegung. Vier von fünf Amerikanern sagen, es sei wichtig für Colleges und Universitäten, eine rassisch gemischte Studentenschaft zu haben.** Und so unglaublich es klingt, selbst der Supreme Court vertritt jetzt diese Meinung! Außerdem glaubt mehr als die Hälfte von uns Amerikanern, daß Quotenregelungen für bisher in unserer Geschichte benachteiligte Minderheiten notwendig seien. 74 Prozent von uns stimmen der folgenden Aussage *nicht* zu: »Ich habe nicht viel gemein mit Leuten aus anderen ethnischen Gruppen und Rassen.« Dies ist ein höherer Prozentsatz als bei gleichlautenden Umfragen in Großbritannien, Frankreich, Deutschland und Rußland. 77 Prozent von uns würden ein Kind einer anderen Rasse adoptieren, und 61 Prozent geben an, sie hätten Freunde oder Familienangehörige, die eine Beziehung mit einer Person hätten, die einer anderen Rasse angehört, oder sie hätten diese Person sogar geheiratet. Und tatsächlich hat sich die Zahl gemischtrassischer Ehen in den letzten zwanzig Jahren mehr als verdoppelt, und zwar von 651 000 auf 1,46 Millionen.

*JA, TATSÄCHLICH! WIR AMERIKANER SIND EIN VOLK VON RASSENMISCHERN UND RASSENVERRÄTERN!*

Mensch, jetzt kann man aber wirklich sehen, wie das konservative Blut in Wallung gerät, stimmt's? Wo sind all die Leute geblieben, die noch ihren Platz in unserer Gesellschaft kannten und nur mit ihresgleichen Umgang pflegten? J. Lo, Jennifer Lopez! Die ist daran schuld! Die hat all diese braven weißen Männer auf Abwege geführt. Als nächstes machen die auch noch Kinder, und wir werden nicht mehr erkennen können, welcher Rasse die angehören, und wenn das passiert, würden wir vielleicht endlich kapieren, wie lächerlich der Begriff »Rasse« im Grunde ist, und uns dann gemeinsam um die Probleme kümmern, die wirklich wichtig sind. Und, liebe Freunde, die stehen meist nicht auf der Tagesordnung der Rechten.

**83 Prozent der Amerikaner sagen, sie stimmten mit den Zielen der Umweltbewegung überein.** Drei Viertel sind der Ansicht, Umweltprobleme stellten eine ernste Bedrohung der Lebensqualität in den Vereinigten Staaten dar. 85 Prozent sind beunruhigt über die Verschmutzung von Flüssen und Seen, 82 Prozent machen sich Sorgen wegen giftiger Abfälle und verunreinigtem Wasser, 78 Prozent fürchten die Luftverschmutzung und 67 Prozent die Zerstörung der Ozonschicht. 89 Prozent machen mit bei der Wiederverwertung des Mülls, dem Recycling, und 72 Prozent schauen erst einmal aufs Etikett, weil sie nur gesunde Produkte kaufen wollen, während es 60 Prozent vorziehen würden, daß die Regierung mehr fürs Energiesparen täte, als die Fördermengen von Öl, Gas und Kohle immer weiter zu erhöhen. Wenn die Amerikaner zwischen »Wirtschaftswachstum« und »Umweltschutz« wählen sollen, unter der Annahme, daß beides unvereinbar sei, entscheiden sie sich mehrheitlich

für den Umweltschutz. Selbst zwei Drittel der bei einer Meinungsumfrage angesprochenen Republikaner gaben an, daß sie
eher für einen im Umweltschutz engagierten Kandidaten stimmen würden als für einen, der an Umweltfragen nicht interessiert
sei. Bei der Frage, was für die Wirtschaft am besten sei, vertrauen viermal mehr Amerikaner den Umweltorganisationen als
der eigenen Regierung.

*GANZ RECHT! AMERIKANER SIND RICHTIGE ÖKO-
FREAKS!* Sie halten das Überleben von so einem gesprenkelten
Schneckenfisch tatsächlich für wichtiger, als in der Woche ein
paar Dollar mehr im Geldbeutel zu haben. Wie kommen die
bloß auf eine solch unsinnige Idee? Verstehen die denn nicht:
Dieser Planet gehört UNS, und wir können mit ihm verdammt
noch mal alles machen, was wir wollen! Und wenn dann diese
Amerikaner auch noch die Gelegenheit kriegen, ein Benzin-
sparauto zu kaufen (Industrieexperten erwarten, daß Hybrid-
fahrzeuge bald 10 bis 15 Prozent der Neuzulassungen in den
USA ausmachen werden), dann stürmen sie geradezu die Aus-
stellungsräume bei ihrem Autohändler! Was um Himmels willen
soll aus dieser Welt noch werden – *aus einer solchen Welt?*

**94 Prozent der amerikanischen Öffentlichkeit sind für den
Erlaß von Sicherheitsbestimmungen des Bundes, die die Herstellung und den Gebrauch aller Handfeuerwaffen regu-
lieren – und 86 Prozent möchten dies auch dann, wenn dadurch diese Waffen teurer werden sollten!** 73 Prozent aller
Amerikaner sind für eine verbindliche Überprüfung des persönlichen Hintergrunds jedes Waffenkäufers. Sie wollen eine Fünf-
tagefrist, bevor man tatsächlich eine Handfeuerwaffe ausgehändigt bekommt. Sie sind dafür, daß man für jeden Besitz einer
Waffe eine polizeiliche Erlaubnis benötigt, daß alle Waffen kin-
dersicher sein sollten und daß niemand eine Waffe besitzen
sollte, der seinen Ehepartner verprügelt hat. Und in Bundesstaaten wie New York sind sogar 59 Prozent dafür, alle Faustfeuerwaffen zu verbieten.

Bei der Wahl im Jahre 2000 schaffte es die Organisation gegen Gewalttaten durch Schußwaffen und für eine bessere Waffenkontrolle, »The Brady Campaign to Prevent Gun Violence«, für die Wahlniederlage von neun der zwölf Kandidaten zu sorgen, die auf ihrer »Liste der gefährlichen Zwölf (Dangerous Dozen)« standen. Auf dieser Liste waren diejenigen Abgeordneten aufgeführt, die von der Waffenlobby bedeutende finanzielle Zuwendungen bekommen hatten. Die Organisation der Waffenlobby NRA gab in diesem Jahr mehr als 20 Millionen Dollar aus, wobei das meiste Geld in zwei Staaten – Michigan und Pennsylvania – floß, in denen es viele Jäger gibt, weil man hoffte, daß dort Gouverneure gewählt würden, die gegen eine strengere Schußwaffenkontrolle waren, und Al Gore darüber hinaus dort eine Niederlage erleiden würde. Aber was passierte tatsächlich? Gore gewann in beiden Staaten, und die Einwohner von Michigan und Pennsylvania wählten Gouverneure, die die NRA vorher als »Waffengegner« bezeichnet hatte. Bei derselben Wahl wurde der von der NRA unterstützte republikanische US-Senator von Michigan Spencer Abraham von einer für Waffenkontrolle eintretenden demokratischen Kandidatin besiegt.

Darüber hinaus hat die NRA den Kontakt zu den Ansichten ihrer eigenen Mitglieder völlig verloren, was eine von dem in Lansing sitzenden Marktforschungsunternehmen EPIC-MRA durchgeführte Meinungsumfrage unter NRA-Mitgliedern in Michigan beweist:

- 64 Prozent der NRA-Mitglieder sind für eine obligatorische Registrierung aller privaten Verkäufe von Handfeuerwaffen;
- 59 Prozent befürworteten die Bestimmung, daß Schußwaffen nur ungeladen aufbewahrt werden dürfen;
- 68 Prozent unterstützten die Aufstellung allgemeiner Sicherheitsstandards für heimische und importierte Schußwaffen;
- 56 Prozent unterstützten ein Gesetz, das eine fünftägige Wartezeit vorsieht, bevor eine gekaufte Waffe ausgehändigt werden darf;

- 55 Prozent waren dafür, Hochleistungsmagazine, die sogenannten High-Capacity-Magazine, zu verbieten.

*AMERIKANER MÖCHTEN, DASS MAN IHNEN IHRE WAFFEN
AUS DEN KALTEN, TOTEN HÄNDEN REISST!* Nur 25 Prozent
von ihnen besitzen eine Waffe. Die meisten wissen, daß sie weni-
ger sicher sind, wenn sie eine Waffe im Haus haben. Warum ist
das so? Weil seit der Ermordung Kennedys mehr als eine Million
Amerikaner von Schußwaffen getötet wurden. Wir hätten nicht
einmal so viele von unseren Landsleuten töten können, wenn wir
weitere 15 Vietnamkriege geführt hätten! Das bedeutet, daß *jeder*
Amerikaner jemanden kennt, der irgendwann erschossen wurde.
Und ihr wißt vielleicht, was geschieht, wenn so viele Leute die
Tragödie des Waffenmißbrauchs oder fahrlässigen Umgangs mit
Waffen selbst mitangesehen haben: Sie beginnen, diese Schußwaffen zu hassen! Und dies gilt für die meisten Bürger des Lan-
des.

**Acht von zehn Amerikanern sind der Meinung, daß jeder-
mann in ihrem Land krankenversichert sein sollte.** Und 52
Prozent geben an, sie seien willens, mehr Steuern oder höhere
Versicherungsbeiträge zu zahlen, um dies zu ermöglichen. Es ist
eigentlich nicht erstaunlich, daß wir eine nationale Krankenversicherung wollen, da wir schon bisher pro Kopf 4 200 Dollar im
Jahr zahlen, während die Beitragssätze in Ländern mit einer allgemeinen Gesundheitsversorgung viel geringer sind: 2 400 Dollar in Deutschland; 2 300 Dollar in Kanada und 1 400 Dollar in
Großbritannien.

*JAWOHL, DIE AMERIKANER SIND SOZIALISTEN UND SIE
WOLLEN EINE SOZIALISIERTE MEDIZIN!* Warum? Weil sie
irgendwann mal krank werden! Wer wird denn niemals krank –
und wer möchte nicht, daß ihm dann geholfen wird? Ich bitte
euch, zu dieser Erkenntnis braucht man kein Hirn. So viele Millionen haben es doch schon erlebt, wie sich wegen eines einzigen
Unfalls oder einer schlimmen Krankheit die Ersparnisse eines

ganzen Lebens in Luft aufgelöst haben. In diesem Moment ist es ihnen egal, was es kostet. Sie möchten einfach wieder gesund werden. Wenn erst mal die Gelenke der Babyboomer wegen ihrer Arthritis schrecklich wehtun und sie einen oder beide Hoden verlieren, dann sollt ihr mal sehen, wie schnell man hierzulande eine allgemeine Gesundheitsversorgung einführen wird. Der einzige Grund, warum wir bisher noch keine haben, ist doch der: Die Politiker, die dagegen sind, sind ja durch staatliche Leistungen gesundheitlich zu 100 Prozent abgesichert. Selten in ihrem Leben mußten sie eine Arztrechnung bezahlen, und sie möchten nicht, daß *ihr, liebe Mitbürger,* jetzt damit aufhört, ihre Rechnungen weiterhin zu begleichen. Es gibt nichts, was grausamer – oder absurder – wäre, als wenn diese Bonzen, die nie einen müden Cent für ihre superteuren Seelenklempner und Reflexzonenmassagen bezahlen müssen, diejenigen als üble Kommunisten beschimpfen, die einfach möchten, daß man den Tumor aus ihrer Gebärmutter entfernt. Nun, die Revolution steht vor der Tür, und wir können nur hoffen, daß diese nicht versicherten »Kommunisten« den Reichen solche Kopfschmerzen verursachen, daß ein ganzes Fläschchen voller Schmerzmittel dagegen nichts auszurichten vermag.

**62 Prozent der Bürger dieses Landes sind dafür, die bestehenden Gesetze so abzuändern, daß *weniger* nicht gewalttätige Verurteilte ins Gefängnis müssen.** Ganz recht, sie wollen, daß unsere Straßen von Kriminellen überflutet werden! 80 Prozent möchten, daß man mehr Gesetzesbrecher zu gemeinnützigen Arbeiten heranzieht, und 76 Prozent glauben, es sei besser, wenn diese Übeltäter draußen für eine Entschädigung ihrer Opfer arbeiten könnten, als sie einzusperren. 74 Prozent sind für eine Therapie und Bewährungsfrist für nicht gewalttätige Drogenkonsumenten.

*AMERIKANER SIND FÜR MILDE STRAFEN!* Sie sind eine Bande von sentimentalen Weicheiern! Und sie sind selber Junkies! 94 Millionen Amerikaner haben wenigstens einmal in ihrem Leben verbotene Drogen konsumiert. Kein Wunder also, wenn sie wollen, daß sich die Kiffer so richtig zukiffen können!

**85 Prozent der Amerikaner sind für die Gleichberechtigung für Schwule und Lesben am Arbeitsplatz.** Und 68 Prozent sind für Gesetze gegen alle, die homosexuelle Arbeitnehmer diskriminieren. 73 Prozent möchten Gesetze gegen »hate crimes«, das heißt Verbrechen aus Haß gegen ethnische, rassische oder sexuelle Minderheiten, und sie sind gegen die Diskriminierung dieser Minderheiten bei der Wohnungssuche. Etwa die Hälfte sind der Ansicht, daß schwule und lesbische Paare dieselben Vergünstigungen wie verheiratete Paare bekommen sollten, und 68 Prozent denken, daß schwule Paare auch ein Recht auf Leistungen der Sozialversicherung hätten, während 70 Prozent dafür sind, auch homosexuelle Partner in die Gesundheitsversorgung für Arbeitnehmer einzuschließen. Und für immerhin die Hälfte von uns Amerikanern wäre es kein Problem, wenn schwule und lesbische Paare Kinder adoptieren dürften.

*WIR AMERIKANER SIND ALSO EINE HORDE VON VERWEICHLICHTEN SCHWULENFREUNDEN!* Das Land gerät in die Hand von Tunten! Der Supreme Court hat gerade den freiwilligen Sex zwischen Homosexuellen legalisiert. Was kommt als nächstes – schwule Priester?! Wie sollen wir für den nächsten Krieg die richtige Machogesinnung aufbauen, wenn alle unsere Männer weich gegenüber Weichlingen werden? Nicht jeder kann von David Crosby ein Baby bekommen (wie das bekennende lesbische Pärchen: die Rocksängerin Melissa Etheridge und Filmemacherin Julie Cypher! A. d. Ü.)

**Laut einer Gallup-Meinungsumfrage aus dem Jahr 2002 waren 58 Prozent der Meinung, daß Gewerkschaften eine gute Idee seien.** Eine Umfrage des amerikanischen Gewerkschaftsdachverbands AFL-CIO sah die Zustimmung zu Gewerkschaften bei 56 Prozent, und eine ausgewogene Umfrage von Fox News (Ups! Verklagt mich nicht! Nein, *verklagt mich doch!)*

zeigte, daß das halbe Land einen positiven Eindruck von den Gewerkschaften hatte (während nur 32 Prozent gegen sie waren). Da nur 13,2 Prozent der Arbeiter dieses Landes einer Gewerkschaft angehören, muß diese ganze Extraunterstützung von derjenigen Hälfte der nicht gewerkschaftlich organisierten Arbeiter stammen, die beitreten würden, wenn man ihnen die Wahl ließe. Darüber hinaus glauben 72 Prozent der Befragten, daß Washington den amerikanischen Arbeitnehmern nicht genug Beachtung schenke.

Der durchschnittliche amerikanische Arbeitnehmer hat gelernt, Corporate America, der amerikanischen Geschäftswelt, zutiefst zu mißtrauen: 88 Prozent haben nur wenig oder überhaupt kein Vertrauen in das höhere Management; 68 Prozent glauben, daß diese Manager weniger ehrlich und vertrauenswürdig seien als vor einem Jahrzehnt; 52 Prozent haben nur wenig oder kein Vertrauen in die Buchführung der großen Unternehmen, während 31 Prozent nur ein bißchen Vertrauen haben; 65 Prozent sind der Meinung, daß es größere Reformen in Corporate America geben müsse; und 74 Prozent denken, die Probleme in der amerikanischen Geschäftswelt lägen an der Habgier und laxen Moral der Führungskräfte. Sie alle wissen, daß diese Bastarde nie etwas Gutes im Schilde führen und man ihnen deshalb in jedem einzelnen Augenblick an jedem verdammten Tag genau auf die Finger sehen muß.

*AMERIKANER HASSEN DEN GROSSEN MACKER!* Vor allem, wenn es sich dabei um den Boß handelt! Sie glauben, auch sie sollten ihren gerechten Teil vom Kuchen abkriegen. Sie glauben, der Arbeitsplatz sollte nicht der Ort sein, an dem sie ins Gras beißen. Sie glauben, man müsse die Arbeitgeber zwingen, anständig zu handeln.

Ihr seht also, daß wir in einer Nation leben, in der die Leute an Rassengleichheit, Frauenrechte, Gewerkschaften, eine saubere Umwelt und eine faire Behandlung von Schwulen und Lesben glauben. Selbst bei der einen Frage, bei der Amerikaner gewöhnlich ganz auf der konservativen Seite stehen – bei der Todesstrafe –, hat deren Unterstützung doch in den letzten fünf Jahren dramatisch abgenommen (dies nicht zuletzt dank der Arbeit jener Studenten von der Northwestern University, die die Unschuld von wenigstens elf Insassen der Todeszellen von Illinois nachweisen konnten). Während zuvor über 80 Prozent der Öffentlichkeit für die Todesstrafe waren, ist diese Zahl nun auf 64 Prozent gesunken. Und wenn man fragt, wie sie die Todesstrafe beurteilen würden, wenn gewährleistet sei, daß ein Mörder mit besonders schwerer Schuld das Gefängnis nie mehr verlassen dürfe, fällt die Zustimmung auf nur noch 46 Prozent. Dies ist wirklich ein höchst erstaunlicher Rückgang der Unterstützung einer der irrsinnigsten und grausamsten Aktivitäten unserer Nation, die so von keinem anderen Industrieland auf dieser Erde praktiziert wird. Tatsächlich fand eine kürzlich von CNN durchgeführte Umfrage sogar heraus, daß 60 Prozent der Amerikaner gegenwärtig einen bundesweiten Aufschub aller Hinrichtungen befürworten, bis eine Kommission die Frage geklärt hat, ob die Todesstrafe auch wirklich überall in fairen Prozessen verhängt wurde.

Wie konnte so etwas passieren? Es passierte, weil die Amerikaner im Grunde gutherzig sind und ein starkes und aktives Gewissen haben. Die Mehrheit wird nie die Tötung eines unschuldigen Menschen akzeptieren, selbst wenn sie immer noch an das Konzept der Todesstrafe glauben sollte. Deshalb werden wir in nicht allzu ferner Zukunft die Abschaffung dieser Strafe erleben. Denn wenn den Leuten erst einmal klarwird, wie groß die Chancen sind, daß bei uns auch Unschuldige hingerichtet werden, dann werden sie nicht mehr für die Todesstrafe eintreten.

Dieser menschliche Anstand, von dem ich glaube, daß er im Herzen der meisten meiner Landsleute zu finden ist, wird sie in den meisten Fällen dazu bewegen, auf diesem Weg der Liberalität weiterzugehen. Sie wollen nicht, daß andere leiden müssen. Sie wollen, daß jeder eine faire Lebenschance erhält. Sie wollen, daß sich auch noch ihre Enkel an diesem schönen Planeten erfreuen können.

Konservative wissen sehr gut, daß dies das wirkliche Amerika ist – und es macht sie verrückt, in einem solch liberalen Land leben zu müssen. Ihr könnt sie an jedem Tag der Woche im Radio oder in den Nachrichten von Murdochs Fox-Fernsehen hören, diese kreischenden Rechtsradikalen mit Schaum vor dem Mund. Habt ihr euch jemals gefragt, warum die alle dermaßen *wütend* sind? Ich meine, hört denen doch mal genau zu. Den ganzen Tag lang, an jedem Tag, speien sie Gift und Galle über Verräter, Liberale, Tunten, Liberale, heimtückische Wiesel, Liberale, die Franzosen, Liberale – manchmal habe ich direkt Angst, daß sie an ihrem eigenen Gift krepieren und dann jemand einen Heimlich-Handgriff gegen das Ersticken an Haß erfinden muß. Es folgen ein paar entsprechende Beispiele aus unseren heiligen Ätherwellen:

*»Oh, Sie sind einer dieser Sodomisten. Sie sollten wirklich Aids bekommen und dann daran sterben, Sie Schwein. Und jetzt? Warum zeigen Sie mich jetzt nicht an, Sie Schwein? Haben Sie nichts Besseres zu tun, als mich anzumachen, Sie Stück Dreck? Heute haben Sie nichts mehr zu erledigen, gehen Sie einfach eine Wurst essen und ersticken Sie daran.«*    Michael Savage

*»Alles, was [Liberale] tun können, um das Christentum und das Judentum zu zerstören, ist gut für sie. Denn ihr Geist ist total verwirrt, denn Liberalismus ist keine Philosophie, sondern eine Art von Geisteskrankheit.«*    Michael Savage

*»Gott sagt uns: ›Die Erde ist Euer. Nehmt sie. Vergewaltigt sie. Sie gehört Euch.‹«*    Ann Coulter

*»Wir müssen Leute wie John Walker hinrichten, um den Liberalen physische Angst einzujagen, damit sie begreifen, daß auch sie getötet werden können. Andernfalls werden sie endgültig zu Hochverrätern!«*    Ann Coulter

*»Wir sollten in ihre Länder einmarschieren, ihre Führer töten und sie zum Christentum bekehren!«*
Ann Coulter (über die Terroristen des 11. September)

*»Ich sage Ihnen, wenn Michael Moore behauptet, dieser Präsident sei ein ungesetzlicher Präsident, dann überschreitet er die Grenze, dann überschreitet er die Grenze... dann überschreitet er die Grenze zum Anarchismus.«*
Bill O'Reilly

*»Es stimmt: wenn du arm bist und dir keinen guten Anwalt leisten kannst, steigen deine Chancen sprunghaft an, ins Gefängnis zu kommen. Aber weißt du was? Pech gehabt!«*
Bill O'Reilly

*»Der Feminismus wurde eingeführt, um unattraktiven Frauen einen leichteren Zugang zum Mainstream dieser Gesellschaft zu verschaffen!«*
Rush Limbaugh

*»Ihr Linken wart nicht da im Kalten Krieg, Ihr seid auch heute nicht da. Wenn wir je auf euch hören sollten, werden wir alle bald vor irgendeinem dieser Diktatoren irgendwo da draußen auf die Knie fallen!«*
Sean Hannity

*»Sie sind eine Bande von rückgratlosen Feiglingen ohne jeden Mumm!«*
Sean Hannity (über Linke in Hollywood)

*»Kanada ist ein linker, sozialistischer, hoffnungsloser Fall. Was für Freunde sollen das denn sein?«*
Sean Hannity

In einem Gespräch mit dem Schauspieler Tim Robbins, einem bevorzugten Ziel der kriegslüsternen rechten Krakeeler, sagte er einmal zu mir: »Warum sind die die ganze Zeit so wütend und zornig, obwohl sie das Weiße Haus, den Senat, das Repräsentantenhaus, das Oberste Bundesgericht, die Wall Street, alle Radio-Talkshows und drei der vier Kabelnachrichtensender kontrollieren? Sie haben ihren Krieg gekriegt, sie haben ihre Steuersenkungen durchgedrückt und ihr Oberkommandierender hat eine Zustimmungsrate von 70 Prozent! Man sollte eigentlich annehmen, sie seien glücklich, aber sie sind's nicht.«

Irgendwie scheint das krank, unglücklich zu sein, wenn man doch fast überall am Drücker ist. Stellt euch nur mal vor, wie wir uns verhalten würden, wenn Jesse Jackson (amerikanischer Bürgerrechtler, A. d. Ü.) Präsident wäre, die liberalen Demokraten beide Häuser des Kongresses kontrollierten, Mario Cuomo (demokratischer Ex-Gouverneur von New York, A. d. Ü.) und Ted Kennedy (demokratischer Senator, A. d. Ü.) im Supreme Court säßen, und die progressive Zeitung *The Nation* den größten Nachrichtenkanal im Fernsehen hätte. Mann, wir wären doch im siebten – nein, sogar im achten – Himmel, und jeder würde die Freude aus unseren Stimmen heraushören und das verklärte Lächeln auf unseren Gesichtern andächtig betrachten.

Und da habe ich es endlich begriffen: Die Rechten sind genau deshalb so wütend, weil *sie wissen,* daß sie in der Minderheit sind. Sie wissen, daß Amerikaner tief in ihren Herzen nicht auf ihrer Seite stehen und dies auch niemals tun werden. Amerikaner, wie die meisten Menschen, legen keinen Wert auf die Gesellschaft von Leuten voller Haß und Gemeinheit. Und deshalb sind die so wütend, weil sie wissen, daß sie einer aussterbenden Art angehören. Sie wissen, daß die Weiber, die schmierigen Latinos und die schwulen Tunten die Macht übernehmen werden, und deshalb wollen sie noch so viel Schaden anrichten wie möglich, bevor ihre politische Spezies endgültig ausstirbt. Hier heulen sterbende Hunde, und so müssen die Dinosaurier in ihren letzten Tagen gewimmert haben. Wir sollten Mitleid mit ihnen haben, anstatt sie zu bekämpfen.

Natürlich würden die meisten Amerikaner sich selbst nie als »liberal« bezeichnen. In den letzten beiden Jahrzehnten ist dies nämlich zum größten Schimpfwort in der amerikanischen Politik geworden. Alles, was ein Republikaner tun muß, ist seinem Gegner das Etikett »Liberaler« zu verpassen, und dann ist das Ende dieses Losers bereits vorprogrammiert. Es hat auch nicht gerade geholfen, daß Liberale denen auch noch in die Hände gearbeitet haben, zuerst, indem sie selbst dieses Wort nicht mehr benutzt haben, und danach, indem sie so wenig liberal wie möglich handelten. Liberale haben so oft konservativ gedacht und abgestimmt, daß sie der Bezeichnung »feiger Schlappschwanz« eine ganz neue Bedeutung verliehen haben.

Deshalb hassen es die Amerikaner normalerweise, für diese Liberalen zu stimmen. Ein »liberaler Führer« ist oft ein Oxymoron, also ein Widerspruch in sich selbst – Liberale führen nicht, sie folgen. Die Konservativen sind die wahren Führungspersönlichkeiten. Sie haben den Mut, den ihnen ihre Überzeugungen verleihen. Sie weichen und wanken nicht, und sie geben niemals auf. Unnachgiebig verfolgen sie ihre Ideale. Sie sind furchtlos und lassen sich von niemandem was gefallen. Mit anderen Worten: Sie *glauben* an etwas. Wann seid ihr zum letzten Mal einem Liberalen oder einem Demokraten begegnet, der bei einem Grundsatz geblieben wäre, nur weil dieser ein guter Grundsatz ist?

Deshalb vertrauen die meisten Amerikaner den Liberalen nicht. Man weiß nie, in welche Richtung sie sich verbiegen werden. Bei den Republikanern und Konservativen weiß man wenigstens, was man bekommt, und in diesen unruhigen Zeiten ist diese Sicherheit für Millionen ganz tröstlich.

Das andere Problem ist, daß viele Liberale so schrecklich dröge sind und aus der Wäsche kucken, als ob sie nicht viel Spaß hätten. Wer will denn mit so einer langweiligen Truppe auftreten?

Aber *Webster's Collegiate Dictionary* definiert das Wort »liberal« folgendermaßen: »Nicht engstirnig; nicht selbstsüchtig« und »im politischen und religiösen Denken nicht gebunden an orthodoxe Dogmen oder vorgefaßte Formen; unabhängig in der Meinungsbildung; nicht konservativ; Anhänger einer größeren Freiheit in der Organisation oder Verwaltung eines Staates und einer Regierung…« Darüber hinaus wird liberal als »großherzig« definiert, »und es beinhaltet eine gewisse geistige Großzügigkeit beim Geben, Richten, Handeln usw.«.

Und *genau so* denken, handeln und benehmen sich heutzutage die meisten Amerikaner. Auch wenn sie dieses Wort nicht auf sich selbst anwenden würden, sind sie in ihrem Alltagsleben und Handeln die lebende, atmende Definition von »Liberalität«. Auch die meisten unabhängigen, auf ihre Freiheit bedachten Frauen bezeichnen sich kaum noch als »Feministin«; ihre Handlungsweise spricht lauter als eine bloße Worthülse, und natürlich sind sie in Wirklichkeit alle in der Wolle gefärbte Feministinnen.

Also halten wir uns nicht zu lange mit Begriffen auf. Die meisten Amerikaner begegnen der Welt nicht mit vorgestanzten Meinungen, sondern mit gesundem Menschenverstand. Die meisten Amerikaner finden es einfach sinnvoll, wenn Luft und Wasser nicht verschmutzt werden, wenn ihre Regierung sich aus dem Schlafzimmer eines Erwachsenen und aus dem Uterus der Frauen heraushält. Oder sie sind der Ansicht, daß man Leute nur wegen ihrer Hautpigmente nicht benachteiligen darf. Für Amerikaner sind das alles gar keine politischen Fragen, sondern pure Logik. Wenn diese Geisteshaltung der Lexikondefinition von »Liberalität« entsprechen sollte, warum fangen wir dann nicht damit an, diesen kulturellen Wandel in einem ganz anderen Licht zu betrachten?

Wir könnten es doch so definieren: Eine neue *Mehrheit des gesunden Menschenverstands* regiert dieses Land. Ist es *gesunder Menschenverstand,* daß 75 Millionen Menschen in den letzten beiden Jahren nicht krankenversichert waren? Natürlich nicht; es widerspricht in seiner Widersinnigkeit *jedem* Verstand. Ist es *gesunder Menschenverstand,* wenn nur fünf Unternehmen alle wichtigen Informations- und Nachrichtenquellen in Amerika kontrollieren dürfen? Ganz und gar nicht. Ist es *gesunder Menschenverstand,* dafür zu sorgen, daß jedermann einen Job hat und genug verdient, um einigermaßen gut leben zu können? Das wäre doch wirklich ein Beweis eines gesunden politischen *Verstandes.*

Welcher rechtschaffene Mensch könnte gegen diese Vorschläge sein? Wir sollten einfach eine Liste des gesunden Menschenverstands zusammenstellen und sie der Reihe nach abarbeiten. Und die kleine Schar von Rechtsaußen, die bisher die meisten Bereiche unseres Lebens kontrolliert hat, betrachten wir von nun an als die unverständige – oder sogar närrische – Minderheit. **Denn sie vertreten nicht die große Mehrheit dieses Landes.**

Jetzt könntet ihr natürlich einwenden: »Alles gut und schön, aber wenn das alles stimmt, warum findet dieser Bush dann bei allen Umfragen so hohe Zustimmung?«

Für mich gibt es darauf eine ganz simple Antwort. Amerika wurde angegriffen. Mehr als 3 000 Menschen sind dabei umgekommen. Es liegt in der menschlichen Natur, daß man sich hinter seinem Anführer schart, wenn man auf solche Weise attackiert wird – *ganz egal, wer dieser Anführer ist.* Diese hohe Zustimmung für Bush bedeutet noch lange keine Billigung seiner Politik. Sie ist eher die Reaktion eines verängstigten Volkes, das keine andere Wahl sieht, als den Mann zu unterstützen, dessen Aufgabe es nun einmal ist, alle amerikanischen Bürger zu beschützen. Amerika hat sich *nicht* in Bush verliebt – es ist eher wie in dem Spruch: »Versuch den zu lieben, den du eben abgekriegt hast.«

Laßt mich das noch einmal wiederholen: Die überwältigende Unterstützung für den Irakkrieg fing erst *nach* Kriegsbeginn an. Vor dem Krieg war die *Mehrheit* der Amerikaner der Ansicht, daß wir den Irak nur dann angreifen sollten, wenn wir zuvor dafür die Unterstützung und Beteiligung aller unserer Alliierten *und* der Vereinten Nationen gewonnen hätten. Aber als der Krieg anfing, wollte der Durchschnittsamerikaner unsere Soldaten unterstützen und wollte ganz einfach, daß die Jungs gesund und lebendig wieder heimkommen. Schließlich sind es *unsere* Kinder, die man da rübergeschickt hat. Was hätte er also dem Interviewer der Meinungsforscher am Telefon anderes antworten sollen? Schließlich waren es *sein* Sohn oder *seine* Tochter oder das Kind *seines* Nachbarn, um deren Leib und Leben er sich nun sorgen mußte.

Die Unterstützung für Bush ist in Wirklichkeit recht schwach. Der Wirtschaft geht es ganz beschissen. Alle Bürger haben jeden Tag hart zu kämpfen. Und es gibt keinen Weg, wie Bush sie *und* seine reichen Kumpels gleichzeitig glücklich machen könnte. Auch wenn die amerikanischen Bürger ihr Land lieben und es unterstützen möchten, wenn sie keinen Job haben – oder zumindest keinen, mit dem sie alle Rechnungen bezahlen können –, wird das am Wahltag wohl den Ausschlag geben.

Also, faßt Mut. Und schaut euch um. Ihr lebt in einer Nation voller progressiv denkender, liberal gesinnter, gutherziger Leute. Klopft euch selbst auf den Rücken – ihr habt gewonnen! Wir alle haben gewonnen! Laßt uns zusammen unseren Sieg feiern, aber danach unverzüglich anfangen, diese große Betriebsstörung zu reparieren: Wie ist es möglich, daß in einer Nation von Linken die Rechte alles kontrolliert? Sie vertreten nicht den Willen des Volkes, und das muß sich dringend ändern! Fangt an, euch wie die Sieger zu benehmen, die ihr ja seid, und kommt raus, um dieses Land zu gestalten und zu regieren, das wirklich und wahrhaftig uns allen gehört.

# TEN

# Wie man mit seinem konservativen Schwager redet

**Ihr alle kennt das Problem** nur zu gut. Thanksgiving Dinner. Die Familie hat sich wieder einmal um den Tisch versammelt, will eine schöne Zeit miteinander verbringen und das gute Essen genießen. Die Cranberrys sind reif, der Truthahn ist dick, und der Schwager am anderen Tischende ist mal wieder bei seinem Lieblingsthema. »Bushs Steuersenkung wird dem Land wieder Wohlstand bringen!« Im Zimmer wird es unangenehm still, und jemand versucht, das Thema zu wechseln. Der Schwager (ein Besserwisser, der zwar deine Schwester gut behandelt, aber trotzdem ein Blödmann ist) spricht ungerührt weiter. Er hechelt mal wieder die bekannten Themen durch: »Viel zu viele Versager leben von Sozialhilfe«, »positive Diskriminierung ist nichts anderes als Diskriminierung«, »man sollte mehr Gefängnisse bauen und den Schlüssel wegwerfen«. Schließlich hat deine Cousine Lydia, die aufs (liberale, A. d. Ü.) Antioch College geht und über den Feiertag daheim ist, genug und nennt ihn »Rassisten« und »Arschloch«. Plötzlich fliegt Omas Spezialkartoffelbrei mit Dill durch die Luft – wie eine amerikanische Rakete an einem sonnigen Morgen in Bagdad. Aus einem schönen, trauten Familientreffen ist eine kulinarische Version der Sendung *Crossfire* geworden, dieser politischen Debattiershow auf CNN.

Geben wir's zu, fast in jeder Familie gibt es mindestens einen Reaktionär, und ihr seid ihm ausgeliefert. Es ist nun einmal eine statistische Tatsache, daß auf zwei Liberale immer ein Mensch kommt, der sich in die Zeiten von Strom Thur-

mond (früherer konservativer US-Senator, A. d. Ü.) und gesetzlich genehmigten sexuellen Mobbings zurücksehnt.

Im letzten Jahr sind mir offenbar all diese Typen auf einmal
begegnet. Viele haben mir mit einer Leidenschaft, die man selten
auf unserer Seite des politischen Grabens findet, lange Briefe
geschrieben. Manche halten mich auf offener Straße an und versuchen, mich in eine hitzige Debatte zu verwickeln. Manchmal
habe ich welche gefragt, ob sie mit mir einen Kaffee trinken wollen (obwohl ich nicht einmal Kaffee trinke und sie selbst eindeutig schon ein bißchen zuviel gehabt hatten). Ich diskutiere nicht
mit ihnen, sondern höre mir ihr Gezeter über Bush, Liberale,
Araber und Sozialhilfemamas an. Sie labern mich voll. Ihr Ge-
nöle ist immer lang und klingt erstaunlich danach, als würden
sie ihre täglichen Gesprächsthemen direkt aus *Conan der Barbar*
herleiten. Sie wollen nichts Geringeres, als den Planeten von all
den verdammten Multikultis befreien, die überall Analsex haben.

Aber wenn man lange und genau zuhört, vernimmt man ihre
schwachen, leisen Hilferufe. Sie sind eindeutig krank und verlieren darüber langsam den Verstand. Im Grunde sind sie sehr
SEHR ängstlich. Sie haben Angst, weil sie Ignoranten sind. Sie
wissen kaum etwas von der Welt jenseits ihres eigenen, be-
schränkten Horizonts. Sie haben nicht die geringste Vorstellung,
wie es ist, schwarz zu sein oder furchtbar arm, oder was das für
ein Gefühl ist, wenn man einen Menschen des eigenen Ge-
schlechts küssen will. Diese Ahnungslosigkeit ist die Grundlage
für ihre überwältigende, allgegenwärtige Angst. Aus der Angst
wird schnell Haß, und der führt schnell an einen ganz dunklen
Ort. Der Wunsch, anderen zu schaden, wird übermächtig, allerdings wollen sie diesen anderen selten mit den eigenen Händen
an die Gurgeln (dazu haben sie meist zuviel Schiß), sondern der
Staat soll an ihrer Stelle handeln: »NEHMT IHNEN DIE SOZI-
ALHILFE! BAUT IHRE JOBS AB! STELLT DIE SCHWEINE
AN DIE WAND!«

Dieser Haß ist nicht nur politisch, sondern gilt auch realen
Menschen, was jeder bestätigen kann, der schon einmal mit so

einem Typen verheiratet war oder einen in der Verwandtschaft, als Nachbarn oder Chef hat. Schwierig, wenn man den Tag schon mit einer Wut im Bauch gegen alle beginnt, die nicht sind wie man selbst.

Für diese Krankheit gibt es, soweit ich weiß, keine Therapie, und auch die Pharmaindustrie hat noch kein Medikament gegen diese konservative Wut entwickelt. (Die Pharmaunternehmen brauchen die republikanischen Wählerstimmen sogar, denn sie sorgen dafür, daß die Pharmaindustrie niemals reguliert werden wird, es ist also in ihrem Interesse, daß die zornigen weißen Schwätzer nicht geheilt werden.)

Ich bin davon überzeugt, daß man viele Konservative von ihrer abwegigen Haltung abbringen kann. Man kann sie ermutigen, anders über die Themen zu denken, die uns beschäftigen, und die Welt in einem neuen Licht zu betrachten. Diese neue Einstellung wird sie weder verschrecken noch ihnen die Grundwerte nehmen, die sie so in Ehren halten. Ich glaube, daß sich viele in ihrer eigenen Wut verirrt haben und von einer Propaganda manipuliert werden, die ihr Blut in Wallung bringen soll. Die Häuptlinge in der Wirtschaft, Religion und Politik wissen genau, was sie tun müssen, um ansonsten anständige Menschen guten Willens auf ihre Seite zu bringen.

Ich denke, ihr könntet den Spieß auch umdrehen, ihr könntet euren konservativen Schwager *bekehren.*

Jetzt sagt ihr vielleicht: »Moment, ich stehe nicht auf Missionsarbeit! Da muß ich mich doch mit diesen Trotteln abgeben!«

Aber wollt ihr noch zu euren Lebzeiten etwas verändern, wollt ihr einen echten, anhaltenden und progressiven Wandel erleben? Wollt ihr dieser angeblich konservativen Bewegung, die den Kongreß mit so vielen Republikanern besetzt, einfach freie Hand geben? Wollt ihr noch ein bißchen Spaß haben?

Ich rede nicht davon, das Denken der unheilbar Bigotten zu ändern. Wir wollen nicht die wahnsinnigen Rechten für uns gewinnen. Die Typen sind schon zu weit abgerutscht. Und ehrlich

gesagt, sie sind nicht so zahlreich, daß man sich um sie viele Gedanken machen müßte.

Ich spreche von den Leuten, die ihr kennt und (ja, es muß einmal gesagt werden) liebt. Sie kümmern sich liebevoll um ihre
Kinder, sie halten ihre Häuser in Schuß, arbeiten ehrenamtlich
für die Kirche – und sie wählen immer, so unglaublich das ist,
die Republikaner. Ihr versteht das nicht. Wenn jemand so nett
wirkt, wie kann er dann für die Partei von Attila, dem Hunnen,
stimmen?

Ich habe dazu eine Theorie: Ich glaube nicht, daß diese Menschen richtige Republikaner sind. Sie benutzen nur ein Wort, das
sie irgendwo aufgeschnappt haben, weil der Begriff mit Tradi-
tion, gesundem Menschenverstand und Geld sparen in Verbindung gebracht wird. Also haben sie sich dieses Etikett angeklebt.
Und wer war schließlich der erste Republikaner, von dem wir in
Geschichte gehört haben? Der gute Abe Lincoln – der Junge ist
immerhin auf dem Penny UND der Fünfdollarnote abgebildet!
Außerdem verdanken wir ihm einen Tag schulfrei.

Diese Menschen sind in Wirklichkeit nur dem Namen nach
Republikaner. Ich nenne sie daher RINOS (Republicans In
Name Only). Man braucht ihnen nur ein paar Fragen zu stellen:
Wollt ihr eine saubere Umwelt? Würdet ihr in einem Viertel mit
Schwarzen wohnen? Haltet ihr Krieg für eine Lösung, um Diffe-
renzen mit anderen beizulegen? Meistens geben sie nicht die
Standardantworten der Republikaner. Ich habe eine Freundin,
die sich selbst als Republikanerin bezeichnet, aber wenn ich sie
frage, ob Frauen soviel wie Männer verdienen sollten, antwortet
sie: »Wir sollten sogar mehr verdienen!« Wenn ich sie frage, ob
man erlauben sollte, daß Müll in dem See entsorgt wird, an dem
sie lebt, erinnert sie mich daran, daß sie im Vorstand der örtlichen Naturschutzorganisation sitzt. Wenn ich sie frage, wie es
ihrem Aktienfonds geht, seit wir »Clinton, diesen Lügner« los
sind, murmelt sie: »Frag lieber nicht.«

Also sage ich ihr: »Wenn Bush die Wirtschaft ruiniert und dich
Tausende Dollar gekostet hat, wenn die Republikaner es leichter

machen, Müll im See zu deponieren, und wenn du denkst, du solltest die gleichen Rechte wie Männer haben, warum um alles in der Welt nennst du dich dann eine Republikanerin?!«

»Weil die Demokraten meine Steuern erhöhen«, antwortet sie wie aus der Pistole geschossen.

Das ist das RINO-Mantra. Obwohl diese »Republikaner« eindeutig nicht an die republikanischen Grundsätze glauben und wissen, daß die republikanische Partei ihren Lebensinteressen in mannigfacher Weise schaden wird, klammern sie sich aus einem einzigen Grund weiter an das republikanische Etikett: Weil sie glauben, die Demokraten wollten ihnen ihr sauer verdientes Geld klauen.

Wie gesagt, ich glaube, wir leben in einem Land, in dem die liberal denkenden Menschen in der Mehrheit sind, aber wenn wir wirklich dauerhaft etwas verändern wollen, müssen wir ein paar Millionen RINOS auf unsere Seite bringen – und das geht, solange sie ihr Geld dorthin mitnehmen können.

Ich habe einen Haufen Vorschläge, wie wir unsere Mehrheit stärken und unsere RINO-Freunde und -Verwandten erreichen können. Einige Vorschläge erfordern ein bißchen Takt und Fingerspitzengefühl von euch. Viele, davon bin ich überzeugt, werden funktionieren. Es ist an der Zeit, den konservativen Rechten die halbherzige Unterstützung zu nehmen, von der sie schon viel zu lange profitieren.

Zumindest werden euch meine Vorschläge ein deutlich friedlicheres Thanksgiving-Dinner bescheren:

**1. Versichert euren konservativen Freunden und Verwandten zunächst, daß ihr kein Geld von ihnen wollt.** Ihr wollt nicht, daß sie weniger Geld verdienen oder das Geld verlieren, das sie haben. Sagt ihnen direkt, daß ihr wißt, sie lieben ihr Geld, und das sei in Ordnung, denn ihr würdet euer Geld auch lieben (allerdings auf eine andere Art).

**2. Jedes politische Argument, das ihr vorbringt, muß sich an euren Gesprächspartner richten und für *ihn* sein.** RINOS machen jede Entscheidung von der Frage abhängig: »Was nützt MIR das?« Anstatt gegen diese Ichbezogenheit anzugehen, übernehmt ihr sie, akzeptiert sie und unterstützt sie. Ja, ihr sagt ihnen einfach: Das ist *gut* für EUCH. Konservative leben ihr Leben in der ersten Person singular – ICH, MICH, MEINS –, und die Wörter müßt ihr verwenden, wenn ihr wollt, daß sie euch zuhören.

**3. Macht eine kleine Reise in die Gedankenwelt der Konservativen.** Zu diesem dunklen Kontinent müssen wir uns vorwagen, wenn die Bekehrung gelingen soll. Dort werden wir vor allem Angst finden. Angst vor Verbrechen. Angst vor Feinden. Angst vor Veränderung. Angst vor Menschen, die anders sind. Und natürlich Angst, bei irgendwas Geld zu verlieren. Wenn Konservative etwas nicht mit eigenen Augen sehen können (gemischtrassische Paare leben nicht in ihrer Nachbarschaft), haben sie Angst vor dem Unbekannten. Wenn sie etwas nicht begreifen können (300 Jahre Sklaverei vor langer Zeit), verstehen sie nicht, warum die Dinge so sind, wie sie sind. Wenn sie etwas nicht am eigenen Leib spüren (in ihrem Teil der Stadt gibt es keine Luftverschmutzung), denken sie, mit der Umwelt sei alles in Ordnung.

**4. Respektiert die Konservativen so, wie ihr respektiert werden wollt.** Wir wollen von ihnen, daß sie anständig werden und sich um mehr kümmern als nur um ihr Geld. Wenn wir selbst nicht anständig sind, vor allem in unserem Verhalten ihnen gegenüber, wie sollen wir ihnen dann ein Vorbild sein? Sollen sie etwa so werden wie wir? Na, hoffentlich nicht.

**5. Sagt ihnen, was ihr an Konservativen *mögt*.** Seid ehrlich. Es gibt vieles an den Konservativen, das uns gefällt oder an das wir glauben, obwohl wir freilich lieber sterben würden, als das zuzugeben. **Gebt das gegenüber eurem konservativen Schwager zu.** Sagt ihm, daß auch ihr Angst habt, Opfer eines Verbrechens zu werden, und verhindern wollt, daß Verbrecher ihre Taten ungestraft verüben dürfen. Sagt ihm, wenn Amerika tatsächlich angegriffen werden würde, wären wir die ersten, die die Schutzlosen verteidigen würden. Sagt ihm, daß auch wir Schmarotzer hassen, vor allem diesen Zimmergenossen damals im College, der keinen Finger krumm machte und das Zimmer in einen Schweinestall verwandelte.

Euer Schwager wird begreifen, daß ihr eigentlich gar nicht so anders seid.

Sagt ihm, wie verläßlich Konservative sind. Wenn etwas repariert werden muß, holt ihr euren Proletenschwager, stimmt's? Ihr selbst habt zwei linke Hände – und eure jämmerlichen, liberal gesinnten Freunde auch. Und wenn ihr einen Job braucht, wer stellt euch ein? Der Konservative, dem das Unternehmen gehört, genau der gibt euch einen Job. Ihr bittet nicht euren liberalen Bummelantenschwager um einen Job, stimmt's? Und wenn ihr jemanden braucht, der einen Kerl verprügelt, weil der ein Hühnchen mit euch rupfen will, fragt ihr nicht euren Onkel bei der Unitarian Church. Seht ihr, man weiß nie, wann man seine konservativen Verwandten noch braucht.

Konservative sind wohlorganisiert, pünktlich, fleißig, gepflegt und beständig. Das sind lauter positive Eigenschaften, von denen wir wünschten, wir hätten ein bißchen mehr davon. Na los, gebt es zu – was hat es uns gebracht, daß wir desorganisiert, inkompetent, unordentlich und sprunghaft sind und immer zu spät kommen? Nichts! Wenn man einem RINO Anerkennung zollt, hört er viel bereitwilliger zu, was man als nächstes zu sagen hat.

**6. Gebt zu, daß die Linke Fehler gemacht hat.** Autsch. Das ist hart. Verflixt, ich weiß, wir sind nicht diejenigen, die beichten müssen! Aber wenn wir gelegentlich zugeben, daß wir unrecht hatten, ist es für die anderen leichter, ebenfalls Fehler einzugestehen. Außerdem wirken wir dann menschlicher und weniger

altklug. Ich saß zwei Tage lang da und starrte meinen Computer
an, bis ich mich dazu überwinden konnte, weiterzuschreiben,
aber hier sind für den Anfang schon mal ein paar Punkte, bei
denen wir unrecht hatten:

- Mumia Abu Jamal hat diesen Typen wahrscheinlich umgebracht. Da, ich hab's ausgesprochen. Das soll nicht heißen, daß er kein faires Verfahren verdient hätte oder hingerichtet werden sollte. Aber weil wir nicht wollen, daß er
  oder sonst jemand hingerichtet wird, haben wir mit seiner
  Verteidigung vielleicht ein bißchen übertrieben und dabei
  übersehen, daß er womöglich tatsächlich diesen Polizisten
  umgebracht hat. Das mindert nicht den Wert seiner Schrif-
  ten oder Kommentare und ändert nichts an der wichtigen
  Rolle, die er auf der internationalen politischen Bühne
  spielt. Aber er hat diesen Typen wahrscheinlich umgebracht.
  (M. A. Jamal ist ein afro-amerikanischer polizeikritischer
  Journalist, der 1982 wegen Mordes zum Tode verurteilt
  wurde. Dieses Urteil wird immer wieder in Frage gestellt.
  A. d. Ü.)
- Drogen sind schlecht. Sie ruinieren dich, bremsen dich und
  zerstören dein Leben. Auch wenn mich Nancy Reagan mal
  kann, sollte man entschieden Nein! zu Drogen sagen.
- Männer und Frauen *sind* verschieden. Wir haben nun einmal nicht das gleiche Geschlecht. Muß ich euch erst ein
  paar Fotos zeigen? Wir sind von der Natur oder der Gesellschaft nun einmal so gemacht, haben unsere eigenen Marotten, Wünsche und Gewohnheiten. Der Trick besteht darin,
  darauf zu achten, mit diesen Marotten dem jeweils anderen
  Geschlecht nicht zu sehr auf die Nerven zu gehen. Zum Beispiel ziehen nur wenige Frauen eine Pistole und erschießen
  jemanden auf der Straße. Die Chance, daß eine Frau dich
  heute abend auf dem Heimweg überfällt, liegt fast bei
  Null. Diese Marotte ist typisch für mein Geschlecht. Andererseits ist es den meisten Männern piepegal, ob das Bett
  gemacht ist oder nicht. Warum soll man das Bett machen?

Wer wird es merken? Was tun wir da, schützen wir die Lein-
tücher vor etwas, das sie nicht sehen sollen, wenn wir bei
der Arbeit sind?

- Es ist wirklich keine gute Idee, Sex zu haben, bevor man 18
ist. Schon gut, vielleicht bin ich auch nur neidisch, weil ich
bis 32 warten mußte. Trotzdem, der Preis für Sex im Teen-
ageralter ist ziemlich hoch: ungewollte Schwangerschaften,
Geschlechtskrankheiten und ein Ohr, das größer ist als das
andere, weil man ständig lauscht, ob die Haustür geht und
die Eltern früher nach Hause kommen. Wem nützt so was?
Außerdem sollten heutzutage Kinder erst gezeugt werden,
wenn die Eltern weit über zwanzig oder sogar über dreißig
sind. Schließlich gibt's in unserer Gesellschaft kaum eine
Möglichkeit, Kinder früher ohne Schmerzen und Leiden
aufzuziehen.

- MTV ist doof. Dämlicher kann man seinen Nachmittag
nicht verplempern, als sich Bilder von halbnackten Frauen,
Gewalt und die Visagen der Akteure von *The Real World*
anzusehen, die selbst zu viele Folgen von *The Real World*
gekuckt haben. Da solltet ihr lieber Sex mit anderen Teen-
agern haben und danach zusammen ein Buch lesen.

- Granola, diese Knuspermüsliflocken, sind ungesund. Sie
enthalten viel zuviel Zucker und Fett. Bei einer Untersuchung fand man heraus, daß viele Fertigmüslis pro Portion
mehr gesättigte Fettsäuren und Zucker enthielten als fünf
Schokoladenkekse oder ein Stück Karottenkuchen. Vegeta-
rismus ist ungesund. Der Mensch braucht Protein, und zwar
massenhaft. Also schmeißt die Sojasprossen weg und ver-
schlingt ein Steak!

- Sonne ist *gut.* Unsere Haut braucht mindestens zehn Minuten direktes Sonnenlicht pro Tag, damit wir mit ausreichend
Vitamin D versorgt sind. Also hört auf, die Kinder mit Sun-
blockern einzuschmieren. Wer sich wirklich Sorgen um die
UV-Strahlung und Hautkrebs macht, sollte sich lieber fragen: »Wann war ich zum letzten Mal bei einer Versamm-

lung von Greenpeace und trug meinen Teil dazu bei, die Ozonschicht zu schützen?«

- Gewaltverbrecher sollten eingesperrt werden. Gefährliche Kriminelle sollten nicht frei herumlaufen. Ja, natürlich sollte man ihnen helfen. Natürlich sollen sie wieder in die Gesellschaft eingegliedert werden. Natürlich sollten wir nach Möglichkeiten suchen, die Ursachen für Verbrechen zu bekämpfen. Aber niemand hat das Recht, andere anzugreifen oder auszurauben. Wer sich nicht überwinden kann, wenigstens einen Hauch von Empörung gegenüber denen zu zeigen, die einem schaden, wirkt für die meisten normalen Menschen wie ein Waschlappen oder ein Verrückter. Auf solche Knallköpfe würde ich auch losgehen.
- Eure Kinder haben kein Recht auf Privatsphäre, paßt lieber auf, was die lieben Kleinen im Schilde führen. Während ihr das lest, machen sie irgend etwas. Was? Seht ihr, ihr habt nicht den blassesten Schimmer! Legt das Buch weg und schaut sofort oben nach!
- Nicht alle Gewerkschaften sind gut, viele sind sogar schlicht und ergreifend miserabel. Sie brachten ihre Mitglieder dazu, für den 401K-Plan zu stimmen, und schwups war ihr Geld weg. Viele Gewerkschaften beanspruchten den rechten Nationalismus für sich und machten aus »Kauft US-Produkte« eine rassistische Bewegung. Es gibt zwei gute Gewerkschaften: SEIU (Service Employees International Union) und UE (United Electrical, Radio and Machine Workers of America). Wendet euch an die, wenn ihr einen Betriebsrat aufbauen wollt. Allgemeine Tips zur gewerkschaftlichen Organisation gibt's auch im Internet unter www. aflicio.org/aboutunions/howto. Wer einer faulen, nutzlosen Gewerkschaft angehört, die mit dem Management und Bush herumkungelt, sollte bei der nächsten Gewerkschaftssitzung den Hintern hochkriegen und für ein Amt kandidieren.
- Geländewagen sind nicht von Grund auf schlecht, böse ist

nur, daß sie soviel Benzin schlucken, daß sie als Tötungs-
maschinen gebaut sind und daß ihre Yuppiebesitzer nur in
der Stadt damit herumfahren. Die meisten Geländewagen
sind einfach furchtbar unbequem und schlecht gefedert.

- Zurück zur Natur ist eine blöde Idee. Die Natur will uns
nicht in ihrer Nähe. Die Natur hat Städte hervorgebracht,
um sich uns vom Hals zu schaffen!

- Bill O'Reilly [konservativer Nachrichtenmoderator und
Buchautor] hat ein paar gute Ansichten. Er ist gegen die
Todesstrafe, setzt sich für Kinder ein und ist gegen das Nordamerikanische Freihandelsabkommen. Zugegeben, er ist
trotzdem ein Idiot, aber sogar ein Idiot hat manchmal recht.

- Zu viele von uns stehen der Religion hochnäsig gegenüber
und denken, religiöse Menschen seien abergläubische Ignoranten, die direkt aus dem 15. Jahrhundert kommen. Da
liegen wir falsch, gläubige Menschen haben genausoviel
Recht auf ihre Religion wie wir auf unseren Atheismus.
Unsere Arroganz ist einer der Hauptgründe, warum sich
die unteren Schichten immer auf die Seite der Republikaner
schlagen.

- Wir sagen alles so umständlich. Als ob wir unsere eigene
Sprache erfunden hätten – und das ärgert jeden mordsmä-
ßig, den wir eigentlich dazu bringen wollen, uns zuzuhören.
Schluß mit diesem Humbug von »political correctness«,
hört auf damit, immer die intellektuellen Sensibelchen zu
markieren. Sagt einfach, was ihr denkt. Weniger Herumge-
druckse und mehr Pepp!

- Warum meckert ihr immer noch an der konservativen Auto-
rin Ann Coulter rum? Klar ist sie völlig durchgeknallt, aber
sie hat mehr Mumm in den Knochen als der gesamte Partei-
vorstand der Demokraten. Ihr seid nur neidisch, weil wir
keine Ann Coulter haben. Und hört auf, ihr auf die Beine
zu starren! Das macht sie doch so wirr im Kopf!

- Das vorgeschlagene »Liberale Radio«? Was für eine blöde
Zeitverschwendung. Radio! Ist das euer Ernst? In welchem

Jahrhundert lebt ihr? He, warum sollten wir uns damit begnügen, warum gründen wir nicht einen liberalen Ponyexpress! Oder wie wär's mit einem liberalen Morsealphabet? S.O.S.! Wir leben im 21. Jahrhundert! Gründet einen Fernsehsender! Geht ins Internet! Überredet Snoop Dogg und die Band 50 Cent, für euch zu kandidieren!

- Tiere haben keine Rechte. Ja, ja, sie sollten »human« behandelt werden. Ja, Tyson Foods und die anderen Betreiber von Hühnerfarmen sind widerlich. Aber es ist idiotisch, Hühner aus einer Legebatterie zu »befreien«. Die Hühner können in der freien Natur gar nicht überleben und werden nur von einem Lkw überfahren. Und hört mit diesem Geschwätz über Milch auf, egal, wie sehr sie euch schadet. Ihr macht euch zum Deppen, wenn ihr wie PETA im Fernsehen auftretet und behauptet, Bier sei für den menschlichen Körper besser als Milch. Wenn ich so einen Scheiß höre, würde ich am liebsten meinen Hund treten.

- Nixon war liberaler als die letzten fünf Präsidenten, die wir hatten. Seine Regierung begann den Dialog mit China. Er war maßgeblich daran beteiligt, die Gleichberechtigung von Frauen in der Arbeitswelt durchzusetzen und die Rechte der Frauen zu schützen. Er war der erste Präsident, der Abkommen zur Atomwaffenkontrolle unterzeichnete. Nixon war für das Gesetz gegen Luftverschmutzung von 1970 verantwortlich, er schuf eine Abteilung für die Nutzung regenerativer Energien und die Umweltschutzbehörde. Ihm haben wir auch Title IX zu verdanken, eine Ergänzung zum Civil Rights Act, nach dem der Mädchen- und Frauensport mit Steuergeldern gefördert wird. Er versuchte eine Sozialhilfereform, die den Armen ein Einkommen ermöglicht hätte. Trotzdem war es richtig, daß Nixon zurücktreten mußte, und die Millionen Toten in Südostasien werden ihn hoffentlich bis in alle Ewigkeit verfolgen. Aber bei dem Gedanken, daß Nixon der letzte »Liberale« im Amt war, würde ich am liebsten kotzen.

Wenn ihr zugebt, daß wir nicht immer recht haben, wird euer konservativer Freund weniger störrisch reagieren und euch weiter aufmerksam zuhören. Nun ist es Zeit für Argumente, warum er die Dinge einmal in einem anderen Licht betrachten sollte. Wichtig ist jetzt vor allem, daß ihr NIE »moralisch« argumentiert, warum das Pentagon weniger Geld erhalten sollte oder warum ein krankes Kind ein Anrecht auf einen Arztbesuch hat. Wir bringen diese Argumente seit Ewigkeiten vor, aber sie beeindrucken Konservative einfach nicht. Also spart euch die Spucke und denkt daran, daß es nur um den Gesprächspartner geht. Beginnt jedes Argument mit dem gleichen Satz: »Ich will, daß **du** mehr GELD verdienst!« Probiert dann, mit ihm zu diskutieren, und benützt dabei die folgenden Argumente:

**»Wer Mitarbeitern mehr bezahlt,
bekommt selbst mehr!«**

Lieber Schwager, wenn du deinen Mitarbeitern nicht genug bezahlst, damit sie sich das Lebensnotwendige leisten können, kostet das am Ende dich und alle anderen viel mehr. Wenn Angestellte noch Zweit- und Drittjobs haben, leidet ihre Produktivität bei allen drei Firmen. Sie können sich nicht auf ein ganz bestimmtes Ziel konzentrieren: nämlich viel Geld für dich zu erwirtschaften! Sie sind abgelenkt und denken daran, daß sie noch zu ihrem anderen Job müssen, um dort für einen anderen viel Geld zu verdienen. Deswegen ist dein Mitarbeiter müde, macht mehr Fehler, ihm passieren mehr Mißgeschicke, er geht früher und seine Leistung insgesamt ist niedriger, als wenn er sich nur auf dich konzentrieren würde. Warum willst du, daß er einem anderen beim Geldverdienen hilft? Wenn du ihn anständig bezahlen würdest, würde er nur an dich denken!
    Wenn die Leute nicht genug Geld zum Überleben verdienen, bemühen sie sich oft um Lebensmittelmarken und andere staatliche Unterstützung. Wer bezahlt das? DU. Warum willst du für so einen Kram höhere Steuern bezahlen, wenn du den Leuten direkt

helfen kannst und dabei auch noch der Gute bist? Umgeh den Mittelsmann und streich den Profit direkt ein.

Wenn du deinen Mitarbeitern mehr bezahlst, was glaubst du, machen sie mit dem Geld? In Aktien anlegen? Auf Konten im Ausland horten? Nein! Sie geben es aus! Und wofür? Für das Zeug, das du herstellst und verkaufst! Die Arbeiterklasse stellt die Konsumenten, und die wiederum sorgen für deinen Profit, weil sie überhaupt nichts sparen – sie schlappen durch die Gänge im Supermarkt und kaufen Kram, den sie eigentlich gar nicht brauchen. Daher geht jeder Dollar, den du und andere Chefs an Löhnen aufwenden, fast sofort wieder an euch zurück. Er verbessert eure Gewinnspanne, und eure Aktien steigen. Ihr werdet also doppelt belohnt.

Wenn du den Leuten zu wenig zahlst oder sie entläßt, können sie dein Zeug nicht kaufen. Sie werden zur Belastung für die Wirtschaft, manche werden kriminell, und dann wollen sie deinen Mercedes, nicht die alte Rostlaube in der Einfahrt ihres Nachbarn. Warum begibst du dich freiwillig in eine Lage, in der du zum Opfer werden könntest? Zahl ausreichend Lohn, biete gelegentlich eine Erhöhung, sorg für Zusatzleistungen – und dann kannst du heim in deinen Palast gehen mit dem guten Gefühl, daß deine glücklichen Arbeiter dir nicht den Stern von der Kühlerhaube abmontieren, sondern ihr ganzes Geld fröhlich verschleudern und damit wieder an dich zurückgeben.

### »Mit einer Krankenversicherung für alle sparst du Geld!«

Lieber Schwager, du bist Arbeitgeber, aber deine Angestellten sind nicht krankenversichert, das kostet dich viel von deinem Profit. Sie kommen nicht zur Arbeit – du verlierst Geld. Sie haben längere Fehlzeiten – du verlierst Geld. Ihre Kollegen springen ein und machen Überstunden – du verlierst Geld. Sie stecken andere Leute an – du verlierst Geld. Sie arbeiten, obwohl sie krank sind – du verlierst Geld. Mitarbeiter hingegen, die krankenversichert sind, gehen gleich zum Arzt, bekommen Medikamente und werden bald wieder gesund. Wenn sie bezahlte Krankheitstage haben, bleiben sie ein paar Tage daheim, kurieren sich aus und sind dann wieder bei der Arbeit, wo sie Geld für dich verdienen – und sie sind zufriedener, weil sie gut behandelt werden, deswegen arbeiten sie noch härter. Mitarbeiter, die zum Onkel Doktor gehen und die medizinische Vorsorge nutzen können, sind produktiver und leisten mehr für die Firma. Die kurzfristigen Ausgaben für eine Krankenversicherung deiner Angestellten haben enorme langfristige Vorteile. Letzten Endes sparst du damit einen dicken Batzen Geld.

**»Mit einem Betriebskindergarten sparst du Geld!«**

Fehlzeiten zehren an unserem Bruttoinlandsprodukt. Die Kosten für unsere Wirtschaft werden auf bis zu 50 Milliarden Dollar im Jahr geschätzt. Ein Arbeitgeber verliert wegen außerplanmäßiger Fehlzeiten im Durchschnitt 800 Dollar pro Jahr und Angestelltem. 45 Prozent der Zeit glänzt ein Mitarbeiter aus persönlichen oder familiären Gründen durch Abwesenheit am Arbeitsplatz. Das bedeutet, daß Mami oder Papi sich selbst beurlaubt haben, weil die Tagesmutter nicht erschienen ist oder weil die Tagesmutter krank wurde und früher nach Hause mußte oder weil die Kinder krank wurden und zum Arzt mußten oder weil das Kind der Tagesmutter Probleme in der Schule machte und sie es abholen mußte und so weiter und so weiter. Das, mein konservativer Freund, ist kostspielig für dein Unternehmen. Zum Preis eines Betriebskindergartens kann das Unternehmen mehr Geld verdienen, du kannst mehr Gewinn machen und die Tagesmütter können sich eine richtige Arbeit mit Sozialleistungen suchen. Und Millionen Eltern, die ihre Tagesmutter schwarz bezahlen und so gegen das Gesetz verstoßen, können ihrem verbrecherischen Tun ein Ende machen!

## »Als Mitglied einer Gewerkschaft kriegst du mehr Geld!«

Wenn du kein Chef bist, sondern ein Angestellter, der sich selbst für konservativ hält und Gewerkschaften haßt, habe ich eine Frage: Warum? Wenn du mehr Geld willst, heißt die Lösung »Gewerkschaft«. Nach den Angaben des amerikanischen Arbeitsministeriums verdienen gewerkschaftlich organisierte Arbeiter durchschnittlich 717 Dollar die Woche. *Nicht* gewerkschaftlich organisierte Arbeiter wie du verdienen dagegen im Durchschnitt nur 573 Dollar die Woche. Konservativ zu sein, heißt an sich zu denken und soviel Geld wie möglich zu verdienen. Warum bist du also nicht in einer Gewerkschaft? Weil du nicht zu einer Gruppe gehören willst? Was hast du gegen Demokratie? Manche Gewerkschaften sind nicht besonders demokratisch? Du brauchst ja nicht gleich in so eine Gewerkschaft einzutreten. Gründe deine eigene Gewerkschaft. Dieses freie Land, von dem du dauernd faselst, garantiert dir das Recht auf Versammlungsfreiheit. Dieses Recht ist so wichtig, daß es gleich als erstes in den Zusatzartikeln zur Verfassung genannt wird.

## »Saubere Luft und sauberes Wasser kommen dich billiger!«

Jedes Jahr sterben in den USA 70 000 Personen aufgrund der Luftverschmutzung – soviel wie an Brust- und Prostatakrebs zusammen. Die Kosten für das Gesundheitswesen aufgrund der Luftverschmutzung werden von der Regierung auf 40 bis 50 Milliarden Dollar pro Jahr geschätzt.

Eine Untersuchung kam 2003 zu dem Schluß, daß Menschen, die in der Nähe von einer der 38 Superfund-Giftmülldeponien in New York City leben, deutlich häufiger an Asthma, Atemwegserkrankungen und Krebs erkranken. Wer nicht in New York wohnt, braucht sich nicht schon wieder benachteiligt fühlen – ihr werdet auch verseucht. Der Superfund wurde 1980 eingerichtet und bezog sein Geld aus speziellen Unternehmenssteuern (überwiegend von Chemie- und Ölkonzernen). Mit ihm werden verunreinigte

Grundstücke und belastete Böden gereinigt. Aber weil die Unternehmen keine Lust mehr hatten, für die Beseitigung ihres eigenen Drecks zu zahlen, und mit ihren Freunden in Washington mauschelten, wurden diese Steuern ab 1995 nicht mehr erhoben. Weil kein Geld mehr reinkommt, ist vom Superfund fast nichts mehr übrig, bis 2004 wird gar nichts mehr da sein. Und das heißt, daß wir – du und ich – für die Giftmüllbeseitigung der Industrie zahlen müssen. 1994 kamen wir für 20 Prozent der Entsorgungskosten auf, der Rest wurde über den Superfund gedeckt. 1999 wurden die Kosten zu gleichen Teilen zwischen dem Fonds und den Steuerzahlern aufgeteilt. Die Kosten für die Steuerzahler belaufen sich dieses Jahr voraussichtlich auf 700 Millionen Dollar. Das ist Geld aus *unserer* eigenen Tasche. Aber hey, es gibt auch etwas Positives zu berichten: Bush versucht, die Zahl der Deponien, deren Giftmüll entsorgt wird, zu begrenzen. Das spart vielleicht unser Geld, aber wer das Glück hat, in der Nähe eines der 1200 kontaminierten Grundstücke im ganzen Land zu wohnen, kann auch daran sterben.

Wenn es um Investitionen für eine effiziente Energienutzung geht, liegen wir hinter anderen Industrieländern zurück. Großbritannien, Dänemark und Deutschland setzen verstärkt auf Windkraft, aber wir mit der viertlängsten Küstenlinie der Welt tun so gut wie nichts.

Wenn wir bis 2012 den Benzinverbrauch unserer Autos auf unter 6 Liter pro 100 Kilometer drücken könnten, würden wir bis 2024 mehr Öl sparen, als es im Arctic National Wildlife Reserve gibt, wo Bush unbedingt nach Öl bohren will. Die einfachste Möglichkeit, weniger abhängig von ausländischem Öl zu sein, ist *weniger ausländisches Öl* zu verbrauchen! Das läßt sich leicht erreichen, man muß nur die Autoindustrie zwingen, Autos herzustellen, die weniger Benzin verbrauchen.

Wen kümmert's, wenn das der Umwelt nützt, wir sparen so Tausende Dollar jedes Jahr, wahrscheinlich sogar mehr!

## »Ein Ende des Drogenkriegs bringt dir Geld!«

Drogenkonsumenten zu verfolgen und ins Gefängnis zu stecken ist eine ungeheure Geldverschwendung. Es kostet 25 000 Dollar im Jahr, einen Junkie einzusperren, ein Entzug kostet nur 3 000 Dollar. Selbst die teuerste Therapie kostet nur etwa 14 000 Dollar im Jahr – immer noch deutlich weniger als der Knast. Jeder Dollar, der für Therapieprogramme ausgegeben wird, spart dir, dem Steuerzahler, drei Dollar, die nicht für Polizisten, Gefängnisse und für einen neuen CD-Player ausgegeben werden müssen, weil dein alter aus deinem Auto gestohlen wurde. Wir geben jährlich 20 Milliarden Dollar für den Krieg gegen Drogen aus, einen Krieg, den wir Jahr für Jahr verlieren. Die ganzen Polizeihubschrauber, die über dem Städtchen Chico in Kalifornien auf der Suche nach Marihuanastauden kreisen, könnten statt dessen die nächsten 19 Flugzeugentführer schnappen. Wir erlauben der Regierung, einen Krieg zu führen, den sie nicht gewinnen kann.

Außerdem stoppt man den Verkauf von Drogen nicht, indem man sie für illegal erklärt. Das bedeutet nur, daß du, der konservative Unternehmer und Investor, NULL damit verdienst. Der ganze schöne Profit geht an die Parasiten, die mit Drogen dicke Kohle verdienen. Du haßt Parasiten. Warum läßt du dann zu, daß sie an deiner statt Gewinne einsacken? Legalisiert das Zeug und denkt an all das Geld, das man mit depressiven Menschen verdienen kann, die unbedingt einen Kick brauchen. Die Amerikaner geben pro Jahr etwa 63 MILLIARDEN Dollar für verbotene Drogen aus, und ihr habt ein Gesetz verabschiedet, das verhindert, daß ihr ein Stück von diesem Kuchen abbekommt! Trink deinen Martini aus und klemm dich dahinter!

## »Viel Geld für staatliche Schulen bringt dir Geld!«

Wenn unsere erbärmlichen Schulen eine Generation von Idioten und Analphabeten heranziehen, wie kannst du da in Gottes Namen erwarten, mehr Geld zu verdienen? Dein Büro ist voll mit Leuten, die nicht richtig schreiben können, die nicht dividieren können und die nicht wissen, wie man eine Lieferung nach Bolivien schickt, weil sie keine Ahnung haben, was »ein Bolivien« ist.

Du fragst dich, warum deine Brieftasche weg ist und der Gauner vor dir dich erschießen will? Wie wär's denn mit folgender Statistik: 40 Prozent der Insassen amerikanischer Gefängnisse können praktisch weder lesen noch schreiben. Mann, wie ist denn das passiert? Zwischen 1980 und 2000 stiegen die bundesstaatlichen Ausgaben für Bildung um 32 Prozent. Im gleichen Zeitraum schnellten die Ausgaben für Gefängnisse um **189 Prozent** in die Höhe. Na, das ist doch clever gedacht! Und verdienen die Häftlinge irgendwie Geld im Gefängnis? Nein! Der Staat schränkte die Fertigung von Nummernschildern in Gefängnissen sogar ein. Dir wäre es doch lieber, wenn die Knastbrüder frei wären und in deinem Gefängnis, äh Unternehmen, arbeiten könnten!

75 Prozent der Sozialhilfeempfänger sind Analphabeten. Glaubst du nicht auch, die Sache sähe ein bißchen anders aus, wenn sie lesen und schreiben könnten? Ich meine nicht, daß dies was für sie ändern würde, sondern für dich. Das sind ganz schön viele Sozialhilfemamas, die für dich rödeln und dich reicher machen könnten, wenn sie nicht von ihrem Analphabetentum daran gehindert würden. Bilde sie richtig aus und streiche den Lohn dafür ein.

Warum fordern Konservative nicht schon aus eigenem Interesse, daß unsere Schulen die Jugendlichen auf das Arbeitsleben besser vorbereiten, damit sie dort hervorragende Leistungen bringen? Das kapiere ich nicht. Mitarbeiter sollen doch gute Ideen haben und dich stinkreich machen. Statt dessen hocken sie in ihren Verschlägen im Großraumbüro und versuchen herauszukriegen, wie man sich das neue Album von Wheezer aus dem Internet runterlädt. Das ist das Ergebnis davon, daß jahrelang getönt wurde, »kein Kind wird allein gelassen«, und daß man forderte, die Kinder dauernd mit genormten Tests zu plagen.

Die Lehrer bringen ihren Schülern nichts mehr Nützliches bei, sondern bereiten sie nur noch auf diese Tests vor. Und das hast du jetzt davon: Lauter Schüler, die wissen, wie man in einem Test gut abschneidet, aber sonst von nichts eine Ahnung haben. Ich habe so ein Genie bei mir im Büro sitzen, er dachte, GB gehöre zu Rußland. Er hatte noch nie den Namen George McGovern (früherer US-Senator und demokratischer Präsidentschaftskandidat gegen Nixon, A. d. Ü.) gehört und dachte, ein »legal pad« (Schreibblock für Juristen, meist mit gelbem, liniertem Papier, A. d. Ü.) sei eine Mappe, in der man Gerichtsakten aufbewahrt. Und er ist der Klügste von der ganzen Bande! HILFE!!!

## »Wenn du nie wieder die Republikaner wählst, wirst du tonnenweise Geld scheffeln!«

Schau, ich verstehe, daß man früher dachte, wenn man reich werden will, müsse man nur Republikaner sein und die Republikaner wählen. Das galt mal als todsichere Methode. Aber so funktioniert das heute nicht mehr. Wenn man vor 30 Jahren 50000 Dollar verdiente, war man reich. Man lebte in einem prächtigen Haus. Und es gab Hunderte, wenn nicht sogar Tausende wie dich in jeder amerikanischen Stadt. Roosevelts New Deal hatte einen breiten Mittelstand geschaffen und die Kluft zwischen Arm und Reich war zwischen 1947 und 1968 um 7,4 Prozent zurückgegangen. Es war nicht so schwer, den Sprung von der Arbeiterklasse in die Mittelschicht oder von der Mittelschicht zu den Reichen zu schaffen. Die Kluft dazwischen war nicht so breit. Deswegen reichte es damals, wenn dein Vater praktischer Arzt, Zahnarzt, Rechtsanwalt, Prokurist, Grundstücksmakler oder Besitzer eines Lebensmittelladens war oder im mittleren Management bei einem Autobauer arbeitete, dann warst du schon das Kind reicher Leute. Aber das alles begann in den siebziger Jahren zu bröckeln, als die Einkommensverteilung immer ungleicher wurde.

Heutzutage ist die Chance, reich zu werden, gleich null. Derzeit kontrollieren die reichsten 13000 Familien, die die obersten

0,01 Prozent der Einkommensskala stellen, die gleiche Geld-
menge wie die ärmsten 20 Millionen. Und während ein Prozent
an der Spitze, das in Saus und Braus lebt, in den vergangenen 20
Jahren Einkommenssteigerungen von 157 Prozent verbuchen
konnte, hat die Mittelschicht nur eine Steigerung um 10 Prozent
erlebt. Nur 10 Prozent für die vielen Menschen, die den explosi-
onsartigen Anstieg des Reichtums in den letzten 20 Jahren durch
ihre Arbeit erst ermöglicht haben! Ein Arzt kann sich heutzutage
kaum über Wasser halten, ein Rechtsanwalt bemüht sich, genug
Scheidungsfälle zusammenzukratzen, um die Rechnungen zu
bezahlen, und die Führungskraft aus dem mittleren Management
– tja, die wendet heute eine stinknormale Tortilla beim nächsten
Del Taco.

Die Republikaner, zu denen du dich zählst, wollen nichts
anderes. Sie haben dein Unternehmen gesundgeschrumpft, dich
entlassen oder lassen dich die Arbeit von zwei oder drei Menschen erledigen. Sie haben dich an die Börse gelockt und dein
Geld verzockt. Sie haben Steuergesetze durchgedrückt, von
denen nur die Reichsten richtig profitieren. Du wirst nicht wirklich Steuern sparen, letzten Endes wirst du sogar mehr kommu-
nale und bundesstaatliche Steuern zahlen und trotzdem miterle-
ben, wie die staatlichen Leistungen deutlich verringert werden.
Deine Rente wird auf Staatskosten verplempert, damit die Kumpels der Regierung reich werden.

Kurz gesagt, die Republikaner behandeln dich wie einen Trot-
tel und nutzen dich aus. Sie haben dich so weit gebracht, daß du
all ihre Plattheiten nachplapperst, während sie mit der Hand in
deine hintere Hosentasche greifen und dich nach Strich und
Faden ausnehmen. Sei doch nicht blöd! Die Republikaner hassen
dich, verachten dich und werden ganz bestimmt nicht enger
zusammenrutschen, damit auch noch Platz für dich im Boot ist.
Kapier's doch endlich!!

Das soll jetzt nicht heißen, daß die Demokraten viel besser
sind. Wenn es nach mir ginge, hätten wir beim Wählen mehr
Alternativen. Aber mal ganz ehrlich, ging's dir als Konservati-

vem unter Clinton nicht besser? Klar, du hast sein gutes Aussehen und seinen Charme gehaßt und warst sauer, daß er trotz dieses Blow Jobs fast ungeschoren geblieben wäre, aber da mußt du
drüberstehen! Du wirst verschaukelt. Und du weißt es. Du kannst
es nur nicht zugeben, weil du nicht dumm dastehen willst. Aber
das wirst du nicht. Niemand wird dir die Schuld geben. Alle wurden über den Tisch gezogen. Vergiß diesen ganzen »republikanischen« Unfug, erkläre dich für unabhängig und wirb dann für
deine neue Partei oder für Leute, die kandidieren und dafür sorgen werden, daß du mehr bekommst. Ein Kandidat, der sich für
bessere Schulen und Bibliotheken einsetzt, der für eine allgemeine Krankenversicherung sorgen will, der verlangt, daß wir
keine Gesellschaft von Analphabeten sind, der höhere Löhne fordert und die Reichen höher besteuert, weil sie ein ganzes Land
betrogen und in den Bankrott geführt haben – ja, für so einen
Kandidaten solltest du dich einsetzen, ihn solltest du wählen,
weil am Ende du von all dem profitieren wirst.

　»Republikaner« sein ist Selbstmord.

　Na, komm schon, Schwager! Spring über deinen Schatten, ris-
kier mal was. Es ist gar nicht so schlimm. Außerdem könnte das
nächste Familientreffen dann viel erträglicher werden!

# ELEVEN

# Großreinemachen oder
# Wie werden wir beim nächsten
# Frühjahrsputz diesen Bush los?

**Es gibt vielleicht nichts Wichtigeres** für die Zukunft unseres Landes als eine Niederlage von George W. Bush bei der Wahl im Jahr 2004. Mit ihm und seiner Regierung sind wir auf einem Weg, der direkt in den Ruin führt. Wenn dieser Wahnsinn noch vier Jahre so weitergehen sollte, sieht Kanada plötzlich gar nicht mehr so kalt aus. Vier weitere Jahre? Mir sind schon weitere vier Minuten zuviel.

Ich habe im letzten Jahr Tausende von E-Mails und Briefen bekommen, die alle diese verzweifelte Frage enthielten: *»Was können wir nur tun, um ihn loszuwerden?!«*

Was uns zu der noch viel heikleren Frage führt: *»**Wie zum Teufel können es die Demokraten diesmal schaffen?**«* Niemand – *und ich betone: **niemand*** – hat Vertrauen in die Fähigkeit der Demokraten, diesen Job zu machen. Sie sind die geborenen Verlierer. Die schaffen es nicht einmal, aus dem Klo eines Sex-Schuppens zu kommen, ohne von einer *Washington Post*-Reporterin gesehen zu werden, wie es dem demokratischen Gouverneur von Virginia und möglichen Präsidentschaftskandidaten Mark Warner kürzlich passiert ist.

Auch wenn sie wie im Jahr 2000 *tatsächlich* mal eine Wahl gewinnen, verlieren die Demokraten *TROTZDEM!* Wirklich ein Bild des Jammers, stimmt's?

Bei den Wahlen zum Repräsentantenhaus von 2002 traten 196 Republikaner an, um ihren Sitz im Repräsentantenhaus zu verteidigen. Nur in zwölf der entsprechenden Wahlkreise stellten die demokratischen Kandidaten eine ernsthafte Bedrohung für diese Republikaner dar, und sie gewannen dann auch nur in drei Wahlkreisen. Bei 210 Millionen wahlmündigen Amerikanern, aus deren Reihen man hätte Kandidaten auswählen können, haben es die Demokraten also gerade einmal geschafft, zwölf aussichtsreiche Leute zu finden. Was eigentlich gibt ihnen da noch das Recht, sich »Partei« zu nennen? Warum garantiert man ihnen dann weiterhin einen Platz auf jedem amerikanischen Wahlzettel? Mein Zeitungsausträger würde bei gerade mal einer seiner allmorgendlichen Lieferrunden mindestens zwölf geeignete Kandidaten finden!

Wir haben Angst, weil wir wissen, daß die Demokraten diesem Job eigentlich nicht gewachsen sind.

*Also, was tun wir?* Wenn es um echtes Engagement und wahre Leidenschaft für die Sache geht, sehen die Grünen sehr viel besser aus, aber seien wir ehrlich: Dies ist nicht das Jahr der Grünen (und auch die Grünen wissen das).

Die Demokraten haben zwei Jahre damit vertan, über die Grünen zu jammern und zu greinen und Ralph Nader und Co. zu ihrem eigentlichen Feind zu erklären. Das ist ein sicheres Zeichen für einen echten Verlierer: Er macht andere für die eigenen Fehler verantwortlich.

Im Bestreben, Brücken zu bauen und die Wunden der Wahl im Jahre 2000 zu lecken, habe ich Kontakt zu den Führern der Demokraten aufgenommen und versucht, ein Bündnis Demokraten – Grüne für die Wahl im Jahre 2004 zu schmieden. Gore und Nader erhielten zusammengenommen mehr als 51 Prozent der Stimmen, genug, um jede Wahl zu gewinnen. Ich habe den Demokraten vorgeschlagen, daß die Grünen einen demokratischen Präsidentschaftskandidaten unterstützen sollten, der wesentliche Teile der grünen Agenda in sein Wahlprogramm aufnehmen würde. Als Gegenleistung sollten die Demokraten in den Wahlbezirken für Kandidaten der Grünen stimmen, in denen sich kein wirklich geeigneter demokratischer Kongreßkandidat finden ließ.

Nur wenige griffen meinen Vorschlag auf. Im Gegenteil, ich erfuhr etwas, das mich ehrlich erschüttert hat: Die Parteiführer der Demokraten teilten mir etwas mit, was sie öffentlich niemals zugeben würden: Sie hätten die Wahl von 2004 praktisch bereits abgeschrieben, und sie sähen kaum Chancen, George W. Bush zu besiegen. Deshalb würden sie lieber ihre Energien für 2008 aufsparen. Dann würden Hillary oder eine andere ihrer großen Nummern – wer immer das dann verdammt noch mal sein könnte – kandidieren und gewinnen.

Leute, wir müssen unbedingt gegen das defätistische Denken dieser armseligen, impotenten Demokraten angehen. In Wahrheit steht es denen überhaupt nicht zu, diese Entscheidung zu treffen. Wir, das Volk, können einfach keine weiteren vier Jahre diese Marionette des republikanischen Strippenziehers Karl Rove ertragen. Und wir können auch nicht warten, bis diese sogenannte Oppositionspartei, die Demokraten, ihren Hintern hochkriegt und endlich ihren Job macht.

*Also was tun wir?* Immerhin wissen wir eines: Die Leute geben ihre Stimme auch einem unabhängigen Kandidaten, wie es der Ex-Catcher Jesse Ventura bei den von ihm gewonnenen Gouverneurswahlen in Minnesota im Jahr 1998 bewiesen hat. Perot schnitt ja auch unglaublich gut ab. Stellt euch nur mal vor, welchen Erfolg dann jemand haben müßte, der alle Tassen im Schrank hat! Aber es bleibt uns in den nächsten paar Monaten einfach nicht die Zeit, einen ernsthaften Herausforderer aus einer dritten Partei aufzubauen. Das hätte man in den beiden letzten Jahren erledigen müssen. Aber man tat es nicht, und jetzt ist es zu spät.

Unsere einzige Hoffnung ist also, diesen unglaublich selbstgefälligen Leuten, die ohne jede Berechtigung die demokratische Parteilinie bestimmen und die Wahlliste in allen fünfzig Staaten aufstellen, einen halbwegs anständigen Kandidaten unterzujubeln. Es sollte aber unbedingt jemand sein, der Bush besiegen könnte.

Zum Zeitpunkt, da ich dieses Buch schreibe, gibt es nun zwei »anscheinend« anständige Männer, die öffentlich ihre Bereitschaft zu einer Kandidatur erklärt haben: Dennis Kucinich und Howard Dean. Kucinich ist die bei weitem bessere Wahl, wenn es um Inhalte geht. Dean wurde zwar bei früheren Wahlen von der NRA unterstützt und ist für eine begrenzte Anwendung der Todesstrafe, hat aber auf anderen Gebieten durchaus auch seine Stärken. Ich möchte gerne glauben, daß es einer von beiden vielleicht sogar schaffen könnte.

Aber irgendwie habe ich dieses ewige Hoffen und Harren gründlich satt – und ich bin da sicher nicht der einzige, dem es so geht. Wäre es denn nicht einfach mal schön zu gewinnen, vor allem, wenn man bedenkt, wie liberal die meisten Amerikaner eigentlich sind? Es wäre vielleicht mal Zeit, über die kleinen, festgefügten Kästchen in unserem Kopf hinauszudenken. Erst einmal sollten wir aufhören zu glauben, daß der Präsident immer weiß und männlich sein müsse. Männliche Weiße sind in unserem Land eine dahinschrumpfende Minderheit: Sie stellen gerade noch 38 Prozent der Wähler. Darüber hinaus habe ich ja schon früher darauf hingewiesen, daß alle Demokraten, die seit Franklin Roosevelt die Präsidentschaftswahl gewonnen haben (mit Ausnahme von Lyndon Johnsons Erdrutschsieg im Jahr 1964), dabei *nicht* die Mehrheit der weißen männlichen Stimmen erhielten. Sie siegten, weil es ihnen gelang, die überwältigende Mehrheit der weißen Frauen und der schwarzen und Latinomänner und -frauen hinter sich zu bringen.

Wenn die Demokraten endlich damit aufhören würden, ihre Überzeugungen immer weiter zu verwässern, um all diesen dummen weißen Männer draußen im Land zu gefallen, würden sie gewinnen. Frauen aller Hautfarben machen inzwischen 53 Prozent des gesamten Wahlvolks aus. Fast acht Prozent der Wähler sind schwarze und hispanische Männer. Das bedeutet, daß Frauen und diese Männer aus den Minderheiten ungefähr 60 Prozent unserer gesamten Nation repräsentieren und somit eine überwältigende Mehrheit und eine gewaltige Chance für einen Wahlsieg darstellen.

Amerikaner sind auch reif für eine Präsidentin. Wie wär's, wenn eine unserer Gouverneurinnen oder Senatorinnen sich um die Präsidentschaft bewerben würde? Die Wähler *wollen* Frauen ihre Stimme geben: In wenig mehr als einem Jahrzehnt ist die Zahl der Frauen im US-Senat von nur zwei auf vierzehn gestiegen. Die Wählerschaft hat diese ewig gleichen müden alten Männer definitiv satt, die aussehen wie eine Bande von Gaunern und Lügnern. Findet sich denn unter all den 66 Millionen Frauen im Wahlalter nicht eine, die diesem Corpsstudenten die Hosen strammziehen könnte? *Nicht eine?*

Meiner Meinung nach ist das Land auch reif für einen schwarzen Präsidenten. Wir haben ja bereits einen im Fernsehen, in der Serie *24,* einer der meistgesehenen Sendungen des Senders Fox-TV. Dann gab es da Morgan Freeman als Präsident im Film *Deep Impact* (und das letzte Mal habe ich ihn sogar als Gott im Film *Bruce Allmächtig* gesehen!). Hollywood würde nicht einen Schwarzen zum lieben Gott machen, wenn das nicht auch bei den Bürgern in Pittsburgh ankäme. Und *12 Millionen* Amerikaner stimmten 2003 für einen schwarzen Typen, Ruben Studdard, als Gewinner des TV-Wettbewerbs »Amerika sucht den Superstar«.

Wir müssen einfach für die Wahlen von 2004 und danach frische, unverbrauchte Kandidaten finden, die ihren republikanischen Konkurrenten einen Tritt in den Hintern verpassen können. Bisher geht man davon aus, daß ein Präsidentschaftskandidat Senator oder Gouverneur sein müsse. Ist ein Kandidat kein Berufspolitiker, sondern ein einfacher Bürger wie der schwarze Aktivist und ehemalige Manager von James Brown, Reverend Al Sharpton, dann nimmt man ihn nicht eine Sekunde lang ernst (obwohl Sharpton einige der klügsten – und lustigsten – Bemerkungen dieser ganzen Wahlkampagne machte).

Was wir jetzt brauchen, ist jemand, der diesen Bush endgültig erledigt! Jemand, der beim amerikanischen Volk schon so beliebt ist, daß er uns bei der Amtseinführungsfeier 2005 vom Anblick dieses einfältigen Grinsers erlösen wird. Jemand, der *unser* Reagan ist, eine bereits wohlbekannte Person, die uns mit ihrem Herzen regieren und führen und die richtigen Leute auswählen wird, die das Tagesgeschäft des Präsidenten erledigen können.

Wer ist diese Person, die uns ins Gelobte Land führen könnte? Ihr Name ist Oprah.

**OPRAH!**

Genau, die Talkshow-Gastgeberin Oprah Winfrey.

*Oprah* könnte Bush schlagen. Regt euch bloß wieder ab. Ihr *wißt* genau, daß sie das schaffen könnte! Amerika liebt sie. Sie hat gute Grundsätze, sie hat ein gutes Herz, und wir müßten endlich alle jeden Morgen um sechs für ein paar Minuten Jazzgymnastik machen! Das kann uns doch nicht schaden. Und sie würde uns alle dazu bringen, jeden Monat ein Buch zu lesen! (»Guten Abend. Hier spricht Ihre Präsidentin. In diesem Monat werden wir alle Huxleys *Schöne neue Welt* lesen.«) Wär doch cool, stimmt's?

Und hier gleich noch ein weiteres Plus: Oprah ist nicht käuflich. Sie ist bereits Milliardärin! Stellt euch nur mal eine Präsidentin vor, die keinem Lobbyisten, keiner Ölgesellschaft und keinem Typen wie Ken Lay, dem Enron-Bankrotteur, einen Gefallen schuldete. Sie würde nur ihrem Mann Steadman Rede und Antwort stehen! Und uns! Bei einem Jahresgehalt von 400 000 Dollar wäre dieser Job im Weißen Haus für Oprah zwar ein deutlicher Rückschritt, aber ich hätte persönlich nichts dagegen, wenn sie *neben* der Präsidentschaft auch noch ihre Fernsehshow machte. Jeden Nachmittag um vier könnten wir dann in einer Livesendung aus dem Ostzimmer des Weißen Hauses beobachten, wie Präsidentin Oprah eine Gruppe von Durchschnittsamerikanern befragt, welche Sorgen sie haben und was ihnen denn so fehle – und Oprah ist da, um ihnen zu helfen. Denn im

Gegensatz zu ihrer gegenwärtigen Show aus Chicago könnte *Oprah aus der Pennsylvania Avenue 1600* tatsächlich die Probleme ihrer Gäste sofort und umfassend regeln. Ihr könnt eure Rechnungen nicht mehr bezahlen? Präsidentin Oprah läßt sofort die Kreditkartenchefs verhaften, die empörend hohe Überziehungszinsen verlangen. Eure Kinder spielen mal wieder verrückt? Nicht mehr, nachdem sie zu einer ernsten Aussprache ins Oval Office gebracht worden sind. Dein Ehemann schenkt dir nicht mehr genug Beachtung? Vielleicht wird sich das ändern, wenn er seine Visage am Aushang des Postamts auf einem Plakat mit einer Liste der »**Männer, die nie den Mund halten und zuhören**« wiedererkennen wird.

Ich war bisher schon dreimal bei *Oprah*. Ich habe selbst gesehen, wie der normale Bürger auf sie anspricht. Männer und Frauen aller Rassen öffnen ihr sofort ihre Herzen. Sie ist wie Bruce Springsteen, Mutter Teresa und Lady Di in einer Person. Ich sah, wie erwachsene Menschen in Tränen ausbrachen, nachdem sie ihr die Hand schütteln durften. Warum reagieren die Leute so? Ich glaube, weil Oprah eine echte Persönlichkeit ist, die sagt, was sie sagen will, und so ist, wie sie sein möchte. Sie ist einfach eine von uns, die es geschafft hat. Wir mögen es, wenn ein Mitglied unserer Mannschaft gewinnt! Und so verkörpert sie die Botschaft: »Ich versuche immer, mein Bestes zu tun. Auch ich habe meine Höhen und Tiefen, aber jeden Morgen stehe ich auf und packe mein Leben von neuem an.«

Oprahs Kampagne, die Leute zu ermutigen, ihren Mitmenschen kleine Gesten der Freundlichkeit zu erweisen – und die positiven Auswirkungen, die diese guten Taten auf das Verhalten dieser anderen hatten –, ist nur ein Beispiel ihres Glaubens an die Macht des einzelnen, die Welt positiv zu verändern.

Nun, dies klingt vielleicht für die Zyniker unter euch wie ein Haufen dämlicher Unsinn, aber, hey – bisher hat nichts *anderes* geholfen! Warum nicht ein paar neue Wege gehen? Warum nicht einen Menschen unterstützen, der sich wirklich um die Leute kümmert? Jemand, der es der einfachen Frau oder dem einfachen

Mann von der Straße heute, gerade heute, etwas leichter machen will, in einer Welt zurechtzukommen, die zunehmend grausamer, komplizierter und hohler wird.

Ich weiß, ihr habt wahrscheinlich gedacht, daß ich dieses ganze Zeugs über Oprah aus lauter Jux geschrieben habe. Ich meine es aber todernst. Denn wenn wir je gewinnen und die Verhältnisse endlich umkehren wollen, ist es höchste Zeit für kühne Taten und ein ganz neues Denken. Oprah würde Bush schlagen. Stellt euch nur mal die Debatten vor – Bush gegen Oprah! Sie würde ihn so zusammenfalten, daß er nicht mehr wüßte, ob er Männchen oder Weibchen ist. Sie würde direkt in die Kamera schauen und Amerika diese Botschaft übermitteln: »Ich werde mich um Sie kümmern. Ich werde Sie beschützen. Sie werden mir beistehen. Ich werde die richtigen Leute holen, die dafür sorgen werden, daß keinem in diesem Lande künftig mehr ein Unrecht geschieht, und die Welt wird uns als die großzügigen und friedliebenden Menschen kennenlernen, die wir in Wirklichkeit sind.« Dann wird sie sich an George W. wenden und ihn auffordern, sich in den Ruheraum für auffällig Gewordene zu begeben und sich dort von dem Psychofachmann ihrer Sendung, Dr. Phil, untersuchen zu lassen.

Und dann wird sie einen Erdrutschsieg erringen.

Aber wie bringen wir Oprah dazu, sich als Kandidatin aufstellen zu lassen? Ich werde damit anfangen, daß ich eine »Stellt Oprah auf«-Petition auf meine Website stelle. Als ich Anfang 2003 zum ersten Mal diese Idee lancierte, bat die Presse Oprah um einen Kommentar und sie sagte lächelnd: »Die Leute sagen gerne: ›Sag niemals niemals.‹« Aber wenn es um Politik gehe, fügte sie dann doch hinzu, »kann ich sagen: ›Niemals.‹« Aber wir können sie umstimmen. Schreibt einfach an ihre Website www.oprah.com. Wahrscheinlich wird sie von diesem Vorschlag erst einmal nicht besonders begeistert sein, und ich habe wahrscheinlich auf diese Weise dafür gesorgt, daß ich in nächster Zeit bestimmt nicht mehr in ihre Show eingeladen werde. Aber ich nähre die Hoffnung, daß sie endlich unseren Ruf erhören und uns aus unserer nationalen Misere herausführen wird. Oprah! Oprah! Oprah!

Okay, aber was machen wir, wenn Oprah nicht kandidieren will? Wen sonst haben wir, der bereits so populär und beliebt ist, daß er morgen seine Bereitschaft erklären und dann im November nächsten Jahres Bush schlagen könnte? Nun gut, nicht alle sind schwarze Frauen, aber es *gibt* andere Oprahs, die vielleicht nur hinter der Bühne auf ihren Einsatz warten. Wie wäre es mit Tom Hanks? Jeder liebt Tom Hanks! Er ist einer der »Good Guys«. Er kann mit Leuten umgehen. Er liebt sein Land. Er würde Bush eine schwere Niederlage bereiten.

Und natürlich gibt es da noch Martin Sheen. Leute mögen es, wie er die *Rolle* des Präsidenten im Fernsehen spielt. Hören wir einfach mit dem »So tun als ob« auf und lassen ihn mal richtig ran!

Oder wie wär's mit Paul Newman? Auch er würde Bush schlagen. Wenn Reagan in seinem Alter den Job so gut erledigen konnte, sollten wir uns nur einmal vorstellen, wie cool es wäre, wenn der »Elder Statesman« Paul Newman das Heft in die Hand nähme. Kostenlose Salatsauce für jedermann! Und Joanne Woodward als First Lady! Nein, wartet – das ist die Idee – wir wollen Joanne Woodward als Präsidentin!

Und was ist mit Caroline Kennedy? Eine Kennedy ohne Skandale! Nur eine nette, anständige Person, die auch noch Mama ist!

Oder eine von den Dixie Chicks! Keiner hat der Rechten mehr Angst eingejagt als die Dixie Chicks. Sie haben den Mund schon aufgemacht, als das überhaupt noch nicht populär war. Sie haben Mumm, und sie singen Lieder über lästig gewordene Lover und Ehemänner, die einem das Leben vermiesen. Wenn das nicht die weiblichen Wähler überzeugt! Mit ihnen kann man dann sogar wieder stolz darauf sein, aus Texas zu kommen! Sie könnten sich in der Präsidentschaft abwechseln, jede von ihnen käme ein Jahr dran, und im vierten Jahr könnten sie das Amt ihrer Vizepräsidentin übergeben – Oprah!

Aber nehmen wir mal an, daß keine dieser Berühmtheiten ihr bequemes Dasein aufgeben möchte, um in dieser Schlangengrube zu leben. Wer könnte ihnen das vorwerfen? Also, was machen wir dann?

Als ich mal vor vielen Monaten in den Tagen vor der Invasion des Irak durch alle Fernsehkanäle zappte, sprach gerade bei CNN ein General. In der Annahme, es handele sich dabei um einen dieser dampfplaudernden Ex-Militärs, die damals plötzlich auf allen unseren Sendern auftauchten, wollte ich schon den Kanal wechseln. Aber dann sagte er etwas, das mich ansprach, und ich hörte weiter zu. Er bezweifelte tatsächlich die Klugheit von Bushs Entscheidung, den Irak anzugreifen. Lange bevor es sich herausstellte, daß Bush & Co. das amerikanische Volk absichtlich über die »Massenvernichtungswaffen« des Irak belogen hatten, bezweifelte er, daß der Irak tatsächlich eine echte Bedrohung für die Vereinigten Staaten darstelle. Whoa. Wer war der Typ?

Sein Name war Wesley Clark. General Wesley Clark. Der Beste seines Jahrgangs in West Point, ein Rhodes-Stipendiat in Oxford, ehemaliger Oberbefehlshaber der NATO und eingetragener Demokrat aus Arkansas. Ich begann, mich mit diesem Mann näher zu beschäftigen. Und hier ist, was ich herausgefunden habe:

- Er ist für eine straffreie Abtreibung und ein eifriger Verfechter der Frauenrechte. Als er in der Fernsehsendung *Crossfire* gefragt wurde, ob er der Ansicht sei, daß Abtreibung legal bleiben sollte, antwortete er klar und unmißverständlich: »Ich bin für die Entscheidungsfreiheit der Frau.«

- Er ist gegen Bushs Steuersenkungen. Zu dieser Frage gab er folgendes zu Protokoll: »Ich dachte bisher, daß die Progressivsteuer eines der fundamentalen Prinzipien unseres Landes sei. Das heißt mit anderen Worten nicht nur, daß man desto mehr Steuern zahlt, je mehr man verdient, sondern auch, daß man *proportional* mehr zahlen muß als der Geringverdiener, denn wenn man wenig Geld hat, muß man einen größeren Anteil seines Einkommens für die lebensnotwendigen Dinge ausgeben. Wenn man aber sehr viel mehr Geld hat, kann man sich auch einen gewissen Luxus leisten ... Zu diesem Luxus gehört auch eines der Privilegien, die wir hier genießen, nämlich in diesem großen Land leben zu dürfen. Deshalb glaube ich, daß die Steuersenkungen für die Reichen unfair waren.«

- Er ist gegen den Patriot Act II, das zweite Sicherheitsgesetz gegen terroristische Bedrohungen, und möchte auch das erste noch einmal genau überprüfen. Dazu meinte er: »Eines der Risiken bei dieser ganzen Sache ist das Aufgeben einiger der wesentlichen Grundpfeiler der amerikanischen Justiz, der amerikanischen Freiheitsrechte und Rechtsstaatlichkeit. Ich glaube, man muß sehr, sehr vorsichtig sein, wenn es darum geht, jene Rechte zu beschneiden mit dem Argument, dadurch den Krieg gegen die Terroristen besser führen zu können.«

- Er ist für eine striktere Waffenkontrolle. Zitat: »Im allgemeinen habe ich so etwa zwanzig Schußwaffen bei mir im Haus. Ich bin begeisterter Jäger. Ich bin seit frühester Jugend mit Waffen aufgewachsen, aber Leute, die Schnellfeuergewehre mögen, sollten zur amerikanischen Armee gehen, wir haben solche Waffen.«

- Er ist für Quotenregelungen zugunsten von rassischen Minderheiten. In einem Gespräch über das Kurzgutachten, das er dem Supreme Court zukommen ließ, um damit die Universität von Michigan in ihrem Kampf für eine solche Quotenregelung zu unterstützen, äußerte er sich wie folgt: »Ich bin für das Prinzip der Quoten für Minderheiten ... Unsere Gesellschaft sollte anerkennen, daß wir in dieser Gesellschaft ein Problem mit der Rassendiskriminierung haben ... Wir haben die Vorteile einer ausgleichenden Quotenregelung in den Streitkräften der Vereinigten Staaten gesehen. Sie war unerläßlich für die Wiederherstellung der Integrität und Effizienz unserer Streitkräfte.«

- Er ist dagegen, Truppen in den Iran zu schicken, und möchte, daß dieser »Achse-des-Bösen«-Unsinn endlich aufhört. »Zuerst einmal sollten wir multilateral mit den anderen Nationen zusammenarbeiten. Wenn man diesen Multilateralismus geschickt einsetzt, kann man damit einen großen wirtschaftlichen und diplomatischen Druck ausüben. Zum zweiten glaube ich, daß wir sehr vorsichtig sein sollten, vorschnell zu einer militärischen Option zu greifen, vor allem, wenn es um den Iran geht, denn vielleicht könnten wir dort die Regierung stürzen und bestimmt könnten wir dort ein paar Einrichtungen in die Luft jagen. Aber damit lösen wir das Problem noch lange nicht.«

- Er unterstützt den Umweltschutz: »Menschen beeinflussen sehr wohl die Umwelt. Man braucht nur an den Anden entlangfliegen und darauf achten, wie dort die Gletscher allmählich verschwinden, und man erkennt, daß es sowas wie die globale Erderwärmung tatsächlich gibt, die vielleicht sogar gerade erst anfängt, wenn man bedenkt, daß Indien und China mitten in einem großen Modernisierungsprozeß sind.«

- Er zieht es vor, mit unseren Alliierten zusammenzuarbeiten, anstatt sie dauernd vor den Kopf zu stoßen: »[Diese] Regierung hat wirklich wenig Respekt für unsere Verbündeten gezeigt... Wenn man echte Bündnispartner haben will, muß man auf ihre Meinung hören, sie ernstnehmen und mit ihnen auch inhaltlich zusammenarbeiten.«

Also, hier ist meine Frage an diese lahmarschigen Demokraten: *Warum zum Teufel unterstützt ihr diesen Typen nicht?* Vielleicht weil er GEWINNEN könnte? Sicher, was für eine bizarre Idee – Gewinner sein statt Verlierer! Ihr wollt bestimmt nicht ausprobieren, wie das ist, stimmt's?

Nun, wenn ich eine Strategie ausarbeiten müßte, wie man den Ex-Deserteur Bush schlagen könnte, würde ich einen echten Viersternegeneral gegen ihn antreten lassen. Dies ist vielleicht der einzige Weg, Bush zu schlagen, ihn auf seinem eigenen Terrain zu besiegen. Bushs Politstratege Karl Rove wird versuchen, das amerikanische Volk davon zu überzeugen, daß dies eine

Wahl in Kriegszeiten sei – und im Krieg tauscht man den Präsidenten nicht aus. Darauf verlassen sie sich: Sie wollen das amerikanische Volk dazu bringen, aus Angst für vier weitere Jahre für Bush II zu stimmen. Wenn sie es aber erst mal geschafft haben, daß verängstigte Wähler wirklich daran glauben, es gebe da draußen einen bedrohlichen Feind, könnte es uns unmöglich werden, diesen Schaden wieder zu beheben. Warum also lassen wir uns nicht einfach auf dieses Spiel ein und erzählen dem amerikanischen Volk: Es stimmt schon, da draußen *gibt* es eine Bedrohung, aber von wem wollt ihr euch lieber beschützen lassen: Von einem Typen, der sich schon in Omaha verkrümelt hat, oder von einem der besten Generäle dieses Landes? Clark hat man die höchsten Militärorden dieses Landes verliehen: den Silver Star, den Bronze Star, das Purple Heart und die Freiheitsmedaille des Präsidenten. Die Briten und Holländer haben ihn sogar zum Ritter ehrenhalber gemacht!

Ich weiß, das wird viele von euch schwer schockieren. »Mike, du kannst doch nicht für einen General sein?!«

Nun, erstens, jetzt da ich dieses schreibe, unterstütze ich überhaupt noch niemanden (außer Oprah! Tritt an, Oprah, tritt an!). Ich sehe das so. Ich hatte vier Jahre Zeit, den Aufbau einer Grünen Partei oder einer sonstigen unabhängigen Alternative zu unterstützen. Ich habe es nicht getan. Niemand hat das. Sicher, ein paar Sachen habe ich unternommen, aber das reichte nicht. Während ich hier diese Sätze zu Papier bringe, steht die Grüne Partei nicht einmal auf allen Wahlzetteln unseres Landes. Und jetzt steht uns noch eine viel wichtigere Aufgabe bevor: George W. Bush daran zu hindern, unsere Verfassung und all die Freiheiten, die uns so wichtig sind, restlos abzuschaffen. Wir stecken in einem tiefen Dilemma, und manchmal sind in Zeiten der Verzweiflung verzweifelte Maßnahmen unumgänglich.

Und wenn es einen General braucht, der für das Recht auf Abtreibung, für den Umweltschutz und für eine allgemeine Krankenversicherung ist und der denkt, daß Krieg nie die erste Reaktion auf einen Konflikt sein sollte, wenn es so jemanden braucht, um diese Bastarde loszuwerden und den Job endlich zu erledigen, den die Demokraten schon 2000 hätten erledigen müssen – dann bin ich bereit, diesen General zu unterstützen. Das stellt schon einen Riesenkompromiß von meiner Seite dar: Werden auch diese ganzen Verlierertypen an der Spitze der Demokratischen Partei bereit sein, ihre Fehler zuzugeben und den Millionen auf halbem Wege entgegenkommen, die so denken wie ich? Ob es nun Kucinich ist oder Dean, Oprah oder Hanks, oder der gute General, mir geht es einfach um den Sieg.

Wer will mich dabei unterstützen?

Wir können diese Wahl nicht einfach den Demokraten überlassen und zusehen, wie sie die Sache wieder vermasseln. Wir alle müssen aktiv werden, rausgehen und unser Land zurückerobern. Dies ist meine ganz persönliche Botschaft an alle, die *Stupid White Men* gelesen haben (mehr als zwei Millionen Amerikaner), an jeden einzelnen, der *Bowling for Columbine* gesehen hat (über 30 Millionen in unserem Lande), und an alle, die schon mal meine Website besucht haben (über eine Million Besucher am Tag). Das langt doch schon für eine kleine Armee, und ich möchte deshalb noch einmal Mikes Miliz alarmieren: Rückt aus, um die Invasion der Bushies zurückzuschlagen. Stimmt schon, wir haben nicht ihr Geld und ihre Medienmacht – aber wir haben was viel Besseres: Wir haben die Leute auf unserer Seite. Und wenn sie nicht das Kriegsrecht ausrufen oder die Wahl absagen, wenn sie nicht Katherine Harris dazu bringen, mit ihren »Chads«, den ausgestanzten Papierteilchen der Stimmzettel, in allen fünfzig Staaten die Wahl zu manipulieren, dann gibt es keinen guten Grund, warum wir es diesmal nicht schaffen sollten, sie zu schlagen.

Als euer Oberbefehlshaber befehle ich euch hiermit, euch an der »Operation Ölwechsel in zehn Minuten« zu beteiligen. Wenn wir nur zehn Minuten an jedem Tag etwas dafür tun, können wir den Ölteppich entfernen, den Bush und seine Ölfreunde im Weißen Haus hinterlassen haben. Ich fordere hiermit auch alle auf, von heute an bis zum November 2004 folgende Guerillataktiken anzuwenden. Dazu sind täglich nur zehn Minuten erforderlich:

**1. Besprecht mit jedem einzelnen,** der überhaupt zuhören will, warum Bush schlecht war für unser Land und für euren konkreten Gesprächspartner ganz besonders. Diese Wahl, wie alle Wahlen, bei denen sich ein Amtsinhaber erneut bewirbt, ist eher ein Referendum über diesen Amtsinhaber als über dessen Gegner. Wenn die Wählerschaft zu der Meinung gelangt, daß der bisherige Amtsinhaber dem Land oder der Brieftasche von Otto Normalverbraucher geschadet habe, stimmen die Wähler gewöhnlich für jeden, der gegen ihn antritt. Also solltet ihr zuerst einmal die Leute, die ihr kennt, davon überzeugen, daß diesmal ein Wechsel angesagt ist.

**2. Unterstützt die Wahlkampagne** desjenigen, von dem ihr glaubt, er habe die größten Chancen, Bush zu schlagen. Unterstützt mehrere, wenn ihr euch im Moment nicht so recht entscheiden könnt.

**3.** Ladet euch von der Website eures Kandidaten ein **Poster** runter und hängt es ins Wohnzimmerfenster oder in die Eingangstür. Bestellt einen Aufkleber und klebt ihn auf euer Auto.

**4.** Laßt euch als Kandidaten für das Wahlamt des »**Precinct Delegate**« aufstellen, des offiziellen gewählten Abgeordneten eures Wahlkreises für die Wahlversammlungen und Parteitage der Demokraten (wenn es zeitlich noch für die 2004-Versammlungen zur Kandidatenaufstellung oder die Vorwahlen reichen sollte, wenn nicht, könnt ihr zumindest die vorbereitenden Sitzungen oder die Bezirksparteitage besuchen). Ihr solltet einen Weg finden, von Anfang an bei denen zu sein, die auf dem nationalen Parteitag endgültig den Kandidaten bestimmen werden.

**5.** Es ist immer noch genug Zeit für DICH, sich bei der nächsten Wahl um ein **lokales Amt** zu bewerben. Warum nicht DU? So viele Geistesgrößen wollen nun auch wieder nicht in den Gemeinderat deines Dorfes. Also los!

**6.** Kauft euch ein paar Exemplare **der folgenden Bücher,** und laßt sie in eurem Freundeskreis und eurer Familie herumgehen, und vergeßt dabei euren konservativen Schwager nicht: *Shame on You* von Greg Palast (auch auf deutsch unter diesem Titel); *Ewiger Krieg für ewigen Frieden* von Gore Vidal; *Thieves in High Places* von Jim Hightower (nur englisch); *Die große Rezession* von Paul Krugman; und *Lies and the Lying Liars Who Tell Them* von Al Franken (nur englisch). In all diesen Büchern findet man wertvolle Informationen. Wenn ihr diese Bücher einigermaßen zurechnungsfähigen Menschen ausleiht, werden die Leute massenhaft in Mikes Miliz eintreten.

**7.** Ich möchte, daß jeder Leser dieses Buches feierlich verspricht, an **den vier Samstagen** im Oktober 2004 **rauszugehen und für die Kandidaten zu werben,** die Bushs Regime in Washington stürzen werden. Gerade einmal vier Samstage zum Nutzen deines Landes! Ich weiß, das sind mehr als die zehn Minuten, um die ich dich gebeten habe – aber inzwischen steckst du viel zu tief drin, als daß du noch kneifen könntest! Und das gilt für uns alle! An diesen Tagen könntet ihr eine Menge tun: Geht für einen Kongreßkandidaten von Tür zu Tür, verteilt Informationsmaterial auf der Straße, ruft vom Wahlkampfhauptquartier eures Kandidaten aus Leute an und fordert sie auf, ihn zu wählen, stellt Schilder in euren Vorgärten auf, klebt Briefmarken auf Werbepost, versendet E-Mails, nehmt an Talkshows teil, jagt den gegnerischen Kandidaten, haltet Versammlungen ab, organisiert Wahlkampfpicknicks in eurer Nachbarschaft. Bei dieser Wahl geht es nämlich nur um eines: Die Leute an die Wahlurne zu bringen, damit sie dort für den richtigen Kandidaten stimmen.

**8.** Für alle, die sich voll reinhängen wollen, habe ich folgenden Vorschlag: **Reist in einen Wahlbezirk, der auf der Kippe steht,** in dem also die Chance besteht, daß ein republikanischer Abgeordneter tatsächlich abgewählt wird! Viele von uns denken sich nichts dabei, sich in den Bus zu setzen und zu einer Demonstration Tausende von Meilen nach Washington zu fahren. Warum nicht mal nach Paducah, Kentucky, reisen, um dort ein Wochenende oder eine ganze Woche lang für einen Kandidaten Wahlkampfarbeit zu leisten, der eine reelle Siegchance hat? Euer Einsatz könnte die entscheidenden Stimmen bringen. Klar, das ist ein bißchen mehr Aufwand, als ein Schild zu malen und ein paar Slogans zu skandieren, aber es könnte sich lohnen. (Auf meiner Website findet ihr die Bezirke, von denen ich herausgefunden habe, daß sie unsere Hilfe brauchen könnten.)

**9. Ladet am Wahltag einen Nichtwähler zum Essen – und zum Wählen ein!** Wie wär's, wenn jeder von euch, der fest vorhat, 2004 an der Wahl teilzunehmen, nur **einen einzigen** potenziellen Nichtwähler dazu bringen würde, mit euch gemeinsam wählen zu gehen? Versucht aber nicht, jemanden mit Argumenten umzustimmen, der sich endgültig entschieden hat, nie mehr zu wählen; das wird nicht klappen. Leute heiraten gewöhnlich nicht noch einmal ihren geschiedenen Partner und gehen auch nicht zweimal in den gleichen Film. Also spart euch das ganze Moralisieren über die Pflichten eines guten Staatsbürgers und sagt zu Bob, der gerade über alles von Bush bis zu seiner betrieblichen Altersversorgung gemeckert hat: »Hey, ich geh mal geschwind rüber zum Wählen. Auf geht's!« Wenn ihr am Wahllokal angekommen seid, bittet ihr ihn einfach, mit reinzukommen, *es dauere nur zehn Minuten.* Glaubt mir, er geht mit. Das ist so, wie wenn jemand sagt: »Hier-trink-mal-'n-Bier.« Oft haben die Burschen dazu eigentlich gar keine Lust, aber dann wollen sie ihren Freund nicht kränken, und außerdem, was kann's schon schaden? Eure Aufgabe von heute an bis zum Wahltag wird es nun sein, einen Freund, Arbeitskollegen, Familienangehörigen oder Kommilitonen zu finden, der ähnliche politische Ansichten hat wie ihr, aber wahrscheinlich seine Stimme nur dann abgeben wird, wenn ihr ihn tatsächlich mit zum Wahllokal schleift. Bei manchen Kongreßwahlen hängt der Ausgang von ein paar tausend Stimmen ab. Wenn ich Glück habe, lesen bald über eine Million Leute dieses Buch. Um das bisherige Machtgefüge zu kippen, würde es also genügen, wenn nur zehn Prozent meiner Leser einen oder zwei ihrer nichtwählenden Freunde ins Wahllokal schleppen würden. So einfach ist das.

**10. Zum Schluß verrate ich euch eine Idee, wie man sogar noch mehr Nichtwähler an die Wahlurnen kriegen könnte.** Daheim in Flint haben wir das so gemacht. In den meisten Bundesstaaten bekommt jeder Wähler eine Quittung mit einer bestimmten Nummer drauf ausgehändigt, wenn sein Wahlzettel in der Wahlurne gelandet ist (manche Staaten verteilen auch kleine Sticker, auf denen »Ich habe gewählt« steht). Veranstaltet also am Wahlabend in eurer Heimatstadt ein großes Konzert oder Fest und verlangt als Eintrittskarte einfach den Wahlquittungsabschnitt oder den Wahlsticker. Kündigt vorher an, daß ihr mit diesen Wahlquittungen eine Tombola veranstaltet. Der Gewinner bekommt einen Preis, den ihr und eure Mitstreiter euch leisten könnt (bei uns waren es gewöhnlich 1000 Dollar, einmal stiftete einer sogar ein Auto). Dies brachte vor allem viele junge Leute zum Wählen, und ich habe schwarze und hispanische Gemeinschaften erlebt, die damit plötzlich Leute dazu brachten, es doch noch einmal zu versuchen. Diese Menschen hatten sich vorher innerlich nicht mehr als vollwertige Bürger dieses Landes gefühlt. Ihr solltet euch allerdings vorher vergewissern, daß ihr nicht gegen die örtlichen Wahl- und Glücksspielbestimmungen verstoßt, aber wenn ihr es dann ausprobiert, werdet ihr überrascht sein, wie gut es funktioniert. Klar, es wäre schön, wenn die Leute wählen würden, einfach weil es ihr heiliges Recht ist, aber, machen wir uns doch nichts vor, wir leben im Amerika des 21. Jahrhunderts, und wenn es nicht gerade um eine Telefonabstimmung der MTV-Sendung *Total Request Live* über das nächste zu spielende Musikvideo geht, hat die Mehrheit keine Lust mehr, sich für irgendwas zu engagieren. Was immer dazu beitragen kann, um die Batterien der Menschen endlich wieder aufzuladen: Ich bin dafür.

So, das war's. Jetzt kennt ihr euren Marschbefehl. Enttäuscht mich nicht, aber enttäuscht vor allem euch selber nicht. Die haben uns einmal ausgetrickst – und dabei sind sie doch angeblich die *Stupid White Men!* Das darf nicht noch mal passieren. Es gibt einfach zu viele von uns, und diesmal müssen wir es schaffen! Wir lieben unser Land, und wir passen auf die Welt auf, zu der unser Land gehört. Wir sollten nicht in selbstbezogene Verzweiflung und fruchtlosen Zynismus verfallen. Es gibt einen Haufen Gründe, dieses Buch jetzt wegzulegen, jemanden anzurufen, rauszugehen und dafür zu sorgen, daß sich die Dinge ändern.

*Dude, Where's Your Country?* Kumpel, wo liegt eigentlich dein Land? Du brauchst nur aus dem Fenster zu schauen, da wartet es darauf, daß du es endlich wieder nach Hause holst.

# Anmerkungen

Die Anmerkungen zu **ONE** sind als Fußnoten vorne im Text zu finden.

## TWO – Die Heimat des Whoppers

Präsident Clinton wies den Vorwurf der ehelichen Untreue empört zurück. Das geschah im Beisein seiner Frau und des Vizepräsidenten am 26. Januar 1998 im Weißen Haus nach der Vorstellung einer neuen Kinderbetreuungspolitik. Der Text seiner damaligen Äußerung findet sich im Nationalarchiv und kann online abgerufen werden unter http://clinton4.nara.gov/WH/New/html/1 998 0126-3087.html.

Die meisten Bemerkungen Präsident Bushs, die in diesem Kapitel zitiert werden, können online auf der offiziellen Website des Weißen Hauses nachgelesen werden: www.whitehouse.gov. Es ist schon ein biß-chen schwierig, mit so dicken Lügen durchzukommen, wenn ein ver-dammter Lakai jedes Wort mitschreibt, das du sagst, und es dann auch noch ins Internet stellt, wo es dann jeder hinterher nachlesen kann!

- Die verschiedenen Versionen der oft wiederholten dicken Präsiden-tenlüge über die Gefahr, die angeblich von den irakischen Massen-vernichtungswaffen ausgehe, können auf dieser Website des Weißen Hauses in ganzer Länge nachgelesen werden: 21. Januar 2003, »Pre-sident Bush Meets with Leading Economists«; 12. September 2001, »President's remarks at the United Nations General Assembly«; 8. Februar 2003, »President's Radio Address«.
- Bei einer Rede zur Unterstützung des Senatskandidaten John Cor-nyn, die er anläßlich eines Fundraising Dinners in Houston am 26. September 2002 hielt, ließ Bush durchblicken, daß er Saddam gegenüber auch private Rachegelüste hege: »Zweifellos richtet sich sein Haß hauptsächlich auf uns. Zweifellos kann er uns nicht aus-

stehen. Schließlich ist das ein Typ, der versucht hat, meinen Vater umzubringen.«

■ In einer im Fernsehen übertragenen Rede in Cincinnati, »President Outlines Iraqi Threat«, verbreitete Bush selbst am 7. Oktober 2002 das Gerücht, der Irak versuche, in Afrika angereichertes Uran zu erwerben, und habe auch versucht, Aluminiumrohre zu kaufen, um damit sein Nuklearwaffenprogramm voranzutreiben.

■ In seiner »Herbst-Kampagne«, die ihn im Oktober und November 2002 durch viele Bundesstaaten führte, um dort für den Irakkrieg zu werben, versuchte der Präsident immer wieder, eine Verbindung zwischen Saddam Hussein und Al Kaida zu konstruieren: 28. Oktober 2002, »Remarks by the President at New Mexico Welcome«; 28. Oktober 2002, »Remarks by the President in Colorado Welcome«; 31. Oktober 2002, »Remarks by the President at South Dakota Welcome«; 1. November 2002, »Remarks by the President at New Hampshire Welcome«; 2. November 2002, »Remarks by the President in Florida Welcome«; 3. November 2002, »Remarks by the President in Minnesota Welcome«; 4. November 2002, »Remarks by the President at Missouri Welcome«; 4. November 2002, »Remarks by the President at Arkansas Welcome«; 4. November 2002, »Remarks by the President in Texas Welcome«.

Wenn man mehr Informationen über die Unternehmen, die im Nachkriegsirak die Aufträge im Wert von Hunderten von Milliarden Dollar bekommen, und deren Spenden an George W. Bush und die Republikanische Partei haben möchte, sollte man sich an das Center for Responsive Politics wenden. Insbesondere sollte man sich den Report »Rebuilding Iraq – The Contractors« unter www.opensecrets.org/news/rebuilding-iraq ansehen.

Hintergrundinformationen über Botschafter Joseph Wilson stehen in seiner Biographie, die vom Middle East Institute, einer Washingtoner Denkfabrik, zusammengestellt wurde. Mehr als drei Jahrzehnte lang bekleidete Wilson wichtige Posten im Nationalen Sicherheitsrat, den US-Streitkräften, dem Auswärtigen Dienst und dem Außenministerium. Er war der letzte Amerikaner, der vor dem Ausbruch von »Desert Storm« mit Saddam Hussein zusammentraf. Wilsons Bericht über seine Reise nach Niger im Jahre 2002 wurde von der *New York Times* veröffentlicht: »What I didn't find in Africa«, 6. Juli 2003.

Weitere Berichte über die Wilson-Untersuchung und die von der Bush-Administration ständig wiederholten Geschichten über ein Atomwaffenprogramm des Irak finden sich in: Nicholas D. Kristof, »White House in Denial«, in der *New York Times* vom 13. Juni 2003; Richard

Leiby, »Retired Envoy: Nuclear Report Ignored; Bush cited alleged
Iraqi purchases, even though CIA raised doubts in 2002«, in: *Washington Post* vom 6. Juli 2003; *ABC World News Tonight,* »White House
knew Iraq-Africa claim was false; Bush administration forced into contrition by discovery of paper trail«, 22. Juli 2003; Dana Priest & Karen
DeYoung, »CIA questioned documents linking Iraq, uranium ore«, in:
*Washington Post* vom 22. März 2003; Michael Isikoff u. a., »Follow the
yellowcake road«, in: *Newsweek* vom 28. Juli 2003; Walter Pincus,
»Bush faced dwindling data on Iraq nuclear bid«, in: *Washington Post*
vom 16. Juli 2003; und Evan Thomas u. a., »(Over)selling the World on
War«, in: *Newsweek* vom 9. Juni 2003.

Laut der *Washington Times*-Reporterin Jennifer Harper verfolgten 62
Millionen Menschen im Fernsehen, wie Bush 2003 in seinem Bericht
zur Lage der Nation den Irakkrieg propagierte: »Bush's speech resonates with public, polls show«, 30. Januar 2003. Der Text der Rede ist
auf der Website des Weißen Hauses zu finden: »State of the Union
Address«, 28. Januar 2003.

CIA-Direktor George Tenets Stellungnahme, in der er die »Verantwortung« dafür übernimmt, daß Bush in seiner Rede zur Lage der
Nation im Jahre 2003 von der bereits widerlegten Geheimdienstinformation Gebrauch machte, daß der Irak in Afrika Uran kaufen wolle,
kann man nachlesen bei www.cia.gov.

Die Oktober-Memos zeigten, daß die CIA das Weiße Haus gewarnt
hatte, die Irak-Niger-Geschichte beruhe auf fehlerhaften Geheimdienstberichten. Dieser Sachverhalt wurde von verschiedenen Presseorganen
aufgedeckt. Am 23. Juli 2003 von David E. Sanger und Judith Miller in
der *New York Times:* »After the War: Intelligence; National Security
Aide Says He's to Blame for Speech Error«; und von Tom Raum:
»White House official apologizes for role in State of Union speech
flap«, Associated Press; und am 8. August 2003 von Walter Pincus:
»Bush team kept airing Iraq allegation; officials made uranium assertions before and after President's speech« in der *Washington Post.*

Außenminister Powell hielt die hier erwähnte Rede vor der UN am
5. Februar 2003. Der offizielle Redetext steht auf der Website der US-Botschaft bei der UN: www.un.int/usa.

Der Bericht, daß zwei im Nordirak gefundene Fahrzeuge dazu dienten, Wasserstoff zum Aufblasen von Ballonen – und nicht wie vom Präsidenten behauptet chemische Waffen – zu produzieren, stand in der britischen Zeitung *The Observer:* Peter Beaumont u. a., »Iraqi mobile labs
nothing to do with germ warfare, report finds«, vom 15. Juni 2003.
Diese Nachricht wurde bestätigt, als der dem US-Verteidigungsministerium unterstehende Geheimdienst Defense Intelligence Agency zum

selben Schluß kam. Ein Bericht darüber stammt von Douglas Jehl, »Iraqi trailers said to make hydrogen, not biological arms«, in: *New York Times* vom 9. August 2003.

Die Äußerungen von Generalleutnant James Conway über die Tatsache, daß die US-Truppen im Irak keine Chemiewaffen gefunden hätten, wurden von Associated Press veröffentlicht: Robert Burns, »Commander of U.S. marines in Iraq cites surprise at not finding weapons of mass destruction«, 30. Mai 2003.

Informationen über die US-Unterstützung des Irak in dessen Krieg gegen den Iran und den Einsatz von chemischen und biologischen Waffen des Irak in diesem Konflikt finden sich in zahlreichen Quellen, einschließlich: Patrick E. Tyler, »Officers say U.S. aided Iraq in war despite use of gas«, in: *New York Times* vom 18. August 2002; »Chemical weapons in Iran: confirmation by specialists, condemnation by Security Council«, in: *UN Chronicle,* März 1984; Henry Kamm, »New Gulf War issue: Chemical Arms«, in: *New York Times* vom 5. März 1984; Reginald Dale, »U.S. and Iraq to resume diplomatic relations«, in: *Financial Times* vom 27. November 1984.

Die Liste von chemischen Wirkstoffen, die US-Unternehmen von 1985 bis 1990 an Saddam Hussein verkauften, ist enthalten im Senatsbericht: »U.S. Chemical and Biological Warfare-Related Dual Use Exports to Iraq and their possible impact on health consequences of the Gulf War«, Bericht vom Vorsitzenden Donald W. Riegle jr. und dem Ausschußmitglied Alfonse M. D'Amato des Bankenausschusses des US-Senats, 103. Kongreß, 2. Sitzung, 25. Mai 1994.

Weitere Informationen über den Export von chemischen und biologischen Wirkstoffen von US-Unternehmen in den Irak einschließlich einer Liste dieser Unternehmen finden sich in William Blums Titelgeschichte »Anthrax for Export« der April 1998-Ausgabe von *The Progressive* und Jim Crogans Bericht in der *LA* Weekly vom 25. April bis 1. Mai 2003, »Made in the USA, Part III: The Dishonor Roll«.

Die Information über US-Exporte von Dual-Use-Produkten in den Irak lieferte die Überwachungsbehörde der Regierung in Form eines Berichts des US-Rechnungshofs: »Iraq: U.S. military items exported or transferred to Iraq in the 1980s«, United States General Accounting Office, freigegeben am 7. Februar 1994, aber schon 1992 veröffentlicht.

Die Anstrengungen der Reagan-Regierung, einen irakischen Sieg über den Iran zu gewährleisten, werden in den folgenden Quellen genau beschrieben: Seymour M. Hersh, »U.S. secretly gave aid to Iraq early in its war against Iran«, in: *New York Times* vom 26. Januar 1992; beeidigte Gerichtsaussage des früheren Beamten im Nationalen Sicherheitsrat Howard Teicher vom 31. Januar 1995; und Michael Dobbs, »U.S. had key role in Iraq buildup; trade in chemical arms allowed despite their use on Iranians and Kurds«, in: *Washington Post* vom 30. Dezember 2002.

Die Informationen über die saudischen Waffenlieferungen an den Irak in den achtziger Jahren stammen aus dem oben zitierten Rechnungshof-Bericht vom Februar 1994.

Eine exzellente Quelle für die Geheimgeschichte der USA im Irak ist das National Security Archive, ein gemeinnütziges Forschungsinstitut mit einer Bücherei von freigegebenen, ehemals geheimen US-Dokumenten, die man durch den Freedom of Information Act (das Informationsfreiheitsgesetz) erhalten hat. In diesem Archiv finden sich Dokumente, die zeigen, daß das Weiße Haus gegen Bemühungen des Kongresses war, den Irak wegen des Einsatzes von chemischen und biologischen Waffen mit Sanktionen zu belegen, teilweise weil man potenzielle Wiederaufbaukontrakte für die Nachkriegszeit nicht gefährden wollte: »Iraqgate: Saddam Hussein, U.S. policy and the prelude to the Persian Gulf War; 1980-1994«, *The National Security Archive,* 2003. Viele der von diesem Archiv gesammelten Dokumente können online eingesehen werden unter www.gwu.edu/~nsarchiv.

Über Rumsfelds Bemühungen, eine Verbindung zwischen den Angriffen des 11. September und Saddam Hussein zu konstruieren, berichtete CBS News am 4. September 2002: »Plans for Iraq attack began on 9/11.« General Wesley Clark sprach über den Druck, der auf ihn ausgeübt wurde, den 11. September mit Saddam in Verbindung zu bringen, anläßlich eines Auftritts in der Sendung *NBC News: Meet the Press* am 15. Juni 2003.

Als erste berichtete die BBC am 5. Februar 2003, daß britische Geheimdienste zum Schluß gekommen seien, es gebe gegenwärtig keine nähere Verbindung zwischen Saddam Hussein und Al Kaida: »Leaked report rejects Iraqi al-Qaeda link«, *BBC News.*

Die Hintergrundinformationen über die angebliche Al Kaida-Basis im Nordirak stammen von Jeffrey Fleishman, »Iraqi terror camp cracks its doors«, in: *Los Angeles Times* vom 9. Februar 2003; und Jonathan S. Landay, »Alleged weapons site found deserted«, in: *Philadelphia Inquirer* vom 9. Februar 2003.

Beispiele für die vielen Meinungsumfragen, die zeigen, daß viele Amerikaner glauben, Saddam Hussein sei in die Angriffe vom 11. September verwickelt: *Newsweek* Poll vom 24.–25. Juli 2003; Program on International Policy Attitudes/Knowledge Networks Poll, Juli 2003; Harris Interactive Poll, 18. Juni 2003; CNN/*USA Today*/Gallup Poll, 9. Juni 2003 und eine weitere vom 9. Februar 2003; *Christian Science Monitor* Poll, 9. April 2003; CBS News/*New York Times* Poll, 10. Februar 2003; Knight-Ridder Poll, 12. Januar 2003.

Die Entfremdung zwischen den Fundamentalisten (wie Osama bin Laden) und Saddam Hussein wegen dessen Propagierung eines säkularen Staates wird in vielen Berichten bestätigt. Beispiele sind: John J. Mearsheimer & Stephen M. Walt, »An unnecessary war; U.S.-Iraq conflict«, in: *Foreign Policy* vom 1. Januar 2003; Warren P. Strobel, »Analysts: No evidence of Iraq, al-Qaida cooperation«, in: *Knight Ridder Washington Bureau* vom 29. Januar 2003; Paul Haven, »Saddam, al-Qaida would be unusual allies«, Associated Press, 29. Januar 2003; Patrick Comerford, »Will Christians of Iraq be denied the promise of peace?« in: *Irish Times* vom 6. Januar 2003; Daniel Trotta, »Safe under Saddam, Iraqi Jews fear for their future«, in: *Fort Lauderdale Sun-Sentinel* vom 4. Juli 2003; Matthew McAllester, »New fear for Iraq Jews«, in: *Newsday* vom 9. Mai 2003.

Die Informationen über die Zusammenarbeit der Vereinigten Staaten mit Pol Pot und den Roten Khmer in Kambodscha stammen von: John Pilger, »The Friends of Pol Pot«, in: *The Nation* vom 11. Mai 1998; Philip Bowring, »Today's friends, tomorrow's mess«, in: *Time International* vom 8. Oktober 2001; Andrew Wells-Dang, »Problems with Current U.S. Policy«, in: *Foreign Policy in Focus* vom 30. Juli 2001.

Die amerikanische Rolle in dem Coup, der zum Tod Patrice Lumumbas und zur Machtergreifung Mobutus in Kongo/Zaire führte, wird ausführlich dargestellt in: Howard W. French, »An anatomy of autocracy: Mobutu's Era«, in: *New York Times* vom 17. Mai 2003; Peter Ford, »Regime Change«, in: *Christian Science Monitor* vom 27. Januar 2003; Ian Stewart, »Colonial and Cold War past fuels anti-West anger in Congo«, Associated Press, 24. August 1998; und Stephen R. Weissman, »Addicted to Mobutu: why America can't learn from its foreign policy mistakes«, in: *Washington Monthly,* September 1997.

Hintergrundinformationen über die Entmachtung von Brasiliens Joao Goulart kann man in einem Bericht des *National Catholic Reporter* vom 15. Juni 2001 finden: »It's time for a good national confession; Truth commissions to heal war atrocities.« Siehe auch: A. J. Langguth, »U.S. policies in hemisphere precede Kissinger and Pinochet«, in: *Los Angeles Times* vom 15. Juli 2001.

Amerikas Verwicklung in Indonesien, zuerst in die Absetzung eines gewählten Präsidenten und dann in die Invasion Osttimors, wird dokumentiert von: Jane Perlez, »Indonesians say they suspect CIA in Bali Blast«, in: *New York Times* vom 7. November 2002; James Risen, »Official history describes U.S. policy in Indonesia in the 60s«, in: *New York Times* vom 28. Juli 2001; »East Timor Revisited«, in: *National Security Archive* vom 6. Dezember 2001; »CIA Stalling State Department Histories«, in: *National Security Archive* vom 27. Juli 2001; Seth Mydans, »Indonesia Inquiry: Digging up agonies of the past«, in: *New York Times* vom 31. Mai 2000.

Für einen Überblick über die Lage der Menschenrechte in China siehe: »World Report 2003: China and Tibet« der Organisation *Human Rights Watch* und »Report 2003: China« von *Amnesty International.* Richard McGregor erwähnt die Zahl der Fastfood-Ketten in China in seinem Bericht »KFC adds fast food to fast life in China«, in: *Financial Times* vom 20. Januar 2003. Informationen über Kodak und den wachsenden chinesischen Markt findet man in: Joseph Kahn, »Made in China, Bought in China«, in: *New York Times* vom 5. Januar 2003. Über Wal-Marts umfassende Aktivitäten in China berichtet Michael Forsythe, »Wal-Mart fuels U.S.-China trade gap«, in: *Bloomberg News* vom 8. Juli 2003.

Daß in China mobile Hinrichtungsfahrzeuge in Gebrauch sind, wurde bekanntgemacht von Amnesty International: »Chinese use mobile death van to execute prisoners«, und von Hamish McDonald, »Chinese try mobile death vans«, in: *The Age* (Melbourne) vom 13. März 2003.

Um Informationen über all die Länder der Welt zu bekommen, die unter Diktatoren und autoritären Regierungen zu leiden haben, oder wenn ihr den Fortschritt der Menschenrechte in jedem Land nachprüfen wollt, solltet ihr euch wenden an: das Internationale Zentrum für Menschenrechte und Demokratie (International Centre for Human Rights and Democracy), www.ichrdd.ca; Human Rights Watch, www.hrw.org und Amnesty International, www.amnesty.org.

Paul Wolfowitz gab dem Journalisten Sam Tannenhaus im Mai 2003 ein Interview für die Zeitschrift *Vanity Fair.* Das US-Verteidigungsministerium erhob Einspruch gegen Tannenhaus' Wiedergabe dieses Interviews und veröffentlichte seine eigene Mitschrift des Gesprächs. Da in dieser offiziellen Version Wolfowitz auch nicht besser aussieht, entschied ich mich für diese Mitschrift.

Professor Fatin Al-Rifai war am 14. Juli 2003 Gast in der ABC-Sendung *Nightline,* wo sie ihre Bedenken gegen die amerikanische Herrschaft äußerte. Berichte über Geistliche, die einen immer größeren Einfluß gewinnen, findet man bei: »GI and Cleric vie for hearts and minds«, *New York Times,* 8. Juni 2003; Anthony Browne, »Radical Islam starts to fill Iraq's power vacuum«, *London Times,* 4. Juni 2003. Nicholas D. Kristofs Artikel in der *New York Times* vom 24. Juni 2003, »Cover your hair« und Tina Susmans »In Baghdad, a flood of fear«, *Newsday,* 9. Juni 2003, sind nur zwei Berichte über den zunehmenden Widerstand gegen die »Westernisierung« des Irak.

Dominique de Villepin hielt seine Rede vor den Vereinten Nationen am 19. März 2003. Sie kann in ganzer Länge nachgelesen werden unter: www.un.int/france/documents_anglais/030319_cs_villepin_irak.htm. Eine Liste der »Koalition der Willigen«, Stand 3. April 2003, findet sich auf der Website des Weißen Hauses www.whitehouse.gov.

Schilderungen, wie die Bush-Administration über die Franzosen herzieht, findet man in den folgenden Quellen: William Douglas, »Paris will face consequences«, *Newsday,* 24. April 2003; »Rumsfeld dismisses ›old Europe‹ defiance on Iraq«, *CBC News,* 23. Januar 2003; und »Commander-in-Chief«, *Dateline NBC,* 25. April 2003.

Die lächerlichsten und kleinlichsten Attacken auf die Franzosen stammen aus vielen Quellen und sind nur eine kleine Auswahl aus der riesigen Menge antifranzösischer Ausfälle. Der Bericht über John Kerry und sein angeblich »französisches« Aussehen stammt von Adam Nagourney & Richard W. Stevenson, »Bush's aides plan late sprint in '04«, *New York Times,* 22. April 2003. Für weitere Informationen über Jim Saxtons Gesetzesvorschlag, Frankreich wirtschaftlich zu bestrafen, siehe: »Congress slow to act on anti-France bill«, Associated Press, 10. März, 2003. Ginny Brown-Waites absolut lächerlicher Vorschlag, die Gebeine der Toten des Zweiten Weltkriegs auszubuddeln, die in Frankreich liegen, verdient nur die allerfarbigste Darstellung. Deshalb verweise ich auf den am 14. März 2003 in der *New York Post* erschienenen Artikel »Dig up our D-Day Dead« von Malcolm Balfour. Der Artikel von Richard Ruelas in der *Arizona Republic* »McCain isn't saying ›oui‹ to Bush's tax cut plan« vom 25. April 2003 berichtet über die bösen Anzeigen gegen die beiden republikanischen Wiesel, die Bedenken gegen Bushs unglückselige Steuersenkung äußerten. Der doch sonst immer so vernünftig argumentierende Sean Hannity ließ sich am 11. Juni 2003 in seiner prätentiösen Debattiershow *Hannity & Colmes* von seinen tiefen Gefühlen übermannen, als er über Jacques Chiracs Verrat sprach.

Wollt ihr mehr über französischen Wein als Toilettenspülung oder über die wundervollen Freiheitsfritten und noch vieles andere erfahren, oder wollt ihr gar nachempfinden, wie befriedigend es sein kann, wenn ein gepanzertes Fahrzeug über photokopierte französische Fahnen rollt, dann solltet ihr die folgenden Artikel lesen: Deborah Orin & Brian Blomquist, »White House just says Non«, *New York Post,* 14. März 2003; John Lichfield, »French tourism counts cost as Americans stay away«, *The Independent,* 29. Juli 2003; Sheryl Gay Stolberg, »An Order of Fries, Please, But Do Hold the French«, *New York Times,* 12. März 2003; »Fuddruckers jumps on ›Freedom fry‹ bandwagon«, *PR Newswire,* 14. März 2003; Brian Skoloff, »Central Valley dry cleaners called French Cleaners vandalized«, Associated Press, 20. März 2003; Rob

Kaiser, »Sofitel surrenders, lowers French flag«, *Chicago Tribune,* 1. März 2003; »Merchant stands his ground as Americans boycott fromage.com«, *Toronto Star,* 16. Februar 2003; J. M. Kalil, »Everything French Fried«, *Las Vegas Review-Journal,* 19. Februar 2003; Floyd Norris, »French's has an unmentioned British flavor«, *New York Times,* 28. März 2003; Alison Leigh Cowan, »French exchange students get the cold shoulder«, *New York Times,* 4. Juli 2003; und zum Schluß über das französische Wiesel im Weißen Haus: Elisabeth Bumiller, »From the President's patisserie, building a coalition of the filling«, *New York Times,* 5. Mai 2003.

Wenn ihr mehr über sein Leben, seine Genealogie und über Paul Rivoire wissen wollt, dann besucht die Website des Paul Revere-Hauses: www.paulreverehouse.org/father.html.

Für weitere Informationen über die entscheidende Hilfe der Franzosen für die Kolonisten im Unabhängigkeitskrieg solltet ihr Stacy Schiffs Artikel lesen: »Making France our best friend«, der in der *Time*-Ausgabe vom 7. Juli 2003 erschien.

Die Zahlen über Iraks Ölexporte in verschiedene Länder stammen aus dem Bericht der Energy Information Administration »International Petroleum Monthly« für den Juli 2003. Die Gesamtzahlen unseres Handels mit dem Irak im Jahre 2001 kann man bei der Foreign Trade Division (Außenhandelsabteilung) des Census Bureau (Statistisches Amt der Vereinigten Staaten) erfahren.

Jennifer Brooks schrieb über die Übergabe eines Stadtschlüssels der Stadt Detroit an Saddam in den *Detroit News* vom 26. März 2003. Rumsfelds Irakbesuch ist gut dokumentiert, und das bereits weiter oben erwähnte National Security Archive an der George Washington University besitzt ein goldiges Bild, wie sich beide Männer die Hand schütteln. Einen schnellen Überblick bekommt ihr bei: Michael Dobbs, »U.S. had key role in Iraq buildup«, *Washington Post,* 30. Dezember 2002.

Statistiken über die Pro-Kopf-Zahlen der Telefone in Albanien finden sich zusammen mit vielen anderen lustigen Sachen im *World Fact Book 2003* der CIA, im Net einzusehen unter www.cia.gov. Diese Website ist übrigens grundsätzlich eine prima Ausgangsbasis für eine Recherche der Basisfakten jedes Landes, über das ihr ein bißchen was erfahren möchtet.

Umfragezahlen über die internationale Opposition gegen den Irakkrieg findet man in den folgenden Quellen: Peter Morton, »U.S. citizens at odds with world on war«, *National Post,* 12. März 2003; Derrick Z. Jackson, »World is saying ›no‹ to war«, *Chicago Tribune,* 17. März 2003; »People power on world stage«, Reuters, 6. März 2003; »Japanese premier says not always right to follow public opinion«, *BBC Worldwide*

*Monitoring,* 5. März 2003; Susan Taylor Martin, »Business of war rolls on in Turkey, opposition or no«, *St. Petersburg Times,* 2. März 2003; und George Jones, »Poll shows most Britons still against the war«, *Daily Telegraph,* 13. Februar 2003. Die klare britische Sicht über die größte Gefahr für den Weltfrieden stammt aus einer Umfrage, die im Auftrag von *The Times* (London) durchgeführt wurde: »Bush ›as big a threat as Saddam‹«, 23. Februar 2003.

Über die Rolle, die Handelsabkommen bei der Bildung der »Koalition der Willigen« spielten, findet sich Näheres bei: Tom Skotnicki, »Coalition of the Winning«, *Business Review Weekly,* 26. Juni 2003; Claire Harvey, »NZ leader seeks peace in her time«, *The Weekend Australian,* 26. April 2003; Linda McQuaig, »Rebuffed president recklessly saddles up for war«, *Toronto Star,* 9. März 2003; und David Armstrong, »U.S. pays back nations that supported war«, *San Francisco Chronicle,* 11. Mai 2003.

Einen Überblick über einige Mitglieder der »Koalition« vermittelt Dana Milbanks »Many willing, but only a few are able«, *Washington Post,* 25. März 2003. Milbanks Artikel berichtet auch, daß Marokko angeboten habe, die Invasion mit 2 000 Affen zu unterstützen. Eine nette kleine Randnotiz. Aber auch wenn die Affen dann doch nicht am Krieg teilnehmen durften, waren doch einige Nicht-Primaten dabei. Siobhan McDonough berichtete für Associated Press am 2. April 2003, daß Hühner, Tauben, Hunde und Delphine beim Sieg mithelfen durften. Und auch wenn die Polen keine Nutztiere erübrigen konnten, so schafften sie es dann doch noch, für die gemeinsame Sache einige Soldaten aufzutreiben: »Poland to commit up to 200 troops in war with Iraq«, Associated Press, 17. März 2003.

Die Schätzungen über den Anteil der »Koalition« an der Weltbevölkerung stammen aus Ivo Daalders Artikel: »Bush's coalition doesn't add up where it counts«, *Newsday,* 24. März 2003, und von der »Population Clock, World Population estimate« des U.S. Census Bureau (Statistisches Amt der Vereinigten Staaten).

Die Informationen über die Kriegsmaschinerie von Lockheed Martin stammen aus den folgenden Quellen: »Liquidmetal Technologies and Lockheed Martin establish product development partnership«, *Business Wire,* 27. Januar 2003; Barbara Correa, »War machine grows quickly«, *Daily News* (Los Angeles), 23. März 2003; United States Air Force (US-Luftwaffe), »USAF Fact Sheet: Milstar satellite Communications System«, März 2003; Craig Covault, »Milstar pivotal to war«, *Aviation Week,* 28. April 2003; »Air Force launches a military communications satellite«, Associated Press, 8. April 2003; Tom McGhee, »Bibles to bomb fins«, *Denver Post,* 6. April 2003; Heather Draper, »Lockheed

Martin set to launch 6th Milstar«, *Rocky Mountain News,* 22. Januar 2003; Dick Foster, »Springs base controls ›eyes and ears‹ of war«, *Rocky Mountain News,* 22. März 2003; Robert S. Dudney, »U.S. dominance in space helped win operation Iraqi Freedom«, *Chattanooga Times Free Press,* 25. May 2003; Richard Williamson, »Wired for war«, *Rocky Mountain News,* 3. Januar 2000; Tim Friend, »Search for bin Laden extends to Earth orbit«, *USA Today,* 5. Oktober 2001; und Heather Draper, »Liftoff: Defense stocks soar«, *Rocky Mountain News,* 9. Oktober 2001.

Schätzungen über die Kriegstoten im Irak und in Afghanistan stammen von zwei eng zusammenarbeitenden Initiativen. Für Afghanistan siehe: Marc Herold, »Daily Casualty Count of Afghan Civilians Killed by U.S. Bombing«. Herold ist Professor an der Universität von New Hampshire, und sein Bericht beruht auf einer gründlichen und umfassenden Auswertung aller Medienberichte über Ziviltote vom Anfang des Afghanistanfeldzugs bis heute. Der Bericht ist im Internet zu finden unter http://pubpages.unh.edu/~mwherold/. Für den Irakkrieg führte die Organisation »Iraq Body Count« Untersuchungen durch, die auf dem gleichen System basieren und deren Ergebnisse aufzurufen sind unter: www.iraqbodycount.net.

Berichte über irakische Zivilopfer findet man bei: Paul Reynolds, »Analysis: Risk to civilians mounts«, *BBC News,* 2. April 2003; Lara Marlowe, »33 civilians die in Babylon bombing«, *Irish Times,* 2. April 2003; Zeina Karam, »Injured Iraqi boy making progress: ›I feel good‹«, *Toronto Star,* 10. Juni 2003; Corky Siemaszko, »Is he under the rubble?«, *New York Daily News,* 9. April 2003; William Branigin, »A gruesome scene on Highway 9«, *Washington Post,* 1. April 2003; Christopher Marquis, »U.S. military chiefs express regret over civilian deaths«, *New York Times,* 2. April 2003.

Informationen über Streubomben findet man in Jack Epsteins Artikel für den *San Francisco Chronicle* »U.S. under fire for use of cluster bombs in Iraq« vom 15. Mai 2003; ebenso in Berichten von Human Rights Watch, vor allem: »U.S. use of clusters in Baghdad condemned« vom 16. April 2003 und »Cluster bomblets litter Afghanistan« vom 16. November 2001.

Steve Johnson schrieb einen hervorragenden Artikel über die »eingebetteten Journalisten« in der *Chicago Tribune,* »Media: with embedded reporters, 24-hour access and live satellite feeds«, 20. April 2003. Ebenfalls interessant: Jim Rutenberg, »Cable's war coverage suggests a new ›Fox Effect‹ on television journalism«, *New York Times,* 16. April 2003. Um den vollständigen Bericht der Initiative »Fairness and Accuracy in Reporting« über kriegsfreundliche Tendenzen in den Abendnachrichten einzusehen, solltet ihr die Website dieser gemeinnützigen Organisation aufrufen: www.fair.org. Der Bericht wurde im Juni 2003 veröffentlicht. Neil Cavutos Erklärungen, warum er seine journalistische Objektivität über Bord geworfen habe, findet man bei www.foxnews.com in seinem Artikel vom 28. März 2003: »American first, journalist second«, Fox News.com, 28. März 2003. Brian Williams sprach seinen Kommentar, wie weit wir es seit dem Vernichtungsbombardement Dresdens gebracht hätten, in einem Zustand irgendwo zwischen Schock und fassungslosem Staunen in der NBC-Sendung *Nightly News* vom 2. April 2003. Über den 470-Millionen-Dollar-Deal der US-Armee mit Microsoft berichtete der *Seattle Post-Intelligencer*: »Microsoft wins biggest order ever«, *Seattle Post-Intelligencer*, 25. Juni 2003. ABC's *World News Tonight* berichtete irrtümlich über die Entdeckung eines Waffenlagers in der Sendung vom 26. April 2003. Der September-Artikel der *New York Times,* der voll auf der Propagandalinie des Weißen Hauses lag, stammte von Michael Gordon and Judith Miller. Der Titel dieses Artikels, der am 8. September 2002 erschien, lautete: »U.S. says Hussein intensifies quest for A-bomb parts«.

Folgende Artikel dienten als Quellen zur Geschichte von Jessica Lynch: Susan Schmidt & Vernon Loeb, »She was fighting to the death«, *Washington Post,* 3. April 2003; Thom Shanker, »The Rescue of Private Lynch«, *New York Times,* 3. April 2003; Mark Bowden, »Sometimes heroism is a moving target«, *New York Times,* 8. Juni 2003; Mitch Potter, »The Real ›Saving of Private Lynch‹«, *Toronto Star,* 4. Mai 2003; John Kampfner, »Saving Private Lynch story ›flawed‹«, *BBC News Correspondent,* 15. Mai 2003; und Lisa de Moraes, »CBS News chief defends approach to Lynch«, *Washington Post,* 22. Juli 2003.

Powells Empörung über die Qualität der Geheimdienstinformationen, die er vor den Vereinten Nationen vorstellen sollte, wurde zuerst von Bruce B. Auster und anderen in dem Artikel »Truth & Consequences« berichtet: *U.S. News & World Report* vom 9. Juni 2003. Es gab zahlreiche Berichte über Großbritanniens »Geheimdienst«-Plagiate. Besonders hervorzuheben wäre hier: Sarah Lyall, »Britain admits that much of its report on Iraq came from magazines«, *New York Times,* 8. Februar 2003.

Die falschen Behauptungen von Ari Fleischer und George W. Bush über das Urankonzentrat »Yellow cake« finden sich auf der Website www.whitehouse.gov. George Tenet übernahm dann zuerst dafür die Verantwortung, wie aus dem Bericht von Barry Schweid hervorgeht: »After discredited report, finger-pointing abounds inside Bush administration«, Associated Press, 11. Juli 2003. Über die danach aufgetauchten Oktober-Memos der CIA berichteten neben anderen Dana Milbank

& Walter Pincus, »Bush aides disclose warnings from CIA«, *Washington Post,* 23. Juli 2003.

Rumsfelds charmante Wirrnis prägte seinen großen Auftritt in der NBC-Sendung *Meet the Press* vom 13. Juli 2003. Condoleezza Rice trat am gleichen Tag in der CNN-Sendung *Late Edition with Wolf Blitzer* und der CBS-Sendung *Face the Nation* auf. Ein wahrlich geschäftiger Sonntag!

Der frühere Nixon-Berater John Dean veröffentlichte seine Eindrücke über die dicken Lügen, die Bush und seine Kumpel uns in den letzten Monaten zugemutet haben, auf der Website www.findlaw.com. Sein Artikel »Missing weapons of mass destruction: Is lying about the reason for war an impeachable offense?« erschien dort am 6. Juni 2003.

## THREE – Öl gut, alles gut

Die Ölfirmen stellen auf ihren Webseiten dar, welche Alltagsprodukte aus Erdöl hergestellt werden. Das American Petroleum Institute (www.api.org), die größte Handels- und Lobbygruppe der amerikanischen Ölindustrie, und Arctic Power (www.anwr.com), eine Frontgruppe, die »grün« klingt, tatsächlich aber für Ölbohrungen in der Arctic National Wildlife Refuge, einem großen Naturschutzgebiet in Alaska, eintritt, bieten derlei Informationen an. Bevor ihr euch ausloggt, informiert euch bei Greenpeace, www.greenpeaceusa.org, oder dem Sierra Club, www.sierraclub.org, wie ihr ein energiebewußteres Verhalten fördern könnt und welche Alternativen es zum Öl gibt.

»How Fuel Cells Work«, ein technischer Bericht von Karim Nice, erklärt das Brennstoffzellen-ABC auf www.howstuffworks.com. Weitere Informationen über die Machbarkeit von mit Wasserstoff betriebenen Brennstoffzellen findet sich in Philip Ball, »Hydrogen fuel could widen ozone hole«, *Nature,* 13. Juni 2003; und David Adam, »Hydrogen: Fire and Ice«, *Nature,* 24. März 2000. Zur Nutzung fossiler Brennstoffe zur Herstellung von Wasserstoffenergie siehe: »These Fuelish Things«, *The Economist,* 16. August 2003.

In der für das World Resources Institute erstellten Studie »Oil as a finite resource: When is global production likely to peak?« aus dem Jahr 2000 prognostiziert der Wissenschaftler James McKenzie, daß die globale Erdölförderung bereits 2007, spätestens aber 2019 ihren Scheitelpunkt überschreiten wird. Andere Branchenexperten kommen zu ähnlichen Schlußfolgerungen, siehe zum Beispiel David Robinson in »A new era for oil«, *Buffalo News,* 8. Oktober 2002, oder Jim Motavalli in »Running on EMPTY«, *E,* 1. Juli 2000.

Zu den Plänen der Bush-Administration, den Kernenergiesektor auszubauen, siehe Dan Roberts, »Hydrogen: clean, safer than in the past and popular with politicians«, *Financial Times,* 13. Mai 2003; und »Energy Policy«, *NPR: Talk of the Nation,* 13. Juni 2003. Mit eigenen Worten formulierte Vizepräsident Dick Cheney diesen Plan in einer Rede vor dem Nuclear Energy Institute am 22. Mai 2001: www.whitehouse.gov/vicepresident/news-speeches.

Besucht diese Webseiten, um JETZT ZU HANDELN und euch im Kampf um eine nachhaltige Energieversorgung zu engagieren:

Climate Action Network: www.climatenetwork.org
Friends of the Earth: www.foe.org/act/takeaction/index.html
Greenpeace: www.greenpeaceusa.org/takeaction/
Natural Resources Defense Council: www.nrdc.org/action/default.asp
Physicians for Social Responsibility: www.capwiz.com/physicians/home/
Project Underground: www.moles.org
Sierra Club: www.sierraclub.org/energy
Sustainable Energy and Economy Network: www.seen.org
Union of Concerned Scientists: www.ucsaction.org
U.S. Public Interest Research Group: www.newenergyfuture.com
World Wildlife Fund: www.takeaction.worldwildlife.org

## FOUR – Die Vereinigten Staaten von *BUUH!!*

Am 20. September 2001 erklärte uns George W. Bush mit todernstem Gesicht, daß die Terroristen unsere demokratisch gewählten Führer haßten. In dieser Rede verkündete Bush offiziell, daß die beiden Substantive »Freiheit« und »Angst« Krieg gegeneinander führten. Der volle Wortlaut der Rede ist einsehbar unter www.whitehouse.gov.

Cheneys Ansichten hinsichtlich unserer »neuen Normalität«, ein Zustand, der »zur permanenten Eigenschaft im amerikanischen Leben wird«, sind zwar gut dokumentiert, wer jedoch ein bißchen mehr über diese neue Normalität wissen möchte, sollte Renee Tawas Artikel »Barricades cover their muscle with warmth«, *Los Angeles Times,* 8. November 2001, lesen, in dem über die Versuche berichtet wird, die Betonbarrikaden ein bißchen »eleganter« zu gestalten.

Die Angaben zur Wahrscheinlichkeit, in den USA bei einem Terroranschlag ums Leben zu kommen, basieren auf den Angaben des vom Population Estimates Program and Populations Projections Program of the Census Bureau herausgegebenen Berichts »Annual Projections of the Total Resident Population as of July 1. Middle, Lowest, Highest, and Zero International Migration Series, 1999–2100«, abrufbar auf www.census.gov. Die statistischen Angaben zur Wahrscheinlichkeit, an Grippe, Lungenentzündung, Selbstmord, einem Mord oder bei einem Autounfall zu sterben, stammen aus den *National Vital Statistics Reports* der Centers For Disease Control: »Deaths: Preliminary Data for 2001«, 14. März 2003.

Zu Terrorwarnungen des FBI und Informationen über Schuhbomben und Sicherheit im Flugverkehr siehe www.fbi.gov. Mehr zu Schuhbomben findet sich bei Jack Hagel, »FBI identifies explosive used for shoe bomb«, *Philadelphia Inquirer,* 29. Dezember 2001.

Presseberichte zu Terrorismus und gefälschten Markenartikeln finden sich unter anderem in: *The International Herald Tribune,* »Terrorist groups sell Sham Consumer Goods to Raise Money, Interpol Head Says«, David Johnston, 18. Juli 2003; Anhörung zur Terrorfinanzierung vor dem Kongreß, Senate Governmental Affairs, 31. Juli 2003; »Hearing of the House International Relations Committee«, *Federal News Service,* 16. Juli 2003; Judd Slivka, »Terrorists planned to set wildfires, FBI memo warned«, *Arizona Republic,* 13. Juli 2003; Amber Mobley, »U.S. citizen admits planning al Qaeda attack«, *Boston Globe,* 20. Juni 2003; Randy Kennedy, »A conspicuous terror target is called hard to topple«, *New York Times,* 20. Juni 2003; Rhonda Bell, »Suspicious package on porch a false alarm«, *Times-Picayune* (New Orleans), 13. Oktober 2001.

Informationen über das Project for the New American Century (PNAC) finden sich auf www.newamericancentury.org. Zu Bushs Doktrin des permanenten Kriegs und der unmittelbaren Zweckentfremdung des 11. September zur Vorbereitung der Bühne für Angriffe auf noch mehr Länder siehe: John Diamond, »Bush puts focus on protracted war with global goals«, *Chicago Tribune,* 14. September 2001; »Deputy Defense Secretary Paul Wolfowitz discusses the course of action the U.S. may take after Tuesday's attacks«, National Public Radio, *All Things Considered,* 14. September 2001; Christopher Dickey u.a., »Next up: Saddam«, *Newsweek,* 31. Dezember 2001; »Votes in Congress«, *New York Times,* 25. Mai 2003; Maureen Dowd, »Neocon coup at the Department d'Etat«, *New York Times,* 6. August 2003.

Rumsfelds am 4. Oktober 2001 abgegebenes Versprechen auf einen permanenten Krieg kann nachgelesen werden unter: www.defenselink. mil.

Informationen zu Russell Feingold (Demokrat, Wisconsin) und seiner einsamen Gegenstimme gegen den USA Patriot Act finden sich bei: Nick Anderson, »His ›No‹ vote on the Terror Bill earns respect«,

*Los Angeles Times,* 31. Oktober 2001; Emily Pierce, »Feingold defiant over vote against anti-terrorism bill«, *Congressional Quarterly,* 2. November 2001; Judy Mann, »Speeches and symbolism do little to solve our problems«, *Washington Post,* 31. Oktober 2001. Matthew Rothschild, »Russ Feingold«, *The Progressive,* Mai 2002.

Russ Feingolds gesamte Erklärung in Opposition gegen den USA Patriot Act steht auf seiner Webseite, www.russfeingold.org. Um mehr über den Patriot Act und den Gesetzestext selbst zu erfahren, besucht das Electronic Privacy Information Center unter: www.epic.org/privacy/terrorism/usapatriot. Lohnenswert auch die Webseiten des ACLU (www.aclu.org) und der American Library Association (www.ala.org). Mehr Informationen darüber, wie das Weiße Haus das Gesetz durch den Kongreß gepeitscht und daß kaum ein Kongreßabgeordneter die endgültige Version gelesen hat, bevor darüber abgestimmt wurde, finden sich in Steven Brills Buch *After: Rebuilding and Defending America in the September 12 Era,* Simon & Schuster, 2003, und »Surveillance under the ›USA/Patriot Act‹«, ACLU, 2002.

Ausführlicher zu dem Gesetz die Anhörungen vor dem Rechtsausschuß des Senats am 9. Oktober 2002; »How the anti-terrorism bill puts financial privacy at risk«, ACLU, 23. Oktober 2001; *Imbalance of Power,* Lawyers Committee for Human Rights, September 2002 – March 2003; Nat Hentoff, »No ›sneak and peak‹«, *Washington Times,* 4. August 2003.

Über Ashcrofts normale und »Notfall«-Durchsuchungsbefehle berichteten Dan Eggen und Robert O'Harrow jr. in der Ausgabe der *Washington Post* vom 24. März 2003 unter dem Titel, »U.S. steps up secret surveillance«. Siehe auch Anne Gearan, »Supreme Court rejects attempt to appeal cases testing scope of secret spy court«, Associated Press, 24. März 2003; Curt Anderson, »Ashcroft accelerates use of emergency spy warrants in anti-terror fight«, Associated Press, 24. März 2003; Evelyn Nieves, »Local officials rise up to defy the Patriot Act«, *Washington Post,* 21. April 2003; Jerry Seper, »Congressmen seek clarifications of Patriot Act powers«, *Washington Times,* 3. April 2003.

Der Bericht des Justizministeriums über die Gefangenen, »U.S. Department of Justice Office of the Inspector General: Report to Congress on Implementation of Section 1001 of the USA Patriot Act«, vom 17. Juli 2003 findet sich unter anderem auf www.findlaw.com.

Die Homepage der Defense Advanced Research Projects Agency steht unter www.darpa.mil im Internet. Mehr zu Poindexter, DARPA und dem Policy Analysis Market findet sich bei Floyd Norris, »Betting on Terror: What Markets Can Reveal«, *New York Times,* 3. August 2003;

Stephen J. Hedges, »Poindexter to quit over terror futures plan«, *Chicago Tribune,* 1. August 2003; Peter Behr, »U.S. files new Enron complaints«, *Washington Post,* 13. März 2003; und Allison Stevens, »Senators want ›Terrorism‹ futures market closed«, *Congressional Quarterly Daily Monitor,* 28. Juli 2003.

Wer mehr zur Situation in Guantánamo Bay erfahren möchte, wird unter anderem fündig in: »Imbalance of Power: How changes to U.S. law and policy since 9/11 erode human rights and civil liberties«, herausgegeben vom Lawyers Committee for Human Rights; Matthew Hay Brown, »At Camp Iquana, the enemies are children«, *Hartford Courant,* 20. Juli 2003; Paisley Dodds, »Detainees giving information for incentives, general says«, *Chicago Tribune,* 25. Juli 2003.

Berichte über staatliche Bürgerrechtsverstöße unter dem Patriot Act finden sich zum Beispiel in Philip Shenon, »Report on U.S. antiterrorism law alleges violations of civil rights«, *New York Times,* 21. Juli 2003; »Code-red cartoonists«, *USA Today,* 24. Juli 2003; und Tom Brune, »Rights abuses probed«, *Newsday,* 22. Juli 2003.

John Clarke erzählte die Geschichte seines Verhörs beim Versuch, von Kanada aus zurück in die Vereinigten Staaten einzureisen, in dem Artikel »Interrogation at the U.S. border«, *Counterpunch,* 25. Februar 2002. Viele andere Berichte über die außer Kontrolle geratenen Behörden stammen von Neil Mackay, »Rage. Mistrust. Hatred. Fear. Uncle Sam's enemies within«, *Sunday Herald,* 29. Juni 2003. Siehe auch: »Judge steps down after admitting ethnic slur«, Associated Press, 18. Juni 2003; »Six French journalists stopped in L.A., refused admission to U.S.«, Associated Press, 21. Mai 2003; »Cop photographs class projects during 1:30 AM visit«, Associated Press, 5. Mai 2003; Matthew Rothschild, »Enforced conformity«, *The Progressive,* 1. Juli 2003; Dave Lindorff, »The Government's air passenger blacklist«, *New Haven Advocate;* Matthew Norman, »Comment & Analysis«, *The Guardian,* 19. März 2002; »Show doesn't make evil man sympathetic«, *USA Today,* 18. Mai 2003; »Principal bans Oscar-winning documentary«, *Hartford Courant,* 6. April 2003.

Ari Fleischers Warnung vor Big Brother an die Adresse der Amerikaner findet sich auf www.whitehouse.gov und war auch Gegenstand zahlreicher Medienberichte.

Zu dem Debakel der INS-Visa für Terroristen siehe Bill Saporito u. a., »Deporting the INS: Granting visas for terrorists after 9/11 could be the last gaffe for the Immigration Service«, *Time Magazine,* 25. März 2002.

## FIVE – Wie stoppt man den Terrorismus?
## Laßt einfach selbst ab vom Terrorismus!

William Blums *Killing Hope: U.S. Military and CIA Interventions Since World War II* bietet eine gute Zusammenfassung der von den USA initiierten Staatsstreiche in Chile, Guatemala und Indonesien. *Perpetual War for Perpetual Peace: How We Got to Be So Hated* ist eine wichtige Sammlung von Essays von Gore Vidal (als Bonus bekommt man dazu eine handliche 20-seitige Liste, die alle US-amerikanischen Militärinterventionen in der ganzen Welt seit dem Zweiten Weltkrieg zusammenfaßt). Auf deutsch ist diese Aufsatzsammlung unter dem Titel *Ewiger Krieg für ewigen Frieden. Wie Amerika den Hass erntet, den es gesät hat* im Juli 2002 bei der Europäischen Verlagsanstalt erschienen. Für einen kritischen Blick auf die augenblickliche amerikanische Außenpolitik empfiehlt sich die Website: www.foreignpolicy-infocus.org.

Israel ist einer der größten Importeure von Waffen aus den Vereinigten Staaten. Im letzten Jahrzehnt verkauften die USA Israel Waffen und Militärausrüstung im Wert von 7,2 Milliarden Dollar. Davon waren 762 Millionen Dollar »Direct Commercial Sales« (DCS), also Direktverkäufe amerikanischer Waffenfirmen an Israel. Lieferungen über 6,5 Milliarden Dollar wurden im Rahmen des »Foreign Military Financing (FMF)«-Programms direkt von Regierung zu Regierung als subventionierte Militärhilfe abgewickelt (William D. Hartung und Frida Berrigan: »An Arms Trade Resource Center Fact Sheet«, Mai 2002). Das Middle East Research and Information Project brachte einen Leitfaden über die gegenwärtige Intifada und einen Leitfaden über Palästina, Israel und den arabisch-israelischen Konflikt heraus: www.merip.org. Die israelische Friedensorganisation Peace Now ist der Ansicht, daß »nur ein Frieden Israel Sicherheit bringen wird und die Zukunft unseres Volkes gewährleisten kann«. Daher fordert diese Organisation die israelische Regierung auf, durch Verhandlungen und gegenseitige Kompromisse Frieden mit Israels Nachbarn und dem palästinensischen Volk zu schließen (www.peacenow.org). Die arabische Menschenrechtsgesellschaft Arab Association for Human Rights (www.arabhra.org) versucht die politischen, zivilen, wirtschaftlichen und kulturellen Rechte der palästinensisch-arabischen Minderheit in Israel zu gewährleisten und zu fördern.

Die amerikanischen Energieverbrauchszahlen stammen von der Energy Information Administration des US-Energieministeriums (U.S. Department of Energy) sowie dem Human Development Report des Entwicklungsprogramms der Vereinten Nationen (United Nations Development Program). Einen kritischen Blick auf die Verbrauchsgewohnheiten der Vereinigten Staaten werfen John de Graaf, David Wann, Thomas H. Naylor und David Horsey in ihrem Buch *Affluenza: The All-Consuming Epidemic,* auf deutsch erschienen als *Affluenza: Zeitkrankheit Konsum* im März 2002 im Riemann Verlag. Es gibt viele Leitfäden, wie man gute Vorsätze in Alltagshandeln umsetzen kann: *Culture Jam: How to Reverse America's Suicidal Consumer Binge – and Why We Must* von Kalle Lasn; *The Complete Idiot's Guide to Simple Living* von Georgene Lockwood; *50 Simple Things You Can Do to Save the Earth* von The Earth Works Group und *The Better World Handbook* von Ellis Jones, Ross Haenfler und Brett Johnson.

Die Angaben über das Wasserproblem stammen vom Umweltprogramm der Vereinten Nationen (United Nations Environmental Program) und der Weltgesundheitsorganisation (WHO). Unterstützt die Kampagne der bedeutenden US-amerikanischen Reform-NGO »Public Citizen« für einen weltweiten Zugang zu sauberem und erschwinglichem Trinkwasser und gegen eine Privatisierung der öffentlichen Wasserversorgung (www.citizen.org/cemep/Water).

Die Informationen über die Sweatshop-Arbeiter stammen von der Organisation zur Verteidigung von Arbeitnehmerrechten National Labor Committee und von UNITE!, der Gewerkschaft, die die Arbeitnehmer der Bekleidungsindustrie in den USA und Kanada vertritt. Für nähere Informationen solltet ihr zu diesen Organisationen (www.nlcnet. org und www.behindthelabel.org) Kontakt aufnehmen oder euch an eine der vielen Anti-Sweatshop-Kampagnen wenden: Sweatshopwatch: www.Sweatshopwatch.org; Maquila Solidarity Network: www.maquila-solidarity.org und United Students Against Sweatshops: www.usasnet. org.

Die Internationale Arbeitsorganisation (International Labor Organisation ILO) schätzt, daß in den Entwicklungsländern 250 Millionen Kinder im Alter zwischen fünf und vierzehn Jahren arbeiten müssen, davon 120 Millionen ganztägig. Die Abteilung für Kinderrechte (The Children's Rights Commission) der Menschenrechtsorganisation Human Rights Watch dokumentiert im Internet das schlimme Schicksal der zur Sklavenarbeit gezwungenen Kinder: www.hrw.org/children/labor.htm. Die Organisation Global March Against Child Labor versucht das Übel der Kinderarbeit weltweit abzuschaffen: www.global-march.org. Ein kostenloses Poster gegen Kinderarbeit zum Aufhängen in Klassenzimmern, öffentlichen Räumen oder im Büro kann man bestellen bei www.aft.org/international/child/. Ihr könnt auch eine Petition gegen Kinderarbeit unterschreiben.

Auf der Website www.iraqbodycount.org findet man eine Aufstellung der Zivilisten, die im Krieg gegen den Irak ums Leben gekommen sind. Darin heißt es: »Die Opferzahlen stammen aus einer Zusammenschau aller entsprechenden Berichte im Internet. Wenn diese Quellen unterschiedliche Zahlen enthalten, werden jeweils die höchste und die niedrigste aufgeführt. Unabhängig voneinander überprüfen mindestens drei Mitglieder des Iran Body Count-Projekts alle Ergebnisse auf ihre Richtigkeit hin, bevor sie veröffentlicht werden.«

Die Statistik über die intelligenten Bomben im Irak stammt aus dem Bericht von Jim Krane für Associated Press: »U.S. Precision Weapons Not Fool-proof« vom 4. April 2003.

Laut der Friedensorganisation Peace Action befinden sich in den Depots der Vereinigten Staaten noch über 10 500 Nuklearsprengköpfe. Besucht die Website dieser Organisation und helft mit beim Kampf für eine sicherere Welt: www.peace-action.org. Das Plowshares Movement (»Schwerter zu Pflugscharen«) versucht seit langem auch durch gewaltlosen zivilen Ungehorsam unser Land zu entwaffnen: www.plowshares-actions.org. Die Chemical Weapons Working Group bemüht sich um eine sichere Vernichtung von Munition, chemischen Waffen und Giftstoffen überall in den Vereinigten Staaten: www.cwwg.org.

Wenn ihr noch mehr über Amerikas ruhmreiche Vergangenheit bei der Beseitigung von Demokratien und der Unterstützung blutiger Diktatoren erfahren wollt, gibt es vielleicht keinen besseren Einstieg, zumindest was inzwischen freigegebene, ehemals geheime Dokumente betrifft, als das National Security Archive der George Washington University. Seine Web-Adresse: www.gwu.edu/~nsarchive.

## SIX – Jesus W. Christ

Gott braucht keine Quellenangaben, die bloße Andeutung ist für ihn eine Beleidigung.

## SEVEN – Horatio Alger muß sterben

Die Statistiken über die Einkommenssituation der Unternehmensführer stammen aus folgenden Quellen: »Executive Pay«, John A. Byrne u. a., *Business Week,* 6. Mai 2002; »Executive Pay: A Special Report«, Alan Cowell, *The New York Times,* 1. April 2001. In dem Bericht der *Business Week* heißt es weiter: »Während im vergangenen Jahrzehnt die Löhne und Gehälter der gewöhnlichen Arbeitnehmer um 36 Prozent stiegen, kletterten die Einkommen der Unternehmenschefs um ganze 340 Prozent auf 11 Millionen Dollar.«

Der Bericht des Magazins *Fortune* über Gauner in den höchsten Führungskreisen der Wirtschaft »You Bought, They Sold« erschien am 2. September 2002 und kann im Internet eingesehen werden unter www.fortune.com.

Der Großteil der Informationen in dem Abschnitt über die Tote-Bauern-Versicherung stammt aus der wichtigen Arbeit von Ellen E. Schultz und Theo Francis: »Valued Employees: Worker Dies, Firm Profits – Why?« erschienen im *The Wall Street Journal* vom 19. April 2002. Spätere Berichte über dieses Thema: »Companies Gain a Death Benefit«, Albert B. Crenshaw, *The Washington Post,* 30. Mai 2002; und »Bill to Limit Dead Peasants Policies Ignored to Death«, L. M. Sixel, *Houston Chronicle,* 4. Oktober 2002.

Für mehr Informationen über den Gesetzesvorschlag im Kongreß, der es Unternehmen erlauben würde, weniger Geld in die Pensionsfonds von Arbeitern einzuzahlen, siehe: »Bill Reduces Blue-Collar Obligations for Pension«, Mary Williams Walsh, *The New York Times,* 6. Mai 2003. Mehr über die Kontroverse über den »Tote-Senioren-Rabatt« erfahrt ihr in: »Life: The Cost-Benefit Analysis«, John Tierney, *The New York Times,* 18. Mai 2003.

Wenn ihr mehr über Ken Lays Spenden für den Bush-Wahlkampf wissen möchtet, oder wenn ihr Informationen über Wahlkampfspenden im allgemeinen sucht, solltet ihr zu den ausgezeichneten Leuten beim Center for Responsive Politics Kontakt aufnehmen, www.opensecrets.org. Für Informationen über Bushs Verwendung von Enron-Jets siehe: »Enron: Other Money in Politics Stats«, Center for Responsive Politics, 9. November 2001; und »Flying High on Corporations«, *Capital Eye,* Winter 2000. Für einen Bericht über Bushs kleinen Abstecher, um sich anzuschauen, wie Lay den Eröffnungswurf im Enron-Stadion von Houston ausführte, siehe: »Bush Visits Top Contributor for Houston Baseball Bash«, Megan Stack, Associated Press, 7. April 2000.

Für mehr Informationen über »Kennyboys« »Hilfe« für Bush, Leute für dessen neue Administration auszuwählen, und über seine Rolle in Cheneys Energy Task Force siehe: »Mr. Dolan Goes to Washington«, James Bernstein, *Newsday,* 4. Januar 2001; »Bush Advisers on Energy Report Ties to Industry«, Joseph Kahn, *The New York Times,* 3. Juni 2001; »Power Trader Tied to Bush Finds Washington All Ears«, Lowell Bergman und Jeff Gerth, *The New York Times,* 25. Mai 2001; »Bush Energy Paper Followed Industry Path«, Don van Natta und Neela Banerjee, *The New York Times,* 27. März 2002; »Judge Questions U.S. Move in Cheney Suit«, Henri E. Cauvin, *The Washington Post,* 18. April 2003.

Weitere Informationen über Enron findet man in den folgenden Artikeln: Richard A. Oppel jr., »Enron Corp. Files Largest U.S. Claim for Bankruptcy«, *The New York Times,* 3. Dezember 2001; Steven Pearlstein & Peter Behr, »At Enron, the fall came quickly; complexity, partnerships kept problems from public view«, *The Washington Post,* 2. Dezember 2001; Leslie Wayne, »Enron, preaching deregulation, worked the statehouse circuit«, *The New York Times,* 9. Februar 2002; John Schwartz, »The cast of characters in the Enron drama is lengthy, and their relationships complex«, *The New York Times,* 13. Januar 2003; Jim Drinkard & Greg Farrell, »Enron made a sound investment in Washington«, *USA Today,* 24. Januar 2002; Stephen Labaton, »Balancing deregulation and Enron«, *The New York Times,* 17. Januar 2002; Jerry Hirsch, u. a., »Safeguards failed to detect warnings in Enron debacle«, *The Los Angeles Times,* 14. Dezember 2001; Mary Flood, »The Fall of Enron«, *Houston Chronicle,* 5. Februar 2003; Jerry Hirsch, »Energy execs gain millions in stock sales«, *The Los Angeles Times,* 13. Juni 2001; Stephanie Schorow, »Wealth of options«, *Boston Herald,* 30. September 2002; Jake Tapper, »Secret hires warned Enron«, *Salon,* 20. Januar 2002; Ben White und Peter Behr, »Enron paid creditors $3.6 billion before fall; filing also details payments to executives«, *The Washington Post,* 18. Juni 2002; Jim Yardley, »Big burden for ex-workers of Enron«, *New York Times,* 3. März 2002; Eric Berger, »Enron facing pension lawsuit«, *Houston Chronicle,* 26. Juni 2003; Steven Greenhouse, »Public funds say losses top $1.5 billion«, *The New York Times,* 29. Januar 2002; Mary Flood u. a., »Far from finished«, *Houston Chronicle,* 22. Juni 2003.

Enrons und Andersens Spendenzahlungen und die Interessenkonflikte, die diese schließlich für die »Untersuchungen« der Regierung heraufbeschworen, werden ausführlich dargestellt in dem Artikel von Don Van Natta jr., »Enron or Andersen made donations to almost all their congressional investigators«, *The New York Times,* 25. Januar 2002. Informationen über Enrons Versuche, seine Gesetzesverstöße zu vertuschen, und die Entscheidung der Bush-Administration, nichts gegen den sich abzeichnenden Zusammenbruch zu unternehmen, finden sich bei: »Shredded papers key in Enron case«, Kurt Eichenwald, *The New York Times,* 28. Januar 2002; »Ken who?«, Bennet Roth u. a., *Houston Chronicle,* 11. Januar 2002; »Bush aide was told of Enron's plea«, Dana Milbank, *The Washington Post,* 14. Januar 2002; »Number of contacts grows«, H. Josef Herbert, Associated Press, 12. Januar 2002.

»Präsident« Bushs Versuch, seine enge Freundschaft mit Ken Lay zu leugnen, wurde zuerst dokumentiert im Protokoll seiner Pressekonferenz vom 10. Januar 2002. Man findet dieses Protokoll auf der Website:

www.whitehouse.gov. Dazu siehe auch: »Ken who?«, Bennet Roth u. a., *Houston Chronicle,* 11. Januar 2002; »Enron spread contributions on both sides of the aisle«, Don van Natta jr., *The New York Times,* 21. Januar 2002; und »Despite President's Denials, Enron & Lay Were Early Backers of Bush«, Texans for Public Justice (www.tpj.org), 11. Januar 2002.

## EIGHT – Juhu! Ich bekam eine Steuersenkung!

Mehr Informationen über die tatsächlichen Auswirkungen der von Bush 2003 veranlaßten »Mike-Moore-Steuersenkung« finden sich im Bericht des Center on Budget and Policy Priorities, »New tax cut law uses gimmicks to mask cost; ultimate price tag likely to be $800 billion to $1 trillion«. Auch online unter: www.cbpp.org.

Über Bushs und Cheneys angekündigtes Steuergeschenk wurde von James Toedtman in *Newsday* berichtet: »Tiebreaker's Tax Break«, 20. Mai 2003.

Als ich dies schrieb, belegten die Texas Rangers einen der untersten Plätze in der American League West (o. k., o. k., ich weiß, sie sind nicht so mies wie die Detroit Tigers).

Wer mehr über die 47 Leute erfahren will, die Präsident Clinton »umbringen« ließ, muß nur bei seiner Lieblingssuchmaschine im Internet »Clinton Body Count« eingeben oder einfach amerikanisches Radio hören. Dieses moderne Märchen ist ein Lieblingsthema der Republikaner.

Im Sommer 2003 prognostizierte das Congressional Budget Office (www.cbo.gov), daß das Staatsdefizit im selben Jahr 401 Milliarden Dollar erreichen würde. Mehr Informationen im Artikel von Alan Fram vom 10. Juni: »CBO Expects Deficit to Shatter Record« von Associated Press. Mehr über Bushs Versuche, das prognostizierte Defizit herunterzuspielen, bis der Kongreß seiner Steuersenkung zugestimmt hatte, steht in dem Artikel »Bush Shelved Report on $44,200 Billion Deficit Fears« von Peronet Despeignes, in der *Financial Times* vom 29. Mai 2003.

Bush behauptete bei einer Radioansprache am 26. April 2003, daß jeder Steuerzahler von seiner Steuersenkung profitieren werde. Ein Transkript der Rede steht auf der Website des Weißen Hauses: www.whitehouse.gov. Das Center on Budget and Policy Priorities enthüllte die Wahrheit in seinem Bericht vom 1. Juni 2003: »Tax cut law leaves out 8 million filers who pay income taxes«. In einem Bericht vom 5. Juni 2003 meldete das Center die Auswirkungen der Steuersenkung auf die Bundesstaaten: »Federal tax changes likely to cost states billions of dollars in coming years«. Mehr Informationen bei Citizens for Tax Justice (www.ctj.org), vor allem in dem Bericht vom 30. Mai 2003: »Most taxpayers get little help from the latest Bush tax plan«.

Einen hervorragenden Überblick über die findigen Methoden der Bundesstaaten, Geld zu sparen, etwa indem Glühbirnen herausgedreht oder Schulen geschlossen werden, findet man in den Artikeln »Drip Drip Drip« von Matt Bai in der *New York Times* vom 8. Juni 2003 und »States facing Budget shortfalls, Cut the major and the mundane« von Timothy Egan in der *New York Times* vom 21. April 2003.

Wer eine Rückzahlung vom Finanzamt in Höhe von einer Million Dollar oder mehr erwartet (und wer täte das nicht?), kann das Formular von der Website des IRS runterladen: www.irs.gov/pub/irs-pdf/f8302. pdf.

Bush äußerte sich am 28. Mai 2003 anläßlich der Unterzeichnung der Steuersenkung, wie diese Familien mit Kindern helfen würde, siehe auch www.whitehouse.gov. Wer mehr über die Steuersenkung lesen möchte, die Bush an jenem Tag unterzeichnete und die Familien *nicht* half, auch nicht den Familien von einer Million Militärangehörigen, wird in folgenden Artikeln fündig: »Tax Law Omits $40 Child Credit for Millions« von David Firestone in der *New York Times* vom 29. Mai 2003 und »One million military children left behind by massive new tax package«, Children's Defense Fund (www.childrensdefense.org), 6. Juni 2003.


## NINE – Ein liberales Paradies

Nach Angaben des US-Verteidigungsministeriums dienen in den amerikanischen Streitkräften heutzutage ungefähr 1,4 Millionen Männer und Frauen, »DoD Active Duty Military Personnel Strength Levels, fiscal years 1950–2002«. Selbst mitten im Vietnamkrieg von 1965 bis 1972 waren es nur 2,594 Millionen, wie aus einem Bericht von David M. Halbfinger und Steven A. Holmes hervorgeht: »Military Mirrors a Working-Class America«, in: *The New York Times*, 30. März 2003.

Selbst zu Beginn des unendlichen »Kriegs gegen den Terror« fand eine Umfrage der Organisation »Americans for Victory Over Terrorism« unter College-Studenten heraus, daß 21 Prozent sich einer Einberufung vollständig entziehen würden, während 37 Prozent nur dann einen Militärdienst ableisten wollten, falls dieser komplett in den Vereinigten Staaten stattfinden würde. Sprecher der Armee und der Marines gaben bekannt, daß nach dem 11. September die Rekrutierungszahlen

nicht gestiegen seien, und zitierten interne Untersuchungen des Marine-
corps, die zeigten, daß der Krieg einen »neutralen bis leicht negativen«
Effekt auf die Anwerbung neuer Militärangehöriger hatte. Diese Angaben stammen aus dem Artikel von Joyce Howard Price »Marines, Army
view war as recruitment aid«, der am 31. März 2003 in *The Washington
Times* erschien. David M. Halbfinger stellt in seinem weiter oben zitierten Zeitungsbericht fest, daß die Personalzahlen des US-Militärs im
letzten Jahrzehnt um 23 Prozent gefallen seien.

Die Umfrageergebnisse über die Ansichten der Amerikaner über das
Gesundheitssystem stammen aus folgenden Quellen: Die Untersuchungen über Nicht-Versicherte der Henry J. Kaiser Family Foundation und
der *The News Hour with Jim Lehrer* vom 16. Mai 2000 und der Henry J.
Kaiser Family Foundation/Harvard School of Public Health vom
12. Februar 2003. Die internationalen Vergleichszahlen der Kosten des
Gesundheitssystems stammen aus: Robert H. LeBow, *Health Care Melt-
down,* erschienen 2003. Für eine ausführliche Untersuchung der Zahl
der Amerikaner ohne Krankenversicherung siehe: »Going Without
Health Insurance«, herausgegeben von der Robert Wood Johnson Foundation und Families USA im März 2003.

Informationen über Rassenunterschiede und unsere Einstellung zu
Rassenfragen im allgemeinen findet man in: Will Lester, »Poll finds
black-white agreement on diversity, disagreement on how to get there«,
Associated Press vom 7. März 2003; Riley E. Dunlap, »Americans Have
Positive Image of the Environmental Movement«, Gallup News Service
vom 18. April 2000; der Pew Global Attitudes Project Poll vom 3. Juni
2003; der von Harris Interactive durchgeführten Meinungsumfrage für
die Dave Thomas Foundation for Adoption vom 19. Juni 2002; *Washington Post*/Kaiser Family Foundation/Harvard University, »Race and
Ethnicity in 2001: Attitudes, Perceptions, and Experiences«, erschienen
im August 2001. Über den Anstieg der gemischtrassischen Ehen in den
beiden letzten Jahrzehnten berichtete Cloe Cabrera in ihrem Artikel
»Biracial marriages on rise as couples overcome differences« in der
*Tampa Tribune* vom 1. Januar 2000.

Mehr Informationen über die amerikanische Einstellung zur Frauen-
bewegung und dem Recht auf Abtreibung findet man in: Riley E.
Dunlap, »Americans Have Positive Image of the Environmental Movement«, Gallup News Service vom 18. April 2000; ABC News/*Washington Post* Poll vom 21. Januar 2003; NBC News/*Wall Street Journal* vom
28. Januar 2003; Pew Research Center, 16. Januar 2003; und Gallup/
CNN/*USA Today* Poll vom 15. Januar 2003. Statistiken über Abtreibungen findet man auf der Website des Alan Guttmacher Institute unter
www.agi-usa.org. Die Angaben über unverheiratet zusammenlebende

Paare, die oft keine Kinder haben, stammen aus dem Bericht von Laurent Belsie, »More couples live together, roiling debate on family«, im *Christian Science Monitor* vom 13. März 2003.

Untersuchungen der öffentlichen Meinung über die Kriminalisierung von Drogen, das Strafmaß für nicht gewalttätige Straftäter, den Umgang mit Verbrechen im allgemeinen und unsere Einstellung zur Todesstrafe findet man in: »Optimism, Pessimism and Jailhouse Redemption: American attitudes on Crime, Punishment, and Over-incarceration«, Ergebnisse einer landesweiten Umfrage, die Belden Russonello & Stewart für die American Civil Liberties Union durchgeführt hat, erschienen am 22. Januar 2001; Quinnipiac University Polling Institute, 5. März 2003; ABC News/*Washington Post* Poll vom 24. Januar 2003; in der von Harris Interactive durchgeführten CNN/*Time* Poll vom 17. Januar 2003.

Schätzungen über den Drogenmißbrauch in der amerikanischen Bevölkerung erhält man beim US-Gesundheitsministerium U.S. Department of Health and Human Services.

Amerikas grüne, umweltfreundliche Grundeinstellung geht aus verschiedenen Untersuchungen und Umfragen hervor: Riley E. Dunlap, »Americans Have Positive Image of the Environmental Movement«, Gallup News Service vom 18. April 2000; Henry J. Kaiser Family Foundation/*Washington Post*/Harvard University, 23. Juni 2002; Gallup Poll, 18. März 2002; Gallup Poll, 21. April 2003; Gallup Poll, 13. März 2003; Pew Global Attitudes Project Poll, 3. Juni 2003; und der für den National Environmental Trust von Zogby International durchgeführten Umfrage: »A poll of likely Republican primary or caucus voters in California, Iowa, New Hampshire, New York, and South Carolina«, August 1999.

Die Zahlen über die wahre Einstellung der Amerikaner zu Schußwaffen findet man in: National Opinion Research Center, »2001 National Gun Policy Survey of the National Opinion Research Center: Research Findings«, Dezember 2001; Violence Policy Center, »New Survey Reveals More Americans Favor Handgun Ban Than Own Handguns«, 15. März 2000; Michigan Partnership to Prevent Gun Violence, »Public Opinion: Opening the Door to Public Policy Change«, durchgeführt von der Marktforschungsgesellschaft EPIC-MRA, Oktober 2000.

Neben den beiden Fernsehserien *Will & Grace* und *Queer Eye for the Straight Guy* und der plötzlich erneuerten Popularität des Musiktheaters gibt es weitere Beweise für Amerikas neue Begeisterung für die Homosexualität. Entsprechende Quellen findet man bei: Human Rights Campaign, »HRC Hails New Gallup Poll Showing Continuing Positive Trend in U.S. Public Opinion On Some Gay Issues«, Presseerklärung vom 4. Juni 2001; *Los Angeles Times* Poll, 18. Juni 2000; Henry J. Kaiser Family Foundation, November 2001; Gallup Poll, 15. Mai 2003; und *Newsweek,* 27. April 2002.

Die weitgehende Unterstützung der Gewerkschaften durch die Amerikaner sowie ihr Mißtrauen gegenüber den großen Unternehmen geht aus den folgenden Quellen hervor: ABC News/*Washington Post* Poll vom 15. Juli 2002; Gallup Poll vom 30. August 2002; AFL-CIO Labor Day Survey vom 29. August 2002; Fox News Poll vom 25. Oktober 2002; Kent Hoover, »Labor unions aim to capitalize on public anti-corporate attitude«, im *Houston Business Journal* vom 9. September 2002; Program on International Policy Attitudes, »Americans on globalization survey«, 16. November 1999; Harris Poll vom 27. Juli 2002; und Democratic Leadership Council, »America's changing political geography survey«, Oktober 2002 (durchgeführt von Penn, Schoen & Berland Associates). Um mehr Informationen über Statistiken über die bundesweite Gewerkschaftsmitgliedschaft und über die Tatsache zu erhalten, daß Gewerkschaftsmitglieder besser bezahlt werden als Nichtmitglieder, solltet ihr die Website des Bureau of Labor Statistics www.bls.gov aufrufen.

Michael Savage äußerte seine charmante Sicht der Sodomiten und seine Liebe für das Essen von Würsten in der (genau wegen dieser Bemerkungen) inzwischen abgesetzten MSNBC-Talkshow *Savage Nation* am 5. Juli 2003. Savage (der in Wirklichkeit Weiner heißt) stellte seine Diagnose einer wahnsinnig gewordenen Linken (die darüber hinaus auch noch einer ungesunden Leidenschaft für – OH NEIN! – den Islam verfallen sei) in seiner MSNBC-Talkshow vom 19. April 2003. Unsere gute Freundin Ann Coulter übermittelte uns Gottes Auftrag, die Erde zu »vergewaltigen«, in der Fox News-Sendung *Hannity and Colmes* vom 22. Juni 2001. Coulter, die früher schon einmal von Fox News als »Verfassungsexpertin« vorgestellt wurde, machte ihren Vorschlag, Liberale zu töten, auf der Conservative Political Action Conference des Jahres 2002. Ihren von tiefem Verständnis für die politischen, sozialen, wirtschaftlichen und religiösen Verhältnisse in Afghanistan zeugenden Vorschlag, wie Amerika sich dort verhalten sollte, veröffentlichte sie kurz nach dem 11. September auf der Website der konservativen Zeitschrift *National Review.* Nachdem ich bei der Oscar-Verleihung auf die Tatsache hingewiesen hatte, daß Bush die Wahl nicht wirklich gewonnen habe, meinte mich Bill O'Reilly in seiner Fox News-Sendung vom 14. April 2003 als Anarchist denunzieren zu müssen. Seine Bemerkung über die Armen, die vor Gericht nicht auf ein faires Verfahren hoffen dürfen, stammt aus seiner Sendung vom 4. September 2001. Rush Limbaugh äußerte seine wohlbegründete Theorie über den Ursprung des Feminismus in seiner *Rush Limbaugh*-Show vom 28. Juli 1995. Der

Bericht über Sean Hannitys beleidigenden Wutausbruch über Liberale und Hollywood erschien im Wirtschaftsblatt *Crain's New York Business* vom 17. Februar 2003, während der *Ottawa Citizen* vom 23. März 2003 Hannitys tiefgründige, faktenbezogene Analyse der kanadischen Kultur veröffentlichte.

## TEN – Wie man mit seinem konservativen Schwager redet

Informationen zu Mumia Abu Jamal finden sich auf der Website von Amnesty International, »Life in the Balance« unter www.amnestyusa. org/abolish/reports/mumia oder auf Deutsch: »Hinrichtung abgewendet« unter dem Stichwort »Mumia« unter www.amnesty.de. Bei Amnesty sind auch andere Berichte über Aktionen gegen die Todesstrafe lesenswert. Siehe auch: The National Coalition to Abolish the Death Penalty unter www.ncadp.org und das Death Penalty Information Center unter www.deathpenaltyinfo.org.

Die Angaben zu Gewerkschaften und Renten stammen aus den Artikeln von David Cay Johnston und Kenneth N. Gilpin, »A Case Sounds a Warning About Pension Safety« in: *The New York Times,* 1. Oktober 2000; und Peter G. Gosselin, »Labor's Love of 401(k)s Thwarts Bid for Reform« in: *Los Angeles Times,* 22. April 2002.

Mehr zur Kampagne »Kauft US-Produkte« in Dana Franks Buch *Buy American: The Untold Story of Economic Nationalism,* Boston 1999; Peter Gilmore, »The Untold Story (and Failure) of ›Buy American‹ Campaigns« in: *UE News,* United Electrical, Radio and Machine Workers of America; Lisa Hong, »Is It ›Buy American‹ or ›Japan Bashing‹?« in: *Asian Week,* 7. Februar 1992.

Hilfreich bei der gewerkschaftlichen Organisation sind die Websites der SEIU (Service Employees International Union) unter www.seiu.org und UE (United Electrical, Radio and Machine Workers of America) unter www.ranknfile-ue.org.

Bevor wir Bill O'Reilly zu sehr in den Himmel loben, sollten wir bedenken: Er ist gegen die Todesstrafe. Der Grund: »Das ist eine viel zu milde Strafe.« Ebenso ist er gegen das Nordamerikanische Freihandelsabkommen, weil er verhindern will, daß Mexikaner in die USA kommen. Wir sollten nicht vergessen, daß er Mexikaner schon mindestens zweimal als »wetbacks« bezeichnet hat (verächtliche Bezeichnung für illegale Einwanderer aus Mexiko – »Naßrücken«, weil viele durch den Rio Grande schwimmen, A. d. Ü.), einmal in seiner Sendung *The O'Reilly Factor* vom 6. Februar 2003 und dann am 5. Januar 2003 in *Morning Call* in Allentown, Pennsylvania.

Informationen über Nixon finden sich in den Artikeln von Deb Riechmann für Associated Press: »Nixon Sought Release of Americans in China Before Historic Trip«, 5. April 2001 und »U.S. – Tale of a Treaty«, 16. Juni 2001; *USA Today,* »Title IX at 30: Still Under Fire«, 19. Juni 2002; Huw Watkin, »Burying the Hachet« in: *Time,* 20. November 2000 und *The American Experience,* PBS 2002 unter www.pbs.org/wgbh/amex/presidents.

Die Angaben zum Verdienst von gewerkschaftlich organisierten und nicht organisierten Arbeitern stammen vom Bureau of Labor Statistics, United States Department of Labor, »Table 2. Median Weekly Earnings of Full-Time Wage and Salary Workers by Union Affiliation«, 25. Februar 2003.

Die Zahlen zu den Personen, die jedes Jahr in den USA aufgrund der Luftverschmutzung sterben, sind einer Pressemitteilung der Harvard School of Public Health entnommen, »Air pollution deadlier than previously thought«, 2. März 2000. Die Zahlen über die durch Luftverschmutzung bedingten Kosten in der Gesundheitsfürsorge stammen von den Centers for Disease Control, National Center for Environmental Health, Air Pollution and Respiratory Health Branch, www.cdc.gov/nceh/airpollution.

Die Diskussion über den Superfund basiert auf Artikeln von Katherine Q. Seelye in der *New York Times,* »Bush Proposing Policy Changes on Toxic Sites«, 24. Februar 2002 und »Bush Slashing Aid for EPA Cleanup at 33 Toxic Sites«, 1. Juli 2002; Margaret Ramirez, »Report Links Superfund Sites, Illness« in: *Newsday,* 15. Juni 2003. Kontaktiert das Center for Health, Environment and Justice unter www.chej.org und zieht Regierung und Industrie zur Verantwortung!

Die Informationen über den Energieverbrauch in den USA stammen vom United States Department of Energy, »Table 1.5 Energy Consumption and Expenditures Indicators, 1949–2001« und dem American Council for an Energy-Efficient Economy, »Energy Efficiency Research, Development, and Deployment: Why Is Federal Support Necessary?«, zugänglich unter www.aceee.org. Die Möglichkeiten von Autos und Geländewagen mit niedrigerem Benzinverbrauch werden in dem Artikel »Increasing America's Fuel Economy« der Alliance to Save Energy aufgezeigt. Online unter www.ase.org.

Mehr Informationen zu den Kosten des Kriegs gegen Drogen beim Center for Substance Abuse Treatment, April 2000, Drug Policy Alliance, »›Fuzzy Math‹ in New ONDCP Report«, 12. Februar 2003. Wer sich engagieren will, sollte das Prison Moratorium Project unter www.nomoreprisons.org kontaktieren, eine Gruppe, die sich dafür einsetzt, daß weniger Gefängnisse gebaut werden und die Gelder statt dessen in Städten und Gemeinden eingesetzt werden, die besonders unter der Justizpolitik zu leiden haben. Oder wendet euch an New York Mothers of the Disappeared, eine Organisation von betroffenen Familienmitgliedern, die sich für die Abschaffung der Rockefeller Drug Laws einsetzt, weil sich diese vor allem gegen Arme und Farbige richten (www.kunstler.org).

Die Statistik über die jährlichen Ausgaben für illegale Drogen stammt aus dem Bericht »Prepared Remarks of Attorney General John Ashcroft, DEA/Drug Enforcement Rollout«, John Ashcroft, United States Department of Justice, 19. März 2002.

Die Angaben zum Analphabetentum bei Gefängnisinsassen und Sozialhilfeempfängern wurden aus der aktuellen Statistik des National Center for Education zitiert, das sich wiederum auf das Center on Crime Communities and Culture bezieht, »Education as Crime Prevention«, September 1997, siehe auch Verizon Reads Program unter www.verizonreads.net; Lezlie McCoy, »Literacy in America« in: *The Philadelphia Tribune,* 3. Dezember 2002. Wer sich bei den Programmen für Analphabeten engagieren möchte, wird bei den Literacy Volunteers of America unter www.literacyvolunteers.org und Women in Literacy unter www.womeninliteracy.org fündig.

Die Angaben zu den Ausgaben für Schulen und Gefängnisse stammen von: Bureau of Justice Statistics, National Center for Education Statistics, National Association of State Budget Officers, U.S. Census Bureau, zitiert in einem Sonderbericht von *Mother Jones,* »Debt to Society« 2001.

Die Informationen über die Einkommensspreizung in den USA findet man im Bericht des Census Bureau, »A Brief Look at Postwar U.S. Income Inequality«, Juni 1996 (für die Jahre 1947 bis 1992) und »The Changing Shape of the Nation's Income Distribution, 1947–1998«, Juni 2000. Siehe auch den Artikel von Paul Krugman in der *New York Times,* »For Richer«, vom 20. Oktober 2002.

## ELEVEN – Großreinemachen oder Wie werden wir beim nächsten Frühjahrsputz diesen Bush los?

Laut dem amtlichen Endergebnis der Bundeswahlkommission (Federal Election Commission) (www.fec.gov) erhielten im Jahr 2000 Gore 48,38 und Ralph Nader 2,74 Prozent aller Stimmen, das sind zusammen 51,12 Prozent.

Nach einem Bericht der *New York Times* (David Rosenbaum, »Defying Labels Left and Right, Dean's '04 Run is Making Gains«, vom 30. Juli 2003) »bleibt [Dean] in Steuerangelegenheiten konservativ, er ist der Meinung, die Schußwaffenkontrolle sollte man den Einzelstaaten überlassen, und er möchte für einige Verbrechen die Todesstrafe beibehalten«.

Laut dem Bericht »Voting and Registration in the Election of November 2000« (Wahlverhalten und Wahlbeteiligung bei den Wahlen vom November 2000) des United States Census Bureau (des Statistischen Amts der Vereinigten Staaten) vom Februar 2002 gaben bei der 2000-er Wahl 42 359 000 männliche, nicht-hispanische Weiße ihre Stimme ab. Bei einer Gesamtzahl aller abgegebenen Stimmen von 110 826 000 bedeutet das einen Anteil der männlichen Weißen von 38,22 Prozent. Frauen aller Rassen gaben 59 284 000 Stimmen ab, das sind 53,49 Prozent aller Stimmen. 5 327 000 männliche Schwarze, das sind 4,81 Prozent, und 2 671 000 männliche Hispanics, also 2,41 Prozent, gingen zur Wahl: Zusammen waren das 7,22 Prozent der abgegebenen Stimmen. Somit machten männliche Schwarze, männliche Hispanics und Frauen insgesamt 60,71 Prozent aller Wähler aus.

Die zwei weiblichen Senatoren des Jahres 1991 waren Nancy Kassebaum, eine Republikanerin (R) aus Kansas, die von 1978 bis 1997 im Senat saß, und Barbara Mikulski, eine Demokratin (D) aus Maryland, die 1987 zum ersten Mal gewählt wurde und bis heute ihren Sitz behalten hat. Die anderen Senatorinnen sind zur Zeit: Lisa Murkowski (R-Alaska); Blanche Lincoln (D-Arkansas); Dianne Feinstein (D-Kalifornien); Barbara Boxer (D-Kalifornien); Mary Landrieu (D-Louisiana); Olympia Snowe (R-Maine); Susan Collins (R-Maine); Debbie Stabenow (D-Michigan); Hillary Rodham Clinton (D-New York); Elizabeth Dole (R-North Carolina); Kay Bailey Hutchison (R-Texas); Patty Murray (D-Washington) und Maria Cantwell (D-Washington). Die erste Frau, die in den Senat gewählt wurde, war Hattie Wyatt Caraway (D-Arkansas). Sie war jedoch nicht die erste Frau im Senat – diese Auszeichnung gebührt Rebecca Latimer Felton (D-Georgia), die 1922 als Nachrückerin in dieses erlauchte Gremium aufgenommen wurde. Insgesamt hat es das Volk der Vereinigten Staaten, das zu 51 Prozent aus Frauen besteht, seit 1922 gerade mal geschafft, 33 Frauen in den Senat zu schicken. Eine komplette Liste aller Senatorinnen erhaltet ihr auf der Website des Senats, www.senate.gov. Eine komplette Liste aller Präsidentinnen ... nun ... warum lest ihr das noch? Das Buch ist zu Ende. Geht los und nervt Oprah, wie ich es euch aufgetragen habe!

Das Census Bureau schätzt, daß es 146 Millionen Frauen in diesem Lande gibt, aber nicht alle könnten sich als Präsidentschaftskandidatin aufstellen lassen. Um Präsident der Vereinigten Staaten zu werden, muß man als amerikanischer Bürger geboren worden und über 35 Jahre alt sein. Zieht man dies in Betracht, gibt es nach Schätzungen des Census Bureau 66 190 000 Frauen, die unsere erste Präsidentin werden könnten.

Oprahs Bemerkung, daß sie »niemals« für die Präsidentschaft kandidieren werde, wurde neben anderen Journalisten von Peggy Andersen überliefert: »Oprah for President? ›Never!‹«, Associated Press, 31. Mai 2003.

Um mehr Informationen über General Wesley K. Clark und seine politischen Pläne zu bekommen, sollte man www.leadershipforamerica.org kontaktieren, die Organisation, die er gründete, um »einen nationalen Dialog über Amerikas Zukunft zu fördern«. Seine Äußerungen über das Recht auf Abtreibung und für eine bessere Schußwaffenkontrolle fielen in der CNN-Sendung *Crossfire* am 25. Juni 2003. Er sprach über Bushs Steuersenkungen, den Patriot Act und die Quotenregelung für Minderheiten in der NBC-Sendung *Meet the Press* vom 15. Juni 2003. Seine Kommentare über einen Angriff auf den Iran stammen aus der FOX News-Sendung *Big Story* vom 23. Juni 2003, während er seine Vorschläge über einen anderen Umgang mit unseren Verbündeten am 16. Februar 2003 in der NBC-Sendung *Meet the Press* machte. Seine Gedanken zum Umweltschutz äußerte Clark bei einer Rede vor dem Council on Foreign Relations am 20. Februar 2003.

Wenn ihr daran interessiert seid, euch um das Amt des »Precinct delegate« oder jedes andere Parteiamt der Demokraten zu bewerben, oder wenn ihr einfach nur mithelfen wollt, daß die Demokratische Partei wieder in die Gänge kommt, solltet ihr die Website www.dnc.org aufrufen, wo ihr eine praktische Karte mit den Kontaktadressen der Partei eures Bundesstaates finden werdet. Die Demokratische Partei eures Staates kann euch dann mit allen Informationen versorgen, die ihr für eure politische Arbeit brauchen werdet. Ihr sollt denen aber nicht unbedingt erzählen, was ihr genau vorhabt.

Wenn ihr selbst für ein öffentliches Amt kandidieren wollt oder ein paar politische Informationen braucht, oder einfach nur etwas über die Kandidaten und wofür sie stehen wissen wollt, solltet ihr zuerst einmal in der Website des Project Vote Smart nachschauen (www.vote-smart.org). Dort könnt ihr herausfinden, wer eure Abgeordneten sind, ihr findet Links zu den Websites aller Kandidaten sowie wertvolle Informationen und Links zu anderen mit der Wahl zusammenhängenden Fragen.

Wenn ihr euch in die Wählerliste eintragen wollt, oder wenn ihr die Freunde registrieren lassen wollt, die ihr am Wahltag ins Wahllokal mitzuschleppen plant, solltet ihr www.rockthevote.com aufrufen. Dort könnt ihr und eure Freunde euch auch online für die Wahl registrieren lassen.

Aber am allerwichtigsten ist es, informiert zu bleiben. Hört regelmäßig das National Public Radio oder Pacifica Radio, lest Zeitung, oder
schaut immer mal wieder in die folgenden Websites rein: www.buzz-
flash.com; www.commondreams.org oder www.cursor.org. Dort findet
ihr die neuesten Informationen über Nachrichten und Fakten, die in
den anderen Medien oft sogar gänzlich fehlen.

# Dank

Ich möchte meiner Frau Kathleen danken. Sie drehte immer das Radio lauter und fing an zu tanzen, wenn ich keine Lust zum Schreiben hatte. Schlagartig fühlte ich mich dann von der Muse geküßt und konnte weiterschreiben und weiterleben.

Außerdem danke ich meiner Tochter Natalie. Sie hat dieses Jahr ihren Abschluß am College gemacht, etwas, was weder meine Frau noch ich geschafft haben. Wir sind sehr stolz auf sie.

Auch meiner Schwester Anne gilt mein Dank. Sie hat in den letzten beiden Jahren sehr viel für mich gearbeitet und darüber ganz vergessen, daß sie eigentlich Rechtsanwältin ist. Als mein letzter Verlag keine Lesereise organisierte, tat sie es – und fuhr uns in ihrem Minivan von Stadt zu Stadt. Als mein Film in Cannes gezeigt wurde, fungierte sie praktisch als meine Managerin. Als ich Teile des Buchs unter Dach und Fach bringen mußte, standen sie und ihr wunderbarer Mann John Hardesty mir zur Seite. Sie hat so viel geleistet und obendrein ist sie die mittlere von uns Geschwistern!

Ich möchte auch dem Typen danken, der die Gurkenhappen in Dill erfunden hat. Sie sind das letzte Laster, das ich noch habe.

Mein Dank geht außerdem an einen alten Kumpel von mir, Jeff Gibbs. Er hat mir in den letzten Jahren mehr als einmal aus der Patsche geholfen. Jeff saß bei mir, während ich schrieb, und prüfte die ganzen Fakten. Er drängte mich weiterzuschreiben, wenn ich manchmal nur noch Haikus dichten wollte. Er ist ein Genie. Obwohl er noch nie bei einem Film mitgearbeitet hatte, schuf er einige unvergeßliche Szenen von *Bowling for Columbine*. Obwohl er noch nie Filmmusik geschrieben hatte, schrieb er die für meinen Film in fünf Tagen, nachdem die ursprüngliche Musik durchgefallen war. Was wird als nächstes kommen? Er macht mir Angst.

Ich danke Ann Cohen und David Schankula, dem Expertenteam dieses Buchs. Monatelang ackerten sie mit mir jedes Wort durch. Sie halfen mir beim Schreiben, Umschreiben, Umändern und Umarbeiten dieses ganzen verdammten Textes. Sie erledigten die Recherchen, lasen Korrektur und prüften die Fakten. Dann wechselten sie ganz nebenbei die Rollen an meinen Inlinern, teerten meine Einfahrt und zogen eine Herde Ziegen für mich auf. Wie kann ich das je wiedergutmachen?

Dank auch an Tia Lessin, Carl Deal und Nicky Lazar, die weitere Fakten prüften und recherchierten, obwohl sie mich eigentlich nach Afghanistan hätten schmuggeln sollen.

Außerdem danke ich Brendon Fitzgibbons, Jason Kitchen, Sue Nelson, Stephanie Palumbo, Michael Pollock, Brad Thomson und Doug Williams und den Mitarbeitern im Büro: Rebecca Cohen und Emma Trask. Und ich danke denen, die das Manuskript lasen und gute Vorschläge machten: Al Hirvela, Joanne Doroshov, Rod Birleson, Terry George, Veronica Moore, Kelsey Binder, Leah Binder, Rocky Martineau und Jason Pollock. Vielen Dank auch an die Redakteure Lori Hall Steele, Mary Jo Zazueta und Terry Allen.

Mein besonderer Dank gilt den Kanadiern. Wenn es euch nicht gäbe, wüßten wir gar nicht, was wir alles falsch machen.

Auch meinem neuen Verlag Warner Books möchte ich danken – ich könnte mir keine besseren Leute wünschen. Vor allem danke ich Larry Kirshbaum, weil er mir sagte, es sei am wichtigsten, »das Buch so hinzukriegen, daß Sie ein richtig gutes Gefühl haben – machen Sie sich keine Sorgen um den Abgabetermin!«. Ich habe noch nie gehört, daß jemand, der etwas zu sagen hat, meint, ich solle mir keine Gedanken um den Abgabetermin machen! So etwas darf man mir nicht sagen! Larry, Sie sind wirklich cool.

Meiner Lektorin Jamie Raab bei Warner Books möchte ich meinen Dank aussprechen. Ihr Enthusiasmus, ihre echt *menschliche* Reaktion auf mein Buch waren die Motivation, die ich dieses Jahr brauchte. Ich danke ihr für die Geduld, die sie für meine verrückte Arbeitsweise aufbrachte. Sie ist die beste Lektorin.

Ich danke den anderen lieben Menschen bei Warner Books, die an diesem Projekt beteiligt waren. Dank auch an Paul Brown für die Umschlaggestaltung. Nach seiner tollen Arbeit für *Stupid White Men* kam niemand anderes für die Gestaltung des Umschlags in Frage (die Idee dazu stammt von David Schankula).

Dank auch an meinen Agenten Mort Janklow, den Jedi-Meister aller Agenten. Sie werden mir nie auch nur ein Haar krümmen, solange die Macht mit ihm ist!

Mein Dank gilt den Musikern und Bands, deren Musik ich hörte, während ich an meinem Buch arbeitete: Bruce, die Dixie Chicks, Patty Griffin, U2, Madonna, Alanis, Kasey Chambers, Steve Earle, Iris

Dement, Nancy Griffith, Warren Zevon, R.E.M., Pearl Jam, Audioslave und die Pretenders. Es ist eine große Hilfe, wenn man zu einem guten Beat schreibt.

Ein spezieller Dank gebührt den Iren in Donegal, Antrim, Derry und Galway, die mich in ihre Häuser ließen, damit ich bei ihnen mein Laptop einstöpseln und das Buch fertigschreiben konnte, während mein Verlag dachte, ich würde nur ein paar Straßen weiter in New York sitzen.

Und zu guter Letzt danke ich meinem Vater, der sich in diesem besonders traurigen Jahr um mich kümmerte, als ich mich um ihn hätte kümmern sollen.

# Über den Autor

Michael Moore hatte versprochen, daß sein letztes Buch definitiv sein letztes bleiben würde, es sei denn, »es hätte Erfolg«. Leider hatte es den Erfolg, den er vermeiden wollte, und so war er gezwungen, dieses Buch zu schreiben. Er hat die Bestseller *Querschüsse* »*Downsize this*« und, zusammen mit Kathleen Glynn, *Adventures in a TV Nation* geschrieben. Sein jüngstes Buch *Stupid White Men* stand 58 Wochen auf der Bestsellerliste der *New York Times,* wurde in den USA das meistverkaufte Sachbuch der Jahre 2002/03. Weltweit wurden über vier Millionen Exemplare gedruckt. Das Buch gewann in Großbritannien die Auszeichnung »Book of the Year« (Buch des Jahres) und absolut nichts in den Vereinigten Staaten, außer daß der Autor in einer verrückten Online-Petition gebeten wird, für die Präsidentschaft zu kandidieren. Michael Moore hat für seinen Dokumentarfilm *Bowling for Columbine* den Oscar erhalten und zuvor den bahnbrechenden Klassiker *Roger & Me* gedreht. Außerdem ist er als Autor, Regisseur und Gastgeber der Fernsehserien *TV Nation* und *The Awful Truth* mit dem Emmy ausgezeichnet worden. Er hat es noch nicht geschafft, einen Grammy oder einen Tony zu gewinnen, hofft jedoch, daß sich das ändert, wenn er singen lernt und Schauspielunterricht nimmt. Kürzlich nahm er 23 Kilogramm ab, indem er konsequent auf jegliche Nahrung mit dem Etikett »fettarm« verzichtete. Zur Zeit arbeitet er an seinem nächsten Film mit dem Titel *Fahrenheit 9/11.* Er lebt mit seiner Frau und seiner Tochter in Michigan und New York.

Wenn Sie mehr lesen oder
Kontakt zum Autor aufnehmen wollen,
gehen Sie auf

**www.MichaelMoore.com**

**PIPER**

## Michael Moore
### *Stupid White Men*

Eine Abrechnung mit dem Amerika unter George W. Bush.
Aus dem Amerikanischen von Michael Bayer, Helmut
Dierlamm, Norbert Juraschitz und Heike Schlatterer.
329 Seiten. Klappenbroschur

Bananenrepublik USA: Im Weißen Haus sitzt »Baby Bush mit
seiner Kamarilla«, ein Präsident, der nie gewählt wurde
und der regieren läßt – hauptsächlich von Geschäftsfreunden
seines Vaters. Die Lage der Nation ist entsprechend: Die
Außenpolitik eine Serie von haarsträubenden Fehlentschei-
dungen, die Börse entpuppt sich als eine Spielwiese für Be-
trüger, viele Anleger sind ruiniert, die Wirtschaft auf Talfahrt.
In dieser Abrechnung voll boshaftem Witz zeigt Michael
Moore, was alles schief läuft in der einzig noch verbliebenen
Weltmacht USA. Er schont dabei nichts und niemanden,
zeigt die Schwächen des politischen Systems ebenso auf wie
die Auswirkungen des ungebremsten Kapitalismus.
Michael Moore gelingt hier eine seltene Mischung aus knall-
hartem politischen Buch und witziger Satire, die niemanden gleichgültig läßt.

01/1230/01/R

**PIPER**

## Michael Moore
## *Querschüsse*

»Downsize This!«. Aus dem Amerikanischen von Heike
Schlatterer und Helmut Dierlamm. 314 Seiten. Klappenbroschur

Michael Moore at his best: Bitterböse, nie politically correct
und unfair nach allen Seiten nimmt er aufs Korn, was den
›stupid white men‹ heilig ist: die Emanzipation der Schwarzen
und der Frauen, den Kongreß genauso wie das Amt des
Präsidenten der USA – und vor allem und immer wieder die
internationalen Konzerne, denn: »Big Business will alles
mögliche – aber bestimmt nicht, daß du ein besseres und leich-
teres Leben hast.« Er schlägt vor, den viel zu langen Namen ›United States of America‹ schlicht in ›THE BIG ONE‹
zu ändern, die Regierung zur Kostensenkung nach Mexiko
auszulagern (machen das die großen Firmen nicht genauso?)
und möchte den nächsten Präsidenten in einem Monster-
Truck-Rennen ermitteln. »Der letzte Rebell Amerikas« nimmt
scheinbar nichts ernst – und hat gerade dadurch eine
durchschlagende Wirkung. Dieser geniale Vorläufer zu *Stupid
White Men* ist unverändert gültig.

01/1298/01/L